MYSTERIOUS SEARCH -A- WORD

Modern Publishing
A Division of Unisystems, Inc.
New York, New York 10022

Compiled by Ruby L. Smale

1

On Broadway!

ANNIE
ATHENA
BOLERO
BROADWAY
CABARET
CAMELOT
CANCAN
CAROUSEL
COLLEEN

CURLY TOP
DAMES
DIXIE
FAME
FANNY
GIGI
GILDA
GYPSY
HAIR

HARLOW
JUMBO
KISMET
LES GIRLS
LILI
MAME
MAYTIME
MOROCCO
NEW MOON

NIAGRA
OKLAHOMA
OLIVER
PAL JOEY
PEPE
PETER PAN
RECKLESS
RIO RITA
ROBERTA

ROSALIE
SALOME
SHOW BOAT
STAR
THE WIZ
TOP HAT
UP IN ARMS
WHOOPEE
XANADU

3

No Business Like Show Business

ACT	DANCE	LINES	ROLE	SONG
BACKDROP	DARK	MAKE-UP	ROUTINE	SOUND
BATHOS	DELIVERY	MIKE	SCAFFOLD	SPEAKER
CAMERA	DIRECTOR	MOVIE	SCENE	SPOTLIGHT
CAST	ENTRANCE	PLAY	SCRIM	STAR
CHORUS	EXIT	PROMPTER	SCRIPT	TAKE
COSTUME	GRIP	PROP	SET	THEATER
CUE	LEFT	REHEARSAL	SHOOTING	TIMING
CURTAIN	LIGHTS	RIGHT	SHOW	WINGS

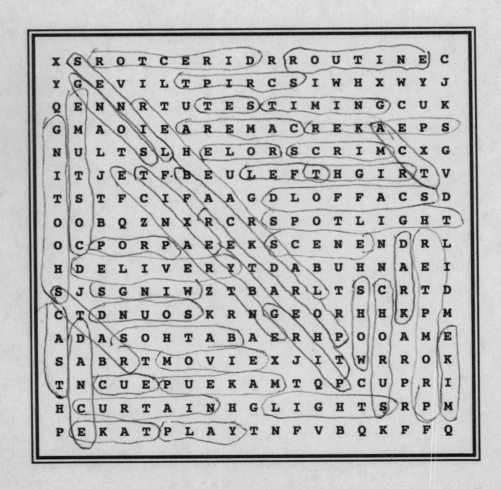

3

On the Loose in Tinsel Town

ACTOR   DANCER   GLITTER   OSCAR   STARS

AGENT   DIRECTOR   GOSSIP   PART   STRUGGLE

ARTIST   DISCOVER   IMAGE   PRODUCER   STUDIO

CASTING   DRESS   INGENUE   RENOWN   SYCOPHANT

CELEBRITY   EQUITY   JEALOUS   RUMOR   TINSEL

CHARACTER   FACADE   MILIEU   SCANDAL   UNION

CINEMA   FAME   MOVIES   SEDUCE   WAITRESS

COLONY   FILM   MYTH   SHOW   WEALTH

COMPETE   GLAMOR   NAME   SINGER   WORK

The Greater Los Angeles Area

ANAHEIM	EL MONTE	OLINDA
ARCADIA	GARDENA	OLIVE
ARTESIA	GLENDALE	ONTARIO
ATWOOD	IRVINE	ORANGE
AZUSA	LA HABRA	PASADENA
BREA	LA PALMA	POMONA
BURBANK	LA VERNE	SEAL BEACH
CARSON	LAWNDALE	STANTON
CHINO	LOMITA	TARZANA
COMPTON	LONG BEACH	TORRANCE
COVINA	LYNWOOD	TUSTIN
CUDAHY	MALIBU	UPLAND
CYPRESS	MONROVIA	VAN NUYS
DOWNEY	NORCO	WALNUT
DUARTE	NORWALK	WHITTIER

A M I E H A N A O N T A R I O C R O N
L Y N W O O D H A N B U R B A N K Y U
T O R R A N C E O N V R C A A A W A T
A R B A H A L R W F E H U E N T H M A
A E L A D N W A L L C D D R A I L A I
V G D D R A L O J A C N A B Z M T A S
S V U U L N R A E V Y A H S R O T P E
E G A K U A I B P E P L Y E A L I A T
A L R T N D G O M R R P V T T P E L R
L E T G A N M O O N E U G N E A R W A
B N E C O O N N O E S V A O N T N C M
E D R L N R I A L V S A R M I W I O A
A A M A O H X I I R E N D L V O T M L
C L A V C O V I N A V N E E R O S P I
H E I Y E N W O D H I U N Y I D U T B
K A N O S R A C A R L Y A U Y H T O U
O P D N O T N A T S O S A S U Z A N L

5

Along the Docks

BARNACLE	GULL	RAMP
BAY	HALYARD	REFIT
BOAT	HARBOR	REPAIR
BOATYARD	HULL	ROPE
BRASS	KEEL	SANDING
BUOY	LINES	SEAWEED
CABIN	MARINA	SHELTER
CAREENED	MAST	SLIP
CAULK	MOORING	SPAR
CLEAT	OILY	STORAGE
DIESEL	PAINT	TAR
DOCK	PIER	TILLER
DUCKS	POLISH	VARNISH
ENGINE	PORT	WINCH
FIBERGLASS	PROW	WOODEN

Z A V Z C C C H L I N E S I B R A P S
R D Y F W O E L C A N R A B K M X J L
A R E T L E H S S E U N X O L O R I L
H R E P A I R S F W I G I S U O A D U
P Z D D D H A X O R T B K I A R T I H
P F E O E R P O A I D C R F C I G E T
I R C N B E D M F C U R I L K N C S H
L K E D I E W E A D L B A Y E G B E I
S W G Y N G R A C R E E O Y B E W L Y
H C A B I N N H E R I U A W T O K L A
A B R S V O S E G S B K V T R A I P Q
R V O V A I E L H C N I W P Q O O M U
B P T Y L N A U P C A R E E N E D B P
O A S O H S D O T A O B H A L Y A R D
R I P O S Z R I T I L L E R D P I E R
H N M A S T P U N R A O J E P O R D D
V T Y Z L L U G M G V A R N I S H V Q

9

Chasing the Great White Whale

ADRIFT

AHAB

ALBINO

AVAST

BALEEN

BARB

BLUBBER

CAPSTAN

CAPTAIN

CHASE

COIN

CREW

CROW'S NEST

DIVE

FATHOM

FLUKES

FOAM

GOLD

HARPOON

HUGE

HUNT

INSANITY

ISHMAEL

LANCE

LEVIATHAN

LUCK

MAST

MOBY DICK

NAILED

NANTUCKET

OAR

OIL

PEG LEG

PEQUOD

QUEEQUEG

REVENGE

SHIP

SIGHTED

SPOUT

STARBUCK

SUNK

VOYAGE

WHALE

WHITE

WRECK

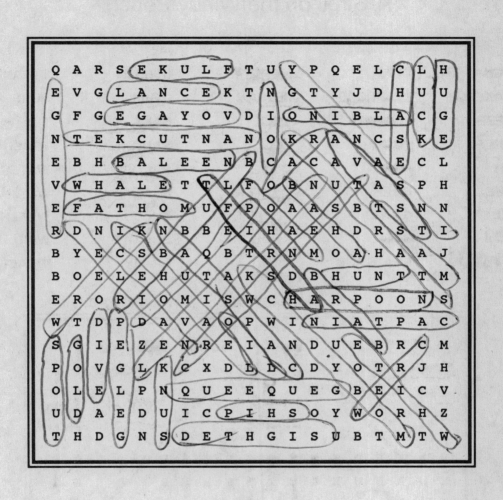

A Stroll on the Windy Beach

BEACH	DUNE	HORIZON	RIPPLE	STRAND
BREAKERS	FEATHERS	JETSAM	ROCK	SURF
BREEZE	FLOTSAM	JUNK	SALT	TIDE
BUBBLES	FOAM	LOG	SAND	TRASH
CLAM	FOG	OLIVE	SANDPIPER	WATER
CLOUDS	GALE	OYSTER	SEAL	WET
COMBER	GRASS	PEBBLE	SHELL	WHELK
CRUST	GULL	POOL	SHINGLE	WIND
DRIFTWOOD	HEADLAND	RIME	SPRAY	WRACK

```
S H E L L G Q D R I F T W O O D O N B
G U L L W D I L W M Q Z F E I Z Y O U
O R F Y N J B O C A G S O M W O S Z B
L E C I U Q G O R S H M R O E Z T I B
I T W N S I T P U T S Y E E T U E R L
V A K S D S M H S O R S B E K D R O E
E W A B N H A C T L E A M P L A N H S
O R F T A I L A D F H N O W E A E A U
G O W I L N C E G L T D C X U B G R S
G B S D D G P B Y R A P K G O L B L B
S C A E A L T R O E E I F V K S D L X
U L L U E E I C Z D F P A C P M N H E
R O T Z H P K E R I K E A R E A A S D
F U H B P J E T S A M R A E P O R A U
D D Y L B R C F D J W Y G D R F T R N
F S E U B R Y O W H E L K Z K U S T E
A P R F L A E S A A H M E M I R I I C
```

In Coastal Rookeries

ALBATROSS	DUNLIN	KITTIWAKE	PLOVER	SKUA
AUKLET	EIDER	KNOT	POMARINE	STILT
BOOBY	ERNE	LOON	PUFFIN	STINT
BRANT	FULMAR	MURRE	RAZORBILL	SURFBIRD
CORMORANT	GANNET	MURRELET	RUFF	TATTLER
CURLEW	GODWIT	OLDSQUAW	SCOTER	TERN
DOTTEREL	GULL	PELICAN	SHAG	TURNSTONE
DOVEKIE	HARLEQUIN	PETREL	SHEARWATER	WHIMBREL
DOWITCHER	JAEGAR	PHALAROPE	SKIMMER	WILLET

```
N Z N I U Q E L R A H T A T T L E R S
I R E D I E E K A W I T T I K T G K C
L N R E T T E L E R R U M C H E A N O
N E C K F U L M A R E V D O F L H O T
U E N I R A M O P T T H I R F K S T E
D R I B F R U S K U A K U M U U L E R
D O W I T C H E R R W S E O R A L L L
E O P E T R E L H N R K P R Y K I L E
M L J A E G A R B S A I O A Q K B I R
U E D G O D W I T T E M R N X R R W B
R R E T E N N A G O H M A T L E O N M
R E I K E V O D L N S E L N L V Z I I
E T Y T B R A N T E U R A I U O A F H
E T B A L B A T R O S S H T G L R F W
N O O E A N A C I L E P P S Z P M U D
R D O T L I T S O L D S Q U A W Y P T
E P B G V P C U R L E W G L O O N P F
```

9

A Plethora of Everything

BEVY · BUNCH · BUSHEL · CLUSTER · COVEY · CREW · CROWD · CRUSH · DROVE

EXALTATION · EXCESS · FLOCK · GAGGLE · HERD · HOST · HUDDLE · INFINITY · JAM

KINDLE · KNOT · LABOR · LEGION · LITTER · MASS · MINT · MOB · MURDER

MYRIAD · OODLES · PACK · PECK · PLENTY · POSSE · PRIDE · RAFT · SCHOOL

SCORE · SHOAL · SLEW · SWARM · THRONG · TORRENT · TRIBE · TROOP · WEALTH

```
K C R I T E R O C S K I N D L E H C O
E O A E C N D O O D L E S Z U C M L O
W V F F D U R T B Q P B Q R N R A G D
E E T B D I H E D L A H J J A O M R Q
L Y H A T R R W T T C U A W H P E A Y
S U V O O C O P N T K D S S E H J E J
D R N N S R P E D C I D E C X E L R P
M K G S C O R C B T R L K D A B A X E
A I A Y S R L L E M S E R J L I B I O
W M N S O U L E V O U O W A T R O N R
E H E T S F O G Y B V L H M A T R F E
A S L T Y L O I I E E P H S T W G I D
L U E J T O H O B H O C S Y I G F N R
T R E C N C C N S O N E F C O P Z I U
H C P V E K S U R U C A R Y N P J T M
Z R H E L B B T B X M Y R I A D Z Y J
P V B P F C V X E E L G G A G I Y V M
```

14

The Mechanic's Nightmare

BLACKENED	CLAMP	FOULED	OOZE	SNAPPED
BLOCK	CONNECTION	GASKET	PISTON	STEAM
BLOWN	CORD	GUSH	PLUG	STINK
BOLT	CRACKED	HOSE	ROTTEN	STUCK
BORE	CRUSTED	KNOTTED	RUST	TANGLE
BROKEN	DRIPPING	LEAKY	SCREW	VALVE
CAKED	FILTER	LOST	SHAFT	WELDED
CASING	FILTH	MISSING	SHEARED	WIRE
CHARRED	FLUID	NUT	SMOKE	WORN

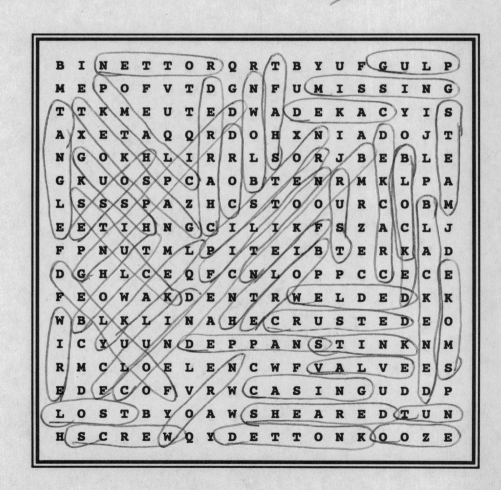

At the M.D.'s

BANDAGE	DROPS	INOCULATE	PRESCRIBE	STITCH
CAPSULE	DRUG	LISTEN	PROD	SWAB
CHART	EAR	LOOK	REGIMEN	SYRINGE
CHECK	EXAMINE	NOSE	RESULT	TEST
COLDS	EYE	NURSE	SALVE	THERAPY
CONSULT	FILM	OINTMENT	SPECIMEN	THROAT
COUGH	FORCEPS	PALPATE	SPLINT	TREAT
DIAGNOSE	GOWN	PILL	STERILE	WAIT
DOCTOR	INJECT	POKE	STETHOSCOPE	X-RAY

```
N N S D L O C K C E H C Y E H A R T C
G F X D R O P S E T R E E N A U J R O
U T R A H C V N N P M W T G V R F E U
S A A I E L E I P E O T T A A I Q A G
T E Y X L P L T V B C C N A P D E T H
I L N W U P X L A E A N S R O L N Y D
T O O Z S Z A S J L Y W E O O R A A E
C O S X P S P N N W U T S M H T H P B
H K E N A E I W A Y E C L Y I T C T I
T K Z B C M O I P L N K O U R G E O T
E M V R I G T A L L I P L N S I E T D
S C O H R R R M I X M R R I I N N R S
T F W Z N E C F D I A G N O S E O G R
E K O P H U S S I B X G W Z D T R C E
Z X J T E M R U E L E N V H K Y E B F
N E M I C E P S L R M O I N T M E N T
E L I R E T S O E T P D T E B G U R D
```

The Rock Hound

AMBER	COPPER	GOLD	METALLIC	ROCKHOUND
AMETHYST	CRYSTAL	GRAPHITE	MICA	SAMPLE
BERYL	DEPOSIT	GYPSUM	MINERAL	SILVER
CALCITE	FELDSPAR	HALITE	NODULE	SULPHUR
CHIP	FOSSIL	HAMMER	ORE	TALC
CHISEL	GALENA	HARDNESS	PICK	THUNDER EGG
CLEAVAGE	GARNET	JASPER	POCKET	TOPAZ
COLLECT	GEODE	LENS	PYRITE	VEIN
COLOR	GEOLOGY	LUSTER	QUARTZ	ZEOLITE

```
R C P B C I Y H A L I T E S E R O C G
C B H O E L E L P M A S U T O P A Z I
O Z C F C R E A T D V L P E T I R Y P
P A R E Q K Y A C E P E M L H T M U L
P M Y L R H E L V H N R I Y U S K H J
E B S D B E H T U A O R G N N Y C M L
R E T S G P M R R C G O A Y D H O I E
L R A P E I K M K F L E C G E T L N S
P M L A O C H H A O G E I O R E L E I
F U Y R D K O R E H Z A M L E M E R H
S S T X E U N G E L E E L D G A C A C
I P I G N P I H C T X T O E G A T L Z
L Y S D H A R D N E S S I L N B I C T
V G O G R A P H I T E U E C I A L O R
E F P F O S S I L E T A L C L T W L A
R K E J A S P E R E L U D O N A E O U
X J D C I L L A T E M L E N S F C R Q
```

Shopping for the Perfect Pair

ALLIGATOR	COMPARE	LIZARD	PAIRS	SKIMMER
BOOT	CVO	LOAFER	PATENT	SLIPPER
BOXES	DECK SHOE	MARYJANE	PILE	SNEAKER
BROGUE	FIT	MEASURE	SABOT	SUEDE
CALF	FLAT	MIRROR	SALESMAN	T-STRAP
CANVAS	GRAINED	MOCCASIN	SANDAL	THONG
CHOICES	HEEL	MULE	SHINY	TIE
CLOG	LEATHER	OSTRICH	SHOP	TRY ON
COLOR	LINED	OXFORD	SIZE	VINYL

```
V S R I A P B C A N V A S N B O O T D
T O B A S R K X R F E S N E A K E R C
K F D E N I L O I D H O F E H E J B G
F T H K N O T V R I S N N C T O T O R
L N U U A A I N N O I I I C H D X A
A B I F G N J Y E S L R Z L H S B E I
C K E I Y G H Y A T T O O E S K R S N
B R L L Q F R C R S A G C R L C O P E
Q L S T N S C P O A F P I E I E G H D
A E K H A O E R A P M O C H P D U W G
H P I L M L E C T R Y O N T P A E N I
L K M I S M F L I M O T L A E R O D Q
E D M Z E U I I I O K I I E R H E J D
D Z E A L L C R I P H E Z L T P O H S
E J R R A E R L E E H C E R U S A E M
U U C D S O D R O F X O T S T R A P Y
S F L I R F I T O V C O S A N D A L O
```

Municipal Parks

AMBLE	DOG	GROTTO	PARK	SKATERS
BANDSTAND	DUCKS	GROVE	PATH	SPINNEY
BEGONIA	EDGING	KEEPER	PIGEON	SQUIRREL
BENCH	FLOWER	LAKE	PLAY FIELD	STATUE
BORDER	FORMAL	LAWN	POND	STROLLERS
CINDER	FOUNTAIN	LEASH	PROMENADE	TENNIS
CITY	GARDEN	LOUNGE	ROSES	TRASH CAN
CROW	GAZEBO	MOWER	SEA GULL	TREES
CYCLIST	GEESE	PANSY	SHRUBS	URNS

```
L E V O R G Y T J N W P W P S N R U U
E S O U O S R N S Y A U I N G A D W S
A T E D N E A P E R P G I A W L H L R
S R Y A E H I K K R E A I C E C A M E
H O P S T N A O O O T N C I R M K O T
C L G A N L R M N N O G F Y R O I W A
N L P E H E E W U G E Y R O C E W E K
E E Y R P N A O E B A B F O S L G R S
B R G E A L F B G L A B O E T N I D D
L S E D C D N O P S K N E B I T U S E
O K E S B U R H S P Q G D G E C O R T
U J N A C H S A R T T U D S K Z E M G
N L V F L O W E R Y F E I S T D A E R
G Y T I C E N E D R A G T R R A L G O
E E U T A T S S I N N E T O R B N V S
I S E A G U L L W H D O B R M E H D E
C L Y D C K C I N D E R K A N R L T S
```

Baking Cookies

ANISE	CRISPY	MOLASSES
AROMA	CRUNCHY	MUNCH
BAKE	DELICIOUS	NIBBLE
BARS	DROP	OATMEAL
BROWNED	FILLED	OVEN
BROWNIE	FLATTEN	PECAN
BUTTER	FLOUR	POPPYSEED
CHIPS	GINGER	RAISIN
CHOCOLATE	HERMITS	SHORTBREAD
CINNAMON	JELLYTOT	SNAPS
COCONUT	KISSES	SPRINGERLE
COOK	MACAROON	SUGAR
COOL	MARZIPAN	TEACAKE
CREAM	MERINGUE	WAFER
CRESCENT	MIX	WALNUT

```
R  R  E  G  N  I  G  V  E  E  S  I  N  A  F  L  O  U  R
C  F  B  C  P  N  O  C  O  C  O  N  U  T  W  A  F  E  R
R  N  U  E  J  P  O  R  D  Y  L  A  E  M  T  A  O  X  E
I  I  T  T  N  E  K  M  D  X  I  M  Y  H  C  N  U  R  C
S  B  T  A  O  O  L  D  A  E  R  B  T  R  O  H  S  Q  J
P  B  E  L  M  Q  O  L  I  N  C  R  E  S  C  E  N  T  P
Y  L  R  O  S  O  C  R  Y  L  N  N  I  S  I  A  R  Y  D
M  E  I  C  P  T  L  R  A  T  O  I  T  W  D  F  T  W  E
A  O  S  O  R  U  E  A  E  C  O  O  C  O  E  L  T  E  L
R  Q  T  H  I  N  U  I  S  A  A  T  C  K  E  A  D  K  L
Z  G  I  C  N  L  G  J  F  S  M  M  H  I  S  T  E  A  I
I  M  M  A  G  A  N  N  A  C  E  P  I  S  Y  T  N  C  F
P  U  R  M  E  W  I  B  A  R  S  S  P  S  P  E  W  A  O
A  N  E  O  R  G  R  T  B  A  K  E  S  E  P  N  O  E  V
N  C  H  R  L  D  E  L  I  C  I  O  U  S  O  U  R  T  E
E  H  L  A  E  L  M  Z  S  U  G  A  R  I  P  H  B  W  N
Z  T  S  P  A  N  S  B  R  O  W  N  I  E  T  C  O  O  K
```

An Artist in the Kitchen

BAKE	DRIPPINGS	ROLL
BATTER	ENTREE	SAMPLE
BOIL	FEAST	SAUCE
BREAD	FRUIT	SAUTE
BROTH	FRY	SLICE
BUTTER	GARNISH	SOUP
CARVE	GRATE	SPREAD
CHECK	GRAVY	SPRINKLE
CHEF	HAM	STEAM
CRUMBS	KITCHEN	STUFFING
DECORATE	MINCE	TASTE
DELICATE	PARBOIL	TEST
DESIGN	PIE	TURKEY
DESSERT	POTATO	VEGETABLE
DREDGE	ROAST	WHISK

```
D K J T U H B C H E C K M Y R D U N G A
A E E W Y S H G P K E C A R V E X U O D
D S C A J I A P N S R D B E C L E S O T
T Y P O Z N M U I I M C A T R I E A E E
E V R E R R Z O G H F E K T U C R U C V
T A V F G A T S N W P F E A M A T T I I
A R M Y Z G T I I E R A U B B T N E L L
R G L I O B Q E U P H B R T S E E N S G
G B E L P M A S B R O C U B S D H G S Z
Z S G N I P P I R D F T T T O M W I T D
D R O L L U D A E R B T A I T I T S E W
W M E C U A S D E S S E R T K E L E A T
T S A O R K C H T O R B Z A O E R D M M
M I N C E L K N I R P S D A E R P S F E
E T S A T B Y E K R U T Z H N P I E E X
X U O M P K D P A J V F E A S T I G H D
D E G D E R D Q H V E G E T A B L E C
```

17

Playing Twenty Questions

ANCIENT	GUESS	LONGER	RECKON	SUSPECT
ANIMAL	HABITS	MINERAL	SHAPE	TEAM
ANSWER	HINT	MODERN	SHORTER	TEXTURE
BUILD	IDEA	MUSE	SIZE	TIP OFF
CLUE	IMAGE	NAME	SLEUTH	TURN
COLOR	INKLING	NEW	SMALLER	TWENTY
DETAIL	KEY	OLDER	SOLVE	USE
FACTS	LARGER	PLAY	SUBJECT	VEGETABLE
GAME	LOCATION	QUESTION	SUGGEST	YOUNGER

```
Y G N T E F R E G R A L I B R S F T R
A D R P I T A X V H U G H E H G C I Z
Y N O K C E R C I D N F G O T E N R T
A R Y E K G Z N T I O N R S J O Y D S
L C M V K L T I L S U T E B I E E H F
P S H T E G A K S O E G U T S L A L F
V I M T V M N R Y R G S S U B P W O O
B T B A U I A W E U E E M A E E I C P
A Y U T L E G N S N U E T Y N L Z A I
N I I R V L L A C Q I E O S R D N T T
I X L Q N G E S M I G M U E F O F I A
M O D M O D E R N E S S D T E A M O N
A E R U T X E T V S P L E V L O S N S
L J M K I M A G E E O A N C I E N T W
J Y T N E W T U C U G T L I A T E D E
N Y A E D I G T Q L C O L O R M G A R
L S T I B A H K L C T J Y R E G N O L
```

The Roar of the Crowd

AUTUMN	FIELD	HELMET	PASS	SCRIMMAGE
BOWL	FIGHT	HERO	PENNANT	SIDELINE
CAPTAIN	FORMATION	HIKE	PIGSKIN	STAR
CHEERLEADER	FULLBACK	INJURY	PLAN	STRATEGY
COACH	FUMBLE	INTERCEPT	PLAYER	TACKLE
COLLEGE	GOAL	KICK	POINTS	TEAM
CRUNCH	GRIDIRON	LEAGUE	POM-POM	TOUCHDOWN
ELEVEN	GUARD	NUMBER	PRO	UNIFORM
FANS	HALF TIME	PADDING	RUN	YARDS

```
P D T D L E I F M D G O A L T B I Z V
L I H J T I N T E R C E P T C B G D O
A E G C H E E R L E A D E R F R P Z I
N N I S S A P L E A G U E O I L C N T
F I F E K N E V E L E V R D A M J E I
Z L O A Y I H I K E I M I Y R U M A G
S E L E H C N U R C A R E O R L S X F
C D G N I D D A P T O R F Y E S T A R
R I O R E H E I I N P I N H R C R I G
I S K S T N I O P H N R W J U E A T K
M M A E T S N A F U P J O E N L T N C
M G R E M I T F L A H T D G C B E A A
A U L W O B P O M P O M H E O M G N B
G A U T U M N S D R A Y C L A U Y N L
E R P A C A P T A I N P U L C F Q E L
Q D R E B M U N K C I K O O H Z T P U
A U C Q J G V E L K C A T C I O V Y F
```

Shepherding Pennies

ACCOUNT	CERTIFICATE	DOLLAR	NICKEL	SECURITY
BALANCE	CHANGE	EXPENSES	OFFICER	SIGN
BILLS	CHECKS	GUARD	PAYMENT	SILVER
BOX	CLERK	INTEREST	PENNY	STATEMENT
BRANCH	COMPUTER	INVEST	QUARTER	SYSTEM
BUDGET	COPPER	LINE	RECORD	TELLER
BULLION	CURRENCY	LOAN	SAFETY	VAULT
CASH	DEPOSIT	MANAGER	SAVE	WINDOW
CEO	DIME	MONEY	SCHEDULE	WITHDRAW

```
O A C X M M S N I C K E L V L O A N E
X J Y E X A O E E U S B U L L I O N G
R B T C R U F O S A R M E R E V L I S
C H I H T T F O V N N A D R O C E R F
H C R E E L I E D C E U L V K R E L C
A N U C L U C F U R Y P T L E H S A C
N A C K L A E R I U A J X T O B F R T
G R E S E V R Q S C T U U E A D E Y N
E B S Z R E U C B N A P G L G P S E U
D I M E N A H W E J M T A B P A Q N O
X O B C R E I M M O B N E O F W O O C
N E Y T D N Y A C I C Y C E N I L M C
Y X E U D A N D L E I N T E R E S T A
N R L O P A F L A N S Y S T E M X M V
N E W X G M S N G I S D E P O S I T T
E T N E M E T A T S W A R D H T I W K
P K R T S E V N I L M B U D G E T A D
```

20

Piles of Dough

BALBOA	DOLLAR	GROSZY	LEONE	PIASTER
BANI	DONG	GUILDER	LEPTA	POUND
CENT	DORUNA	KIP	LEV	QINTAR
CENTIME	DRACHMA	KOBO	LIRA	RIYAL
COLON	ESCUDO	KOPECK	MARK	RUBLE
CORDOBA	FIL	KRONA	NAIRA	SHEKEL
DALASI	FLORIN	KWACHA	PESETA	STOTINKI
DINAR	FRANC	LEK	PESO	YEN
DIRHAM	GOURDE	LEMPIRA	PFENNIG	ZLOTY

```
H B M R W Q F I L E V L A Y I R R C Q
X P A M Q D Q I N T A R D X T E B H F
N A M L C A N U R O D R I G U U Y U A
A A N D B E B H R Q Q O R R C O N E G
I A T O R O N W N I O G H O C D A S I
R I R E R A A T G N S U A S N U B H N
A Q S I S K C O I K E I M Z A C O E N
Z R N A L E U H A M P L J Y R S D K E
O U O C L R P W M L E D A L F E R E F
Y B L P D A K T E A X E F H E T O L P
T L O E D O D M D N Y R T I C O C R X
O E C L P O P I N Z I N A B L A N Q N
L G R E T I N E E P I A S T E R W E K
Z J C K R A Y G R O D O L L A R Q K B
D K B A R S T O T I N K I U K R A M C
L P I K C E N T T F L O R I N U T C H
J M O B O K D N U O P M L E P T A P C
```

Safe Enough for a Baby?

BALL	CHUNKY	SCARF
BEAD	CLOTH	SHINY
BEAN BAG	COLORFUL	SHOVEL
BEAR	CRATE	SMOOTH
BLANKET	CRAYON	SOFT
BLOCK	CUSHION	SPONGY
BOAT	DOLL	SQUASHY
BOOK	FURRY	STRING
BOX	HAT	STUFFED
BRIGHT	MIRROR	TENT
BUBBLES	MOBILE	TOP
BUCKET	PLASTIC	TRAIN
CAR	PLUSH	WAGON
CARDBOARD	POSTER	WATER
CHEWY	ROUNDED	WOODEN

```
C V W A G O N Y C A B D D S E J T M X
A T T I K H N O C E L E C K Y R R U F
C T A H A X L G A L R A C C I G A B U
R N K T G O N N A O R O D H C R I E M
A E X Y R I B B R F L Q S E A A N A L
T T B F R A R R L B R T N W R E N D K
E K U T G H I B P B U O C Y D B O T F
V L S Q S M C C O F Y L C G B G I F H
M K T U L X A O F A O R E V O F H O P
S R L E B R K E R T Y O H A A O S S O
H P E Q K U D C H A H U T C R F U N S
O M H T V N B O X O S N O I D T C E T
V O G G A Z A B M B A D O T D E U D E
E B K V P W M L L I U E M S O K G O R
L I Y K N U H C B E Q D S A L C P O C
K L N S H I N Y W U S I K L L U O W L
P E C S P O N G Y M B E T P C B T I D
```

22

Youthful Pursuits

BICKER	COLTISH	GREEN	PALS	TENDER
BOY	CRAWL	HOP	PLAY	THROW
BUBBLY	CREEP	HOWL	PRATTLE	TODDLER
CALLOW	CRY	INNOCENT	RACE	TUMBLE
CAPER	DASH	JUMP	REACH	TUSSLE
CHASE	GALLOP	JUVENILE	RUN	URCHIN
CHATTER	GAMIN	KID	STRETCH	WRESTLE
CHILD	GIRL	LAUGH	TEASE	YELL
CLIMB	GRAB	LEAP	TEEN	YOUTH

```
G A M I N T H R O W M H D Z Q F W T T
N I H C R U F D A S H E F M M M W E Z
P E E R C O L T I S H J L D T E E N K
Q C J U V E N I L E H X K T C R Y D L
X E L S S U T A B I W L H C T H G E U
X B P M U J P L N G O Y R T P A A R C
L A U G H M W N R A L N E C U P R X J
T E A S E O O E G B L K T L R O Y P Q
M K S M H C E G B P A V T Z T A Y U N
J P M T E N T U A X C H A S E S W R Y
N G L N R J B O Q L Y U H P M T E L V
B K T A H E F U D U L F C R N P D R I
D I I Y Y C T H B D N O C A A Y L G W
G X C D E O A C O R L L P C B F I E I
X R H K R L B E H P I E Q E N R H K A
E J A N E U L T R M D I R U L T C D F
A G L B C R N N B T U M B L E Y K I V
```

His Name Is Fido

ANTS	CHIMP	HAMSTER	MEAT	RABBIT
AQUARIUM	DOG	HAY	MONKEY	RAT
BARN	DUCK	HORSE	MOUSE	SAWDUST
BOA	FERRET	KIBBLES	OATS	SEEDS
BUDGIE	FINCH	KITTEN	PARAKEET	SHAVINGS
CAGE	GERBIL	LAMB	PARROT	SKUNK
CALF	GOLDFISH	LEASH	PELLETS	SLOTH
CANARY	GUINEA PIG	LITTER	PIGLET	SNAKE
CAT	HALTER	LIZARD	PUPPY	TURTLE

```
R O Q B V T E L G I P J K H S A E L J
U J Z N D G P L E E S D P H T T A R N
V K C U D U S L Q S T U A S I A N E Z
P H V F P A T Q G U E Y R H B R X T S
O T X P W R W K U O L E A A B Y G L K
A O Y D U L S I I M L K K V A R O A U
T L U T I P E D N K E N E I R A L H N
S S B B C D R E E A P O E N L N D G K
T K R A R E T K A E Q M T G A A F T Z
A E G A T T I R P H S U O S M C I O C
G E Z S I B U B I O L I A B B T S R A
G I M K B B K A G V R I U R A C H R L
L A F L O F E R R E T D T E I K G A F
H N E A F F I N C H G K M T N U D P J
F S P M I H C J F I H V P Y E D M J T
O G A C J V Q E E K A N S N Z R O W T
G Z A X C A T A N T S T H O R S E G L
```

The Perfect Hairdo

AFRO	CROPPED	POMPADOUR
BANGS	CURLED	PONYTAIL
BARRETTE	CUT	QUEUE
BEEHIVE	DREDLOCK	RATTED
BLEACHED	ELFLOCK	RINGLET
BOBBED	FRENCH ROLL	SHAG
BRAID	FRIZZED	SHORT
BRUSH	HAIR	STREAKED
BUN	LONG	SWITCH
CHIGNON	MANE	TEASE
COIFFURE	MOHAWK	TOPKNOT
COIL	PERMED	TRESS
COLORED	PIGTAIL	UPSWEPT
COMB	PINS	WAVE
CORN ROW	PLAIT	WIG

```
R I N G L E T F G T K E U E U Q J G P
B G S H O R T C M H S U R B J E L O L
N I D E K A E R T S A S N I P D I P A
L T O P K N O T B O B B E D F E A Z I
B G B R A I D L I A T Y N O P P T D T
L Y B R H R B E V I H E E B D P G N W
E C A I W O R N R O C B U N F O I O K
A U N A D E M R E P E N A M R R P N C
C R G H W P O M P A D O U R E C K G O
H L S H B A R R E T T E T X N T M I L
E E S A E T B F R I Z Z E D C H O H F
D D H T P E W S P U C O I L H N H C L
P P B M O C Q C O L O R E D R T A O E
O Y E R U F F I O C O C G T O R W R H
B E V A W D E T T A R C U T L E K F R
C T Y B G N O L H C T I W S L S X A G
F T T G A H S D R E D L O C K S W I G
```

Deep Thoughts

ABSORBED	IDEA	REFLECT
ABSTRACT	IDEAL	REVERIE
ANALYZE	IMAGINE	REVIEW
AUDIT	INTROSPECT	RUMINATE
BROOD	INVENT	SIFT
CHEW	MEDITATE	STUDY
COGITATE	MULL	SURVEY
CONCEPT	MUSE	TEST
CONSIDER	OBSERVE	THEORY
DEBATE	PONDER	THINK
DECIDE	PUZZLE	TURN
DEDUCE	QUESTION	VIEW
DREAM	RACK	VISION
EXAMINE	RAPT	WEIGH
FANCY	REASON	WONDER

```
Z I E I R E V E R W I N V E N T J K S
H S U R V E Y N O E D M T H E O R Y I
G M C Q K C I E P I E W B T H I N K F
Z A O U B W D T T V B E A U D I T Y T
E A G E Y E E P Z C R I N Q K E P C F
T E I S W T A E E I O V N C C I A N W
A D T T E A L C Z N S E A U O W R A H
N I A I H T O N Y T B R D K N P Y F Y
I C T O C I E O L R A E T B S O N E N
M E E N R D X C A O D N C R I N O L Y
U D W P M E A D N S W I A O D D I Z X
R M U L L M M R A P O G R O E E S Z Q
D E B A T E I E M E N A T D R R I U Y
T U R N K V N A U C D M S R G Q V P D
N H G I E W E M S T E I B E I D E A U
O B S E R V E B E K R U A L T S E T T
Y W B N O S A E R E F L E C T D Z U S
```

Canadian Colleges and Universities

ACADIA	CAREY HALL	LUTHER
ALBERTA	CARLETON	MACMASTER
ALGOMA	CONCORDIA	MANITOBA
AMOS	CORNWALL	MCGILL
ASSUMPTION	DALHOUSIE	NICOLET
BATHURST	GASPE	OTTAWA
BISHOP'S	GUELPH	QUEBEC
BOURGET	HEARST	QUEEN'S
BRANDON	HURON	RED DEER
BRESCIA	IGNATIUS	REGINA
BROCK	IONA	REGIS
BRUYERE	KING'S	SUDBURY
CALGARY	LAKEHEAD	TORONTO
CAMPION	LAVAL	TRENT
CANTERBURY	LOYOLA	YORK

```
U R E G I N A G U E L P H C E B E U Q
S A C X T B R U Y E R E X A S P R N X
G J O U S L O T T A W A T I S E B I D
N O R D R L S Y D F B R G A H L R C S
I B N S U I O N A I E E G T L Y O O N
K R W U H G M B S B R D U A A R C L E
C A A I T C A H L E A L H S S U K E E
O N L T A M O A E E C Y L U S B N T U
N D L A B P V D H A E T O D U R O R Q
C O T N S A D E L R O T Y B M E I E A
O N S G L E K G A R R M O U P T P T L
R O R I R A A C O E K B L R T N M S G
D R A V L R L N N T W R A Y I A A A O
I U E L Y V T T E G R U O B O C C M M
A H H A B O T I N A M O R Y N N L C A
D B R E S C I A C A R L E T O N K A A
I Y A C A D I A D A L H O U S I E M R
```

Punctuation, Anyone?

ADJECTIVE	CLAUSE	FUTURE	PARAGRAPH	SENTENCE
ADVERB	COLON	GERUND	PARTICLE	SINGULAR
APOSTROPHE	COMMA	GRAMMAR	PAST	SPELL
ARTICLE	DAGGER	HYPHEN	PERIOD	SUBJECT
ASTERISK	DASH	IDIOM	PHRASE	TENSES
AUTHOR	EDITOR	MODIFY	PLURAL	VERB
BRACKET	ELLIPSIS	NOUN	PREDICATE	VIRGULE
CAPITAL	EXCLAIM	NUMBER	PROOFED	WORD
CASE	FOOTNOTE	OBJECT	QUOTE	WRITE

```
F D R A M M A R G U T C Q R E G G A D
P L S L F U T U R E A Z W T E P C A W
O S I N G U L A R P C R O H E L A O E
E X S N O L O C I A I N P R A D R Y L
C P P R E E V T D T T O I U E D H F C
N H I E S A A V E O R O S F O S H I I
E R L B A L E T O T D E O B A O P D T
T A L M C R A F S N U O J D M E A O R
N S E U B C L O J K R E J I L B R M A
E E C N I A P V O P C E A C R K G R A
S I O D R A I E M T C L I A S T A O D
W U E U N R D Q M T C T C I S C R H G
N R L V G I U O I X R K R A E E A T E
P P E U T O I V E A E E M Y S J P U R
E R L O T D E H P T T M G O N B A A U
B E R E I L L E P S O R D B E U S Z N
T N E H P Y H H A C C L H N T S T N D
```

Stage Productions

ADAM	CYRANO	GODOT	MAME	PARSIFAL
AIDA	DIDON	HAMLET	MANFRED	PEER GYNT
ANTIGONE	EL CID	HERNANI	MANON	PLAYS
BECKET	ELECTRA	IVANOFF	MIGNON	PYGMALION
BERTHA	ENDGAME	JUSTICE	MUSICALS	RIGOLETTO
CAMELOT	FALSTAFF	KING LEAR	NORMA	SALOME
CANDIDA	FAUST	LAKME	OPERAS	SKITS
CARMEN	FIDELIO	LUTHER	OPERETTAS	TOSCA
CATILINA	GHOSTS	MACBETH	OTHELLO	XIMENA

```
R O T H E L L O E M A M G H O S T S T
M I G N O N S A T T E R E P O E S L E
M F F A T S L A F S T I K S N L A A K
H U N V T P E E R G Y N T O A F V K C
T C M O G Y L U T H E R G C I Q P M E
E D A A R G W H R Y M I I S N U V E B
B E N T D M F E S W T S R E K C O C N
C R A A I A A R Y N U A M I A A T A Z
A F E B D L Z N A M P R N A R M T N D
M N C C O I I A L Z A G H K T E E D I
T A I Y N O A N P C L T H I C L L I C
O M T R A N T I A E R F A V E O O D L
S A S A V O K I A E F A M A L T G A E
C N U N D N K R B Z H U L N E H I F T
A O J O O I L E D I F S E O P E R A S
L N G X V A N E M I X T T F L Q L C Y
E M O L A S E M A G D N E F T V V H Z
```

The Nodding Wildwood Flowers

ANEMONE	BONESET	DOGWOOD	LILY	ROSE
ARBUTUS	CALLA	DRYAD	LUPINE	RUE
ARNICA	CAMAS	FIREWEED	MAHONIA	SALAL
ASTER	CAMPION	FLEABANE	MALLOW	TARWEED
AVENS	CLOVER	GENTIAN	MAYPOP	TRILLIUM
AZALEA	COLUMBO	GILIA	ORCHID	VERBENA
BELLWORT	CROCUS	HYACINTH	PINK	VETCH
BETONY	CURRANT	IRIS	POGONIA	VIOLET
BLETIA	DAISY	LARKSPUR	POPPY	YARROW

```
W T P S N E V A H M S A Z A L E A H E
E D R D M B L E T I A G A C I N R A I
S E D Y A G I L I A L N H G B E F E H
O E A P L T P O P Y A M X T V I N C G
R W Y P L A M C N I L L R O R I T O A
L R R O O E O O T C A O L I P E D R I
A A D P W L T N U R W C S U V D T C N
R T V O U E E R K L K H L F E M I H O
B C P M B G R S L K T A L E U L E I H
U J B E S A P E Y N N E W I P E B D A
T O U A N U B A I E A E L O A C O T M
U R M T R P R C M B R L G N C A N E D
S A H D I R A O A I I O E R R L E L A
C T Y N O Y N N F R N B Y E O L S O I
W Q K W H E E F T I R L J T C A E I S
G C A M P I O N A E I B L S U C T V Y
D O G W O O D E V L K Q G A S A P J X
```

30

On the Wild Side

ABANDONED	FELL	HEADLONG	RAGING	TIGER
AMOK	FERAL	HOT	RAMPANT	TOUGH
AT LARGE	FERINE	LOOSE	RIOTOUS	UNRULY
ATAVISTIC	FIERCE	LUPINE	ROUGH	UNTAMED
BARBARIC	FIERY	MAD	ROWDY	VEHEMENT
BEAST	FREE	MADCAP	RUFFIAN	VIOLENT
BERSERK	FRENETIC	PASSIONATE	SAVAGE	WANTON
BRUTE	FURIOUS	PRIMITIVE	STORMY	WILD
ESCAPED	GRIM	RABID	STRONG	WOLFISH

```
Q X S C I T S I V A T A Q M A D C Y L
X V T B R U T E P E S C A P E D R K P
Y L R N D Y E L K M R B T F E C B P P
E U O A E L E X C A A I V E I F M E G
S P N I M U R E B N M D R F E G G I N
O I G F A R F I D I W A C L L R E F I
O N H F T N D O T X L O L A A G R R G
L E T U N U N I W E T R L L P C O E A
R F S R U E V L G K T N T F B L W N R
I U A Q D E T O H N S A A C I C D E W
O R E A M O K U P U O T N P F S Y T A
T I B B A R B A R I C L O O M L H I N
O O M L E G A V A S O R D R I A M C T
U U I S V F I E R C E W O A M S R I O
S S R X F E R I N E I P I U E Y S L N
Y E G V E H E M E N T Z L L G H Q A X
B G H G U O T N E L O I V E D H R V P
```

Tricks with Numbers

ADD	CUBE	GEOMETRY	PLACE	SQUARE
ALGEBRA	DECIMAL	GRAPH	PLOT	SUBTRACT
ANGLE	DIAMETER	INTEGER	PLUS	SUM
AXES	DIVIDE	LOGARITHM	PRODUCT	TALLY
AXIOM	EQUATION	MATH	PROVE	TANGENT
CALCULUS	FIGURE	MATRICES	RADIUS	THEOREM
CANCEL	FORMULA	MINUS	ROOT	TOT
COMPUTE	FRACTION	MULTIPLY	SECANT	VARIABLE
COSINE	FUNCTION	NUMBER	SINE	ZERO

```
P T R E B M U N R E G E T N I V Y M T
R E K P E M E R O E H T A I N L S I O
O H K L Q B N P Q T Q M F A P E U N O
D T B O V A R I A B L E A I C C L U R
U N N T N O I T C A R F T T A N P S A
C G O A A X I O M H X L O L H A J L C
T D J R C F F I I V U N C E A C G P O
N V I N E E O I G M Y U O X V E T L M
E E M A O Z S R G E L S E I B O A B P
R S L H M I C L M U O S U R T M R W U
A U S G T E T O S U R M A B I C N P T
U M K U N I T A S N L E E C T G N A E
Q A J N I A R E U I X A E T R R L U E
S E B U C D K A R Q N D U A R L A N F
S E C I R T A M G X E E P T Y Y D C B
T A N G E N T R L O V H Q A R Q D K T
Z S I N E C A L P W L Q J D I V I D E
```

How Many?

ABOUND	DOLE	MITE	POVERTY	SEVERAL
ADEQUATE	ENOUGH	MODICUM	PROFUSE	SHORT
AMOUNT	FEW	MORE	QUANTITY	SHY
AMPLE	LACK	NUMBER	RARE	SKIMPY
ANY	LESS	PALTRY	REPLETE	SOME
BULK	LOTS	PAUCITY	RIFE	TEEM
COPIOUS	MANY	PINCH	SCADS	TRIFLE
DEARTH	MEAGER	PITTANCE	SCANT	WANTING
DEFICIT	MINUTE	PLENTY	SCARCE	WEALTH

```
S  I  F  T  Y  N  A  M  G  N  I  T  N  A  W  F  Y  X  Y
O  X  A  R  X  R  E  B  M  U  N  G  Z  Z  K  Y  D  P  J
M  A  A  Y  H  A  P  L  A  R  E  V  E  S  H  E  M  E  T
E  R  E  T  T  M  B  U  L  K  F  E  W  S  F  I  T  B  E
E  Z  D  R  L  P  O  N  S  B  E  M  D  I  K  E  D  T  E
X  T  Y  E  A  L  T  H  Y  T  O  A  C  S  L  L  N  X  M
G  N  Q  V  E  E  O  E  A  D  C  I  S  P  D  A  U  U  C
O  U  Q  O  W  R  R  U  I  S  T  K  E  U  C  I  O  R  E
P  O  U  P  T  O  Q  C  M  Z  P  R  N  S  O  L  B  I  L
R  M  A  E  M  E  U  E  P  A  L  T  R  Y  C  I  A  F  O
O  A  N  H  D  M  A  G  C  W  H  C  L  A  C  K  P  E  D
F  C  T  A  T  G  P  I  T  T  A  N  C  E  W  I  O  O  V
U  Y  I  I  E  R  S  C  A  R  C  E  L  O  T  S  M  P  C
S  K  T  R  X  V  A  P  L  E  N  T  Y  T  I  C  U  A  P
E  P  Y  M  I  T  E  E  D  V  E  N  O  U  G  H  C  A  D
L  E  S  S  A  N  Y  U  D  T  M  F  H  E  L  F  I  R  T
M  I  N  U  T  E  C  D  Z  P  I  N  C  H  U  B  I  H  H
```

A Mismatched Orchestra

ACCORDION   CORNET   JEW'S HARP   PIANO   TIMPANI

BAGPIPE   CYMBAL   KALIMBA   PICCOLO   TROMBONE

BANJO   DRUM   LUTE   REBECK   TRUMPET

BASSOON   FIDDLE   LYRE   RECORDER   TUBA

BASS VIOL   FIFE   MANDOLIN   SAX   UKULELE

BUGLE   FLUTE   MARIMBA   SITAR   VIOLA

CARILLON   GUITAR   MBIRA   SPINET   WHISTLE

CELLO   HARMONICA   OBOE   TABOR   XYLOPHONE

CLARINET   HARP   ORGAN   TAMBOURINE   ZITHER

```
B M A R I M B A L V I O L A C C N Z A
U F L O I V S S A B B A R Y X R C P B
G L Y R E N O B M O R T M Y K T T B U
L H A R M O N I C A Q B L A E P E A T
E V E M R O B A T P A O L N N I P S L
C A L M B I R A R L P I I R I A M S Y
G T E X N Y A A C H M R D B R N U O R
U E L T A O H B O B A O R A U O R O E
I N U V I S I N A L A R U N O L T N D
T I K C W M E D C N G M J B O R G R
A P U E M A P C R B N A C O M C E L O
R S J E F I F A E O E N R U A C B S C
A E L T S I H W N L C L E I T I E I E
T O E T E N R O C I L C D T L P C T R
V B T B A G P I P E E O A D U L K A H
T O U E F Q R E H T I Z V F I L O R O
Y R L I N I L O D N A M C Y F F F N W
```

Musical Selections

AIR
AUBADE
BERCEUSE
BLUES
BOLERO
CALYPSO
CANON
CAPRICE
CHORALE

DESCANT
DISSONANT
DUET
FOX TROT
FUGUE
GALOP
GAVOTTE
HARMONY
HORNPIPE

JIG
LULLABY
MADRIGAL
MAZURKA
MEDLEY
MELODY
MINUET
NOCTURNE
OPUS

OVERTURE
PASTORAL
PIBROCH
POLKA
PRELUDE
QUARTET
REEL
RONDO
ROUND

SCORE
SEPTET
SERENADE
SLIP-JIG
SOLO
SONATA
TOCCATA
TRIO
WALTZ

```
X C A K R U Z A M Y O L G Q M X O S T
S V U Y H W R O A A E A E E K L C A A
A E Y T A C S V I E V L L Z O O T T U
T M R L E P O E R O N O D S R F N A B
A L T E Y U S R T H D R B E I U A C A
N Z A L N E D T B Y A E U Z M G C C D
O Y A G U A E U B I R E E T J U S O E
S C V L I U D R B C P P B D C E E T A
S T B R T R Y E E L M I G O U O D G K
L Q E O N E D U L A E P O A L L N I L
I U Y U A O S A E R L N A P L E E J O
P A M N N E N F M O A R O L U O R R P
J R R D O I Z A U T R O H I I S P O P
I T O B S M M Y C S O H T O R T X O F
G E N E S L R O Y A H G S E P T E T M
N T D L I G H A N P C T Y B A L L U L
Y L O L D D L L H T X J C A P R I C E
```

Rivers from Top to Bottom

ABUTMENT	ESTUARY	RISE
BANKS	FALL	SKIER
BARGE	FERRY	SLIP
BED	FIELD	SLOW
BOULDER	FLOOD	SNOW
BRIDGE	FLOTSAM	SPATE
BROAD	FLOW	SPRINGS
CANYON	FORK	STREAM
CITY	GORGE	TRIBUTARY
COMMERCE	IRRIGATION	TURBINE
CURRENT	LOW WATER	WEIR
DAM	MOUTH	WHARF
DOCK	MUSKRAT	WILLOW
DRAINAGE	OTTER	WINDING
EDDY	PLAINS	WIND SURFER

```
V  P  W  M  F  R  D  E  A  D  D  M  U  S  K  R  A  T  I
W  Z  S  E  V  C  K  T  E  E  S  T  U  A  R  Y  I  D  S
W  F  A  K  I  R  U  E  S  C  U  R  R  E  N  T  R  L  G
O  E  A  T  N  R  E  W  G  N  Y  P  H  F  B  D  R  E  N
L  D  Y  L  B  A  A  F  Y  A  I  R  R  T  E  W  I  I  I
L  D  J  I  L  X  B  D  R  L  N  A  R  B  X  O  G  F  R
I  Y  N  X  E  S  U  O  A  U  H  I  L  E  T  L  A  B  P
W  E  C  B  N  T  T  O  T  W  S  F  A  P  F  F  T  P  S
D  J  K  A  B  R  M  L  U  P  F  D  B  R  E  E  I  U  P
O  I  I  R  C  E  E  F  B  S  L  Z  N  T  D  C  O  R  I
C  Y  O  G  A  A  N  P  I  L  O  R  A  I  K  R  N  E  L
K  A  O  E  N  M  T  K  R  O  T  P  I  H  W  E  W  D  S
D  M  A  D  Y  X  D  F  T  W  S  W  K  S  Q  M  J  L  T
Q  H  T  U  O  M  L  O  W  W  A  T  E  R  E  M  H  U  W
K  R  O  F  N  R  E  I  K  S  M  B  V  X  D  O  M  O  O
E  G  R  O  G  Q  Q  W  I  N  D  I  N  G  I  C  N  B  R
R  E  T  T  O  Y  U  O  E  G  D  I  R  B  K  S  P  I  J
```

47

Touring Poland

BIELSK	LEBA	POLICE
CHELM	LESKO	PUCK
DUKLA	LIPSKO	RABKA
ELBLAG	LODZ	RYKI
ELK	LUBIN	SANOK
GDANSK	LUBLIN	SOBOLEW
GOSTYNIN	MALBORK	SUWALKI
GRYFICE	MIELEC	TCZEW
JAWOR	NAREW	USTKA
KALISZ	NYSA	WARKA
KARLINO	OPOLE	WIELUN
KEPNO	ORNETA	WROCLAW
KOLNO	PIATEK	WYSZKOW
KRAKOW	PIONKI	ZWOLEN
KUTNO	PISZ	ZYCHLIN

```
Z K A V M I J A S Y N C K O N T U K Q
S R K R V P T W N O A C H E L M I E A
I O R I Y C O I X K R W R O C L A W F
P B A U Z K N B D S E J D K E T A I P
K L W E Z Y I L X P W S A N O K B G J
C A W S T L U B L I N H K S L E I B E
E M Y S D I R N I L H C Y Z P O N W A
L W O J J K N S K E P N O O O K S E L
E G Q A P L U O L E B A L B A I W K Z
I F W Q I A L B P L Q I D R T U R D V
M O C B O W E O W K C E L U S A O Q K
R Q M K N U I L G E C I Y T K L N G A
A K L S K S W E X I N T K O J L U A L
B C U N I F W W F O X A W X J F A L I
K U B A U I M Y H O R N E T A N P B S
A P I D B L R U Z Z W O L E N J C L Z
E X N G R G Q E L O P O N L O K Z E R
```

Far in the North

ALASKA	BELY	FROZEN	LAPTEV	SIBERIA
ALERT	BERING	GREENLAND	MURMANSK	STRAIT
ANJOU	CANADA	GYDA	NARES	SVALBARD
ARCTIC	CHINA	ICELAND	NORWAY	SVERDRUP
BAFFIN	CHUKCHI	ISLAND	PARRY	SWEDEN
BARENTS	ELLESMERE	JUDSON	PEVEK	TAYMYR
BARROW	FINLAND	KAMCHATKA	POLE	TIKSI
BAY	FJORD	KARA	PRUDHOE	U.S.S.R.
BEAUFORT	FRANKLIN	LAPLAND	SEA	WRANGEL

```
Y R Y M Y A T E L O P D B E R I N G K
Y T I S P W O R R A B I N S E R A N E
A X U W U W Q R C F A K S A L A D K V
B C S E R D N A L N I F Y B L N M L E
G U S D D U M U R M A N S K A P F K P
G Y R E R O X O Q F F W T L M V A T C
G R D N E J X E R A R J S I J K R L S
A N E A V N F A L A K I O U K O I I U
Q L X E S A N I N L S T D R F S B N U
K L E Y N K L G H T E S A U D E I O A
I A G R L L E B N C O S A H R M S R D
C P R I T L A E E N K E M I C X T W A
E T N A O F R N C L B U A E E M R A N
L E Y S F A C K D L Y J H N R A A Y A
A V E I B D R A B L A V S C I E I K C
N A N E Z O R F A R C T I C J H T N Y
D X P A R R Y X P R U D H O E W C T R
```

50

38

Entrancing New Zealand

AUKLAND	GORE	MOHAKA	OTAUTAU	TAUPO
BAY VIEW	HAAST	NAPIER	OWAKA	TE KAO
BLUFF	HERBERT	NGAHERE	OXFORD	THAMES
BULLS	HERIOT	OHURA	PAEROA	TIKITIKI
DUNBACK	HOWICK	OPTIKI	PICTON	TUAI
ELTHAM	KAMO	OPUA	PORTLAND	WAIKAWA
FOXTON	KUMARA	OREPUKI	RAGLAN	WANAKA
GISBORNE	LEVIN	ORMOND	ROSS	WEBER
GLENAVY	LINCOLN	OTAK	SHANNON	WINTON

```
M T F O X T O N Q U Q O T H A M E S F
P U T D H E R I O T G O R E O U O B T
O A E A W A K I A W L Y R H A O R L R
T I Y B U L L S C P Y E A T G I E U E
A O A A U K L A N D H K U G K D P F B
K L I N C O L N U A A A L I N W U F R
A W A O R E A P G S T E T A P D K O E
N N O T N I W N S O N P L O O Z I I H
A E N S Q A O O D A O T P E H M K W O
W O L N H W R U V H R U K W V I A E T
R N G T A A N Y O O A R E U T I N K E
E Z A K H B N W P D D I E I M R N A K
B T A L A A I N R T V N K I O A R L A
E A O C G C M O O Y S I O B P U R M O
W U K C K A F M A N T A S M H A P A J
M P Q E R X R B J O V I A O R J N O B
P O H N O T C I P P G Y O H I O V G Q
```

51

Names of a Different Flavor

ABDUL	DOMINGO	HEINZ	LJUBA	OSKAR
ALI	DUVAN	HENRI	LUC	RADOMIR
ANTON	EDOUARD	JACQUES	MASSIMO	RICARD
ANTONIO	ERIK	JANUSZ	MAXIM	SALAH
ARUN	FAUSTO	JAVAR	MIKHAIL	SASHA
BASIL	FRANCOIS	JORJ	NICOLAI	SIXTEN
BERNHARD	GIACOMO	KARL	NIGEL	UGO
BRUNO	GORM	LARS	NOEL	VLADIMIR
CZESLAW	HANS	LEON	OMAR	WILFRED

```
Z U E R I K L R A K A N A V U D D R R
J A N U S Z V J M N K O D O M S N A H
C T U G H F A I T H O T M O O M A R Q
U R A X B N K O A G H S J M I Q H D P
N U P D T H N L N N I U L O A S S R C
O D K O A I A I R F L A I C L E A A P
E R N I O S M I R A A F S A O U S C E
L A L F T O M A A R U N A I C Q A I G
H U U I D I N L U D B A B G I C D R B
Z O F P D C O W A L S E Z C N A Q O Z
Q D N A O S K E I R N E H E Y J W P N
M E L I K R A V A J S I X T E N R M I
A V S A Z G O R M C D R A H N R E B E
X C R H F K N I G E L L U C F O W J H
I R A D O M I R J D E R F L I W E Q Y
M A B U J L C N L A R S N U G O V L Z
J R O J Q O N U R B M A S S I M O A R
```

Nicknames

ABBY	DOT	JENNY	LUCY	RONNIE
ANNIE	ELLIE	KATE	MAGGIE	ROSIE
BABS	ELSIE	KATHY	MANDY	SALLY
BETTY	EMMY	LAURIE	MARGEY	SANDY
CARRIE	FRAN	LES	MOLLY	SHIRL
CECE	GERRY	LIL	NAN	SOPHY
CHRIS	GINA	LIVY	NICKY	SUE
DEBBY	JACKIE	LIZ	NITA	TRUDY
DINA	JAN	LOTTA	PATTY	VAL

```
G E P E E B Y V Q F N A U C I E U W O
K M U M X G W T H Y D E J O Y I L I Z
V E M S I R E O A E R E A D L S N A N
E Y I N Q C N N B Y N R U W X O M M L
M M A N E D I B E N V R E L V R Y J I
A A S C N D Y P Y T T I L G D E H A L
N G P H H O A T I N A Y L A L K P N F
D G H R I P R R G B J K H L U H O O A
Y I C A R R I E L A I R I T S R S W C
Y E W L C S L A C S Y E A B A E I R I
W T U G A Z V K A D Y E E N Y K L E K
K C G N J B I L W W L R G I N I C K Y
Y T D O A E L V Z R F O Z R S I J R E
D Y O B X Y S I R H C O T M A L E F K
G N S D Y T T E B N A R F T W M E J A
O Y B B A B Y L L O M N T C A R O A J
L P A T T Y Q N H O M M H H W Y G D H
```

She's Off to Hawaii

ASPIRIN	CREDIT CARD	MAP	SHORTS	SUN GLASSES
BAG	FILM	MONEY	SKIRT	SWEATER
BLOUSE	FLATS	MOUSSE	SLACKS	SWIMSUIT
BOOK	GUIDE BOOK	MUUMUU	SNEAKERS	T-SHIRT
BRUSH	HAT	NIGHTIE	SOAP	THONGS
CAMERA	JEANS	ROBE	SOCKS	TICKET
CARRY-ON	KEYS	SCARF	SUITCASE	TOWEL
CHECKS	LOTION	SCHEDULE	SUN BLOCK	VACATION
COMB	MAKE-UP	SHAMPOO	SUN DRESS	VISOR

```
Q M P A M L O T I O N S O C K S X P P
J S X C A L P T R I K S B E L E M A S
V G A R E M A C B T U L I A L J S O W
A N G Q H F O T E N O T S U Y S X S E
C O S A R M A K G U H P D P E T G K A
A H K A B H C L S G I E U R R S S C T
T T C E D I A E I R H E D J O H R A E
I S E Z T S K N I C K N Y O S I E L R
O F H B S W A N S A U K B B I R K S S
N W C E A O W M M S Y S C O V T A Y L
R E S A C T I U S H M J H O O A E F Y
C R E D I T C A R D P A P O L K N I E
Q L W K O O B E D I U G O H R B S L N
R E A M F L A T S I J E A N S T N M O
O W D Y T G F N O Y R R A C Y U S U M
B O E S S U O M Z S H A M P O O R P S
E T S W I M S U I T U U M U U M X B A
```

Exotic Locales

ACROPOLIS	CHINA	GUIDE	MEXICO	SAHARA
AMAZON	CORAL REEF	HONG KONG	MOROCCO	TAHITI
ANTARCTIC	CUZCO	ICEBERG	NEPAL	TAJ MAHAL
ATHENS	DESERT	INCAS	OASIS	TEMPLE
AUSTRALIA	EGYPT	INDIA	PERU	TEXAS
AYER'S ROCK	EQUATOR	ISRAEL	PYRAMID	THEBES
BABYLON	EVEREST	JUNGLE	ROME	TIKI
BRAZIL	FEZ	LAPLAND	RUIN	TOUR
CATHEDRAL	GREECE	MAYAS	SAFARI	TUNDRA

```
P E A E C E E R G L R O T R E S E D H
T C A T H E D R A L I I N C A S H M R
O U S N E H T A X J L Z W L A Y O A U
U U Q G U I D E T R M U A N E I N Y I
R C O R A L R E E F R O I R P N G E R
E A R A H A S Z M E C H R Y B D K R A
V I A T P Y G E P C C I R O J I O S F
E S S I P A S H L N E A T U C A N R A
R I E R L A H E E A M Q N C B C G O S
E S J R A A T H B I P G U C R R O C T
S A X E T E R U D E L L B A U A O K N
T O N I U R L T N E H E A A T Z T M Y
I C E B E R G T S D Z T L N B O C N E
R I T I H A T I B U R E Y A D Y R O A
L N O Z A M A K N F A A F W P Z L K N
M A Y A S L S I L O P O R C A E I O L
Y Z O C I X E M T A J M A H A L N L N
```

Mythical Hordes

BROWNIE	HARPY	NYMPH
CENTAUR	IMP	OCEANID
CHANGELING	INCUBUS	OREAD
CHERUB	KOBOLD	PENATE
DEMON	LAMIA	PERI
DJINN	LARES	PIXIE
DRYAD	LORELEI	PLEIADES
ELF	MERMAID	RISHI
FAIRY	MERMAN	SATYR
FATE	MUSE	SERAPH
FAUN	MYRMIDON	SIREN
FURY	NAIAD	SUCCUBUS
GENIE	NEREID	SYLPH
GIANT	NIXIE	TRITON
GNOME	NORN	VALKYRIE

```
Y E T A F E M E I X I P L D E L F B K
K N A M R E M Z A P E C E A E X U O F
K O M Y R M I D O N M M E I M L P M B
O D G T X C B U O S S I N N Q I E O G
I A C U R R H L I U E E E N T I A N E
H I U Z O I O A B H G R E I R A U K D
S A O W E C T U N D P R A Y X A U I R
I N N M E D C O I G E M K L F I E R Y
R I O A S C H A N I E L Y U Y L N K A
E N N Y U I M S D O A L R N E O N Q D
G I L S I R N D E V R Y I R R N N O N
D P N B E X W C E D A E O N I A G Y E
H G B M E S U M U M A L A J G I G P R
C W V C H E R U B B O I D D A P E R I
B N F O H P A R E S U N E N Q R F A S
P E N A T E S A T Y R S T L J V U H Y
F A I R Y G T D L O B O K W P H Y G Y
```

Easy Money

ALADDIN	GRANT	RUB
BETRAY	HAPPINESS	SERVANT
CAVE	IMPOSSIBLE	SILK
COAX	INCENSE	SILVER
COMFORT	JEWELS	SLAVE
COMMAND	KIDNAP	SLY
CUSHIONS	LAMP	SMOKE
DAINTIES	LUXURY	SPICES
EASE	PALACE	SPLENDOR
ENCHANTER	PEARLS	STEAL
FREEDOM	PERFUME	TASK
GARDEN	POLISH	TOWERING
GENIE	PRINCESS	TRADER
GIANT	RESCUE	WEALTH
GOLD	RICHES	WISH

```
W C H Y R K E H V Z G U X X W T A P G
Q I O O B R N T E S C I A Z O W S M A
S T S M B E C L C M F O A W Q N C A R
E H R H M D H A A O C W E N O G O L D
R S O E T A A E L K R R I I T P M S E
V I D O N R N W A E I M H H E R F E N
A L N N A T T D P N P S S A S I O I B
N O E P R E E Z G O U T P P A N R T E
T P L A G V R I S C E A E P E C T N T
S P P N A A D S D A I M A I S E Z I R
I E S D X C I R L A N O R N L S B A A
L R Z I Z B F E O L I D L E E S U D Y
V F S K L F W S G S D E S S W V R H H
E U L E S N E C N I D E I S E A A Y T
R M Y H V E H U O L A R N I J I C L A
I E E I N E G E W K L F S P I C E S S
X D W B Y R U X U L A C S E H C I R K
```

Music Men

ADLER	DUKAS	LALO
ARDITI	DVORAK	LEHAR
ARNE	ELGAR	LULLI
AUER	EUGEN	MOZART
BACH	FAURE	NERI
BENOIT	FIBICH	ROSSINI
BERLIOZ	FRANCK	SCHUBERT
BIZET	GANZ	SCRIABIN
BORODIN	GLINKA	SEIDL
BRAHMS	GRIEG	STRAUSS
BUSONI	HALLE	TALLIS
CASALS	HANDEL	TOSTI
CHOPIN	HAYDEN	VERDI
CLOTZ	HEIFETZ	WOLF
CZERNY	HUMMEL	ZINGARELLI

```
E L C A D L E R N E R I E L L A H S E
L B I Z E T F I B I C H N J P W M I A
S A B N M T H E I F E T Z Y E H L O R
Y C L Y T O K N I D O R O B A L D Z N
W G R O T O S T I L E A S R E G V G E
T E T I O N E B E U K E B R Y N O R U
R I A M A E Q D A Z I I A F E H R O A
E R L Z M B N A O D L G T G Z K A S L
B G L T K A I I L U N G U I C D K S E
U Y I O H G L N L I N E L N D I E I H
H W S L H R M L Z F U I A I S R P N A
C O M C E K I O I H A R P S N A A I R
S L C B Y N R E Z C F U U O A K K V I
D F V E R D I T R A H A R T H Q A U Z
G N E D Y A H P H B R H W E R C C N D
H M R A G L E R I T M T X C A S A L S
H U M M E L B U S O N I W P U G D E A
```

Something for Your Spare Time?

ANGLING	CRIBBAGE	FENCE	JUGGLE	REGATTA
BACCARAT	CRICKET	FOOTBALL	KITES	ROWING
BILLIARDS	CROQUET	GOLF	MARBLES	SKI
BOCCE	DANCE	HANDBALL	PING PONG	SKITTLES
BOWLING	DICE	HOCKEY	PINOCHLE	SOFTBALL
CASSINO	DIVING	HURLING	POKER	SQUASH
CHARADES	DOMINOES	ICE POLO	POOL	SWIM
CHECKERS	EUCHRE	JAI ALAI	QUOITS	TENNIS
CHESS	FARO	JUDO	RACING	WALKING

```
E S E L B R A M G E G A B B I R C P G
Y I E B S M D E N G W C G O E Z B E S
E H L G E H O C I N N O E C C I U Q Q
K A G N D P M N W P L I N R L C O V U
C N G I A O I E O F I A L L H L E G A
O D U V R K N F R C D N I G O C N Y S
H B J I A E O R H J R A G P N I U K H
E A P D H R E E F H R B E P C A I E C
L L O C C G S O U D A C G A O T P O R
H L O Z A S O R S C I M R N T N X N I
C C L T W T L N C Q B O W L I N G I C
O R T I B I O A U A E N E A X K T S K
N A M A N S R O R A F S E C I D L S E
I D L G E A I K X S O F T B A L L A T
P L P T T T C R O Q U E T I K S D C W
X A I Z S O D U J C H E C K E R S F X
N K P W I A L A I A J T E S I N N E T
```

Fishing Off the Keys

ACTION	FIGHT	HUGE	NET	SUN
BARB	FISHING	ISLANDS	PLAY	TACKLE
BOAT	FLORIDA	LEAP	PULL	TAXIDERMY
BRACED	GAFF	LINE	REEL	TIRE
CAREFUL	HAUL	LOUNGE	SIZE	TROPHY
CURRENT	HEAVE	LUNGE	STRAIN	TUG
DEPTH	HEAVY	MARLIN	STRIKE	WEIGHT
DIVE	HIRE	MONSTER	STRONG	WIND
DOLPHIN	HOOK	MOUNTED	STUFFED	YANK

```
X N R X K E G B T C N H O O K O V B M
X D S W S E L U N G E V T I R E O T B
C E T L U D G P V O E K I R T S E H B
U F R M O U N T E D V T Z R T V E F S
R F O T E N Q A G M A P O Z I L F T W
R U N E G U H J L G E P P D K A R E T
E T G D D R A B S H E L C G A F A F
N S L U F E R A C Y I L A H I I X M K
T X Z D E P T H Q F O T Y N G I O T L
D W E I G H T V L U G Y H H D N I E P
N E N S I Z E O N N V D T E S D E A P
I M O U L D R G I A N I R T E R E H U
H A I N H I E H E I Z M E C T L Z A L
P R T D D Q S H W Z Y R A C A M C U L
L L C A M I E N I L A R I H O J Q L V
O I A H F U T G E P B Q P Q B G X G K
D N Q Z D F T X Y A N K L W F E R I H
```

Scrambled Architecture

AISLE	CUPOLA	GABLE	MOSAIC	QUOIN
ARCH	DADO	GALLERY	MULLION	ROOF
BALCONY	DESIGN	GUTTER	ODEON	SCREEN
BANNISTER	DIAPER	JALOUSIE	PARTERRE	STAIR
BAY	DOME	LANCET	PIAZZA	STOOP
BEAM	DOOR	LINTEL	PIER	STORY
CORBEL	DORMER	LOGGIA	PILLAR	STUCCO
CORNICE	FINIAL	MANSARD	PLINTH	VAULT
CORRIDOR	FRIEZE	MASONRY	PORCH	VERANDA

```
T G A L L E R Y M D O V E R A N D A P
L H C R A W L G U T T E R L C R E I P
U A L O P U C E C I N R O C V A N J D
A K N V C N O I L L U M P I A Z Z A T
V E L S I A E C O R R I D O R T C A B
J O N L R A L L I P B N F R R C D H C
P A C V X Y N D P A Y G G H I R O O T
R P L C G R H A N E A M C I A A R M E
D A D O U O R N B B B R D S S B T E C
Y E V G U T I N L A O E N O E E N S N
M M B U E S S E I P L A Z L R L D Y A
O O E R T C I R N O M C P E O M R X L
S D R E R I B E T L U L O G I N E O X
A E R E D I A P E R I Q G N O R D R M
I M E B D O O R L N O I N S Y E F H A
C N P O O T S A T C A O A Q O Z R P E
V L A I N I F H G R N M F N V O X U B
```

An Upholstered Room

AFGHAN	CHAISE	FERN	POLISHED	SOFA
ARMOIRE	COUCH	FOOTSTOOL	POUF	SQUAB
ARRAS	CURTAIN	HASSOCK	ROCKER	STOOL
BOLSTER	CUSHION	HUTCH	RUFFLE	SWAG
BROCADE	DAVENO	MAHOGANY	RUG	TABORET
BUTTON	DAYBED	OAK	SEAT	TAPESTRY
CABINET	DIVAN	OTTOMAN	SETTEE	TEAK
CARPET	DRAPE	PILLOW	SETTLE	VALANCE
CHAIR	FATUEIL	PLEAT	SHAM	VINE

```
I  B  W  O  L  L  I  P  H  U  T  C  H  A  S  S  O  C  K
S  C  L  Q  Y  M  U  E  L  T  T  E  S  A  T  T  H  N  A
O  N  A  N  F  O  O  T  S  T  O  O  L  J  H  E  F  A  G
F  R  E  C  N  A  L  A  V  K  A  E  T  J  H  R  G  V  M
A  E  C  P  L  E  A  T  K  D  E  H  S  I  L  O  P  I  Z
M  F  H  L  G  B  D  Z  K  S  E  T  T  E  E  B  K  D  R
G  L  A  F  Y  O  R  U  F  F  L  E  N  I  V  A  U  Y  N
T  I  I  Q  S  L  Y  N  A  G  O  H  A  M  O  T  H  I  P
C  E  S  C  T  S  N  O  T  T  U  B  U  A  R  R  A  S  L
A  U  E  H  O  T  M  C  N  O  I  H  S  U  C  T  Z  T  D
R  T  W  A  O  E  V  G  U  A  R  M  O  I  R  E  F  E  A
P  A  R  I  L  R  E  P  A  R  D  P  A  U  P  S  U  N  Y
E  F  U  R  R  E  K  C  O  R  E  A  C  E  D  W  O  I  B
T  W  G  S  E  A  T  X  A  F  G  H  A  N  T  A  P  B  E
H  E  D  A  C  O  R  B  O  T  T  O  M  A  N  G  D  A  D
C  Z  X  T  A  P  E  S  T  R  Y  N  Q  I  A  F  Y  C  Z
I  K  B  A  U  Q  S  D  A  V  E  N  O  F  C  O  U  C  H
```

Fabric from Everywhere

BAREGE	DAMASK	KERSEY	MUSLIN	SETON
BATISTE	DOWLAS	KHES	NANKEEN	SHALLOON
BEIGE	DRUGGET	LACE	NET	SILK
BROCADE	FELT	LAWN	PLUSH	TARSTIN
BUNTING	FLANNEL	LINEN	POPLIN	TWEED
CAMLET	FUSTIAN	MERINO	RAMIE	TWILL
CHENILLE	GAUZE	MESH	RIBBON	VELVET
CHINTZ	GUNNY	MOHAIR	SATIN	WOOL
CRAPE	HOMESPUN	MOIRE	SERGE	WORSTED

```
W F E F C R A P E C E L L I N E H C O
O D R G M E R I N O D D N I L S U M T
O N I G D R U G G E T J V N E A O N P
L A O E K X D C A M L E T K O I I D U
L N M D E T S I T A B O H L K T M E K
E K E A G E N E T F U S T I A N E A E
N E U C E G G V E L V E T S A K J S R
N E R O R I N U P S E M O H U X C R S
A N I R A E J U G N D O W L A S L G E
L Z A B B B C N O C W T A R S T I N Y
F H H Y Z N I O G W O R S T E D F Y N
H S O D I T L A Z K L L I W T E N E C
C E M L N L U P T T S L Z W L N N I L
R M P U A Z E G L W N A W T U I X T A
X O B H E L A C E U E I M G L Z K T W
P V S R N O B B I R S E H A D Z Y B N
M P X O O E G R E S F H D C D S E H K
```

The Business of Weaving

BAST	FILAMENT	LOOM	REEDY	TEXTILE
BOBBIN	FLAX	MACHINE	REEL	THREAD
BOLT	HEMP	MANILA	RUGS	TOW
CARD	ISTLE	MATERIAL	SHUTTLE	UNDER
COIR	JACQUARD	MERCERIZE	SILK	WARP
COMB	JUTE	MILL	SISAL	WEAVE
COTTON	KNIT	OVER	SKEIN	WEFT
FABRIC	LINEN	RAFFIA	SPIN	WOOL
FIBER	LINT	RATTAN	TENSION	YARDAGE

```
F L A X H M A N I L A H K R N V Z M R
T E X T I L E C D T E N S I O N A S A
C H T Y Q U N I T L O B T O W T H E F
F B D N P Z I R L O O M Z T E U Z N F
D R B H E R H B E A A J N R T I A N I
L M N G Y M C A P E P I I T R T D R A
A N I E K S A F V M L A L E T J Y E C
S Y B Q M F M L E R L E C A J N D V O
I R B D W O N H I V Y R R A D O E O I
S F O E L T S I E F E X C R L T E D R
E Z B F W E A V E M Z Q A U R T R K W
N E N I L Q B M O C U C N E W O O L E
S C E G A D R A Y A D D B M K C Z J F
P B A S T G R R R L E I F J I N N L T
I L P E P D U D F R F K L I S L I A U
N P B T C W G M T H R E A D Z N L T B
P R A W Z Q S E I A Q Y J U T E V W W
```

The Sugar Industry

ALABAMA	CLIMATE	GLUCOSE	MAIZE	RUM
ARGENTINA	COARSE	HAITI	MAPLE	SACCHARINE
BAGASSE	CORN	HARVEST	MOLASSES	SORGHUM
BEET	CRUSH	HUMID	PALM	SUCROSE
BRAZIL	CRYSTAL	IDAHO	PLANTATION	SUGAR
BROWN	CUBA	INDUSTRY	POWDERED	SUPER-FINE
CANDY	CUT	JAGGERY	PROCESS	SWEET
CANE	DEXTROSE	JUICE	RAW	SYRUP
CARAMEL	FIELDS	MACHETE	REFINED	WHITE

```
T T J U I C E Q C B V S I S Y R U P P
W U E B C K T O A S A B M P P J B R T
H C C E O N R G U C P U L O Z H O J N
I R H E W N A G C O R A W O A C Y N Z
T Y S T G S A H W S N R P R E D W Y A
E S U N S R A D O T E G V S N O R S L
T T R E A R E R A O Z E S A R T D E J
D A C W I R G T T I S N C B S L M O M
E L I N E H I C M T Z T P U E A H L J
X R E D U O L H A I T I D I R A A C A
T E F M N I B N P I B N F A D P B A G
R F H A M A B A L A I A C I E E G N G
O I N A B U C P E S U P E R F I N E E
S N T G L U C O S E Y G H U M I D A R
E E I O H X E S O R C U S U Q M W G Y
F D E S R A O C I B M O L A S S E S H
T B R A Z I L M A C H E T E M A I Z E
```

Sweets to the Sweet!

BABA	CUSTARD	ICING	MINCE	STOLLEN
BON-BON	DIVINITY	JAM	MOCHA	SUGAR
BRITTLE	DOUGHNUT	JELLY	NAPOLEON	TAFFY
CAKE	DROPS	LOLLYPOP	PASTRY	TART
CANDY	FONDANT	MACAROON	PENUCHE	TOFFEE
COBBLER	FUDGE	MARCHPANE	PIE	TORTE
COOKIE	GLAZE	MARSHMALLOW	PRALINE	TRIFLE
CREAMS	GUMDROP	MARZIPAN	RAISIN	TRUFFLE
CURD	HONEY	MERINGUE	SEA FOAM	TURNOVER

```
R A G U S E L T T I R B F O N D A N T
V Q J C E V W U H S P S M P W Y H E Y
X E A B N Y C E J N M E P A B B C C E
I N M R A D E E I S O A E O O Z O N N
B I C T P N K M M P T E E F R F M I O
O L D U H A D I A A R O L R F D A M H
N A O R C C Q I J R R E L O C O Y E C
B R U N R R T E V N S Z L L P O T Z S
O P G O A L L P G I O H I B E A H G B
N I H V M L O E E U N O M P B N N N E
G E N E Y V C L R N M I R A A O E I U
B G U R F T U F L A U D T A L N C C G
K D T R F A R F D Y I C R Y C L K I N
C U S T A R D U D O P S H O F A O N I
T F J K T T O R T E K O I E P E M W R
I Y R T S A P T A B A B P N R X D L E
T C O O K I E E Z A L G T R I F L E M
```

The Complete Butcher Shop

BACON	GOAT	PICKLED
BEEF	GROUND	PORK
BRISKET	GROUSE	QUAIL
CAPON	HAM	RABBIT
CHICKEN	HAMBURGER	RIBS
CHOP	HEART	ROAST
CHOPPED	HEN	RUMP
CUT	JOINT	SAUSAGE
DUCK	KIDNEY	SHOULDER
ELK	LAMB	SIRLOIN
FILET	LIVER	STEAK
FISH	MOOSE	STEWER
FRYER	MUTTON	TURKEY
GAME	OXTAIL	VEAL
GAMMON	PHEASANT	VENISON

```
H T N A S A E H P B E S O O M A N U Z
V F J M R I B S R U W I A B A C O N G
S G I T M R L I F S I R L O I N W P L
T A F L D A S I S E U M G R K R O P O
E M I D E K H A V M E R T I B B A R Z
A M M C E T U R P E O B I H S I F I E
K O Q T H S E H R U R Q P N T A O G M
L N P H A O C F N E R E D L U O H S A
A D E G T H P D C K G I I R O A S T G
E N E P O V T P A H B R D Z L D N Y V
V L T P T U E Y E M I E U E Q O V K K
B B R S R N E N A D L C F B T U C B Y
K Q A K T N I L I K T R K T M A A F M
C V E C D E Z O C S Y B U E P A H I N
U Y H I U K W I J E O M B O N P H W L
D X K B L T P E R L E N N E S U O R G
X L U E V W D U R N P L I A T X O G V
```

The World of Languages

ARABIC	GERMAN	RUSSIAN
BALUCHI	GREEK	SERBIAN
BENGALI	HEBREW	SHINA
BRETON	HINDI	SINDHI
CREOLE	IRISH	SLOVAK
CZECH	LAHNDA	SPANISH
DANISH	LATIN	SWAHILI
DUTCH	LATVIAN	SWEDISH
ENGLISH	MALAY	TAGALOG
ERSE	NEPALI	TAJIKI
FARSI	OSSETIC	TURKISH
FINNISH	PANJABI	URDU
FLEMISH	PASHTO	WALLOON
FRENCH	POLISH	WELSH
GAELIC	ROMANY	YIDDISH

```
W A L L O O N G E R M A N D T F E V B
Y U R D U I H D N I S O Z A U R N Y Y
E I H H A N T A G A L O G N R E E N A
S R D S S R T C I L E A G I K N L A L
R I H D I I A B R E T O N S I C O M A
E Q E I I D L B A N I H S H S H E O M
I S R A F S E G I H O E M Y H Z R R N
I W E R B E H W N C L A T I N P C J A
L I B A J N A P S E O O S S E T I C I
A E S P A N I S H Z B E N G A L I K V
P O R U S S I A N C J W I Z F O J A T
E P I X F I N N I S H T E H L C M V A
N A I R I S H P O L I S H E C K X O L
M S L A H N D A S E R B I A N U N L L
W H W E L S H I N D I D U T C H L S J
U T U W G R E E K F L E M I S H G A Y
U O T A J I K I E Q V S W A H I L I B
```

Just Joking!

JABBER	JAMBOREE	JAUNTY	JELL	JIMMY
JABOT	JANGLE	JAVELIN	JENNET	JIVE
JACANA	JANITOR	JAWS	JEOPARDY	JOGGING
JACKAL	JAPAN	JAY	JERBOA	JOKE
JAEGAR	JAPE	JAYWALK	JEREMIAD	JUDGE
JAGGED	JAR	JAZZ	JERKIN	JUICY
JAGUAR	JARGON	JEALOUS	JERSEY	JUMBLE
JALOPY	JASPER	JEAN	JET	JUMP
JAMB	JAUNDICE	JEEP	JIGGER	JUNGLE

```
R E R C H V K A J A U N T Y X O O J L
A N K A J R E G G I J U I C Y R A N K
J E T J U X R T D A L J Z Z Y C J N R
V G E E M G F N U L I C O D K R I K Q
F D N R B B A N E M J J R A E L H T R
E U N K L C D J M A A L E E R E A H
D J E I E I J Y B L P K R V E P G J U
E J J N C E R B O O L O A P A E O G J
G V B E A O E P E A B J S J A K M N A
G N C L T R Y J W M U A E J E O Y I Z
A K O I Q F L Y A J J E A L J O O G Z
J U N T O B A J N D E N L A G J C G Z
S A J A Y J E T J J A R W G E N X O J
J D A I M E R E J C A S S E N E A J U
L N A P A J A G A D K M P E A U T J M
J A R G O N G J P N E G B H Y E J X P
J I V E J E R B O A M R A I J D E W Y
```

I Spy

IBERIA	IGNITE	IMBECILE	IMPETUS	INCH
IBEX	IGNORE	IMBIBE	IMPIOUS	INCHOATE
IBID	IGUANA	IMBROGLIO	IMPISH	INCISION
IBIS	ILL	IMBUE	IMPLY	INDIGO
ICE	ILLICIT	IMITATE	IMPORT	ISSUE
ICEBERG	ILLUSION	IMPACT	IMPOSE	ITCH
IDEAL	IMAGE	IMPAIR	INACTIVE	ITEM
IDENTIFY	IMAGINE	IMPALA	INANE	ITINERANT
IDIOM	IMAM	IMPEDE	INCENSE	IVORY

```
L L T C O I N A C T I V E I M P A C T
I M A G E L A N A U G I M P I O U S Z
P I M P I S H I C E B E R G J J X Y I
I U E I T I N E R A N T I M W J F I A
M Y S I I M P A I R I B A H S I T I M
I I N N C L T B E T I M C U T E R O W
T S E A V E I L C S I N T N M E I Y I
A S C N M D I H I M I E E L B D N L N
T U N E M C I M B L P D P I I I O P C
E E I C E B P R L M I E N I G M I M H
K J Z B E A O I I Q N O M B N P S I O
I K M X L G C M I I I B I O I E U N A
V I Z A L I P L G S U M G D T D L A T
O Q X I T O L A I E B I W L E E L L E
R I O V R N M C C I D O Y O H A I V M
Y X P T F I N F B N I M P O S E L O G
F Y P X W I E E I Y L E R O N G I T K
```

Capitals and Countries of Africa

ABIDJAN	CHAD	GUINEA	LUSAKA	PRETORIA
ACCRA	CONGO	HARARE	MAPUTO	RABAT
ALGIERS	DAKAR	KAMPALA	MASERU	SAO TOME
BAMAKO	DODOMA	KHARTOUM	MORONI	SUDAN
BANGUI	EGYPT	KIGALI	NAIROBI	TRIPOLI
BANJUL	FREETOWN	LAGOS	NAMIBIA	TUNIS
BISSAU	GABON	LESOTHO	NIAMEY	YAOUNDE
CAIRO	GABORONE	LOME	NIGER	ZAIRE
CAPE TOWN	GAMBIA	LUANDA	PRAIA	ZAMBIA

```
E M O F L U J N A B O H T O S E L E O
Q D M K R L Y E M A I N O N R G H S A
C A E F A E R I A Z K H A R T O U M I
O H N G R J E V F F V J D C A D H I R
N C O A Z Q A T M U D Z E O A B U V O
G S R I W J I R O I O M O N D G A N T
O A O B X I B A B W O S W K N O A T E
H H B I T L M A X T N O R A A I M R R
N T A M U O A J O I T Z B E R M A A P
O P G A R P G A G E C D Y O I K A I A
B Y G N E I S E P P P A B A A G N B K
A G I F S R R A Z O R I I D O P L M A
G E J O A T C B I S S A U R T U W A S
E Z W M M J G U I N E A I W O U N Z U
M A D N A U L K A M P A L A L G N D L
O X F A C C R A B I L A G I K Q U I E
L N M O R O N I F B E O T U P A M C S
```

Regional Capitals

ADEN	CONCORD	KIEV	MANAGUA	SALEM
ALOFI	DZAOUDZI	KIRKWALL	MANILA	SYDNEY
ANKARA	EDINBURGH	LERWICK	MONACO	TAIPEI
APIA	FUNAFUTI	LHASA	MOSCOW	TASHKENT
BAKU	FUNCHAL	LIMA	MUKDEN	THIMPHU
BANGKOK	HANOI	LINCOLN	NASSAU	ULIGA
BELFAST	HEFEI	LISBON	OSLO	VADUZ
BERN	HONIARA	MACAU	PALERMO	VALLETTA
CANBERRA	KAMPALA	MALE	SAIPAN	WARSAW

```
D A T T E L L A V Q D O M R E L A P J
M M U K O A L O F I C P Y C I S Y K U
O D Z A O U D Z I M M O A U A S S A N
S D R M A M A L E O D N N I L D A L R
C K M P L W B L N E B X P C K I A E E
O H A A I V A A D E N A N H O H G M B
W E N L N S C I R W N F T L C R M A M
D F A A A O N R U Y P N L N I L D C W
F E G W M B A H N N E A U L T I Y A A
C I U J U M P B L K W F E N U S E U R
V N A R I M A O H K H R E V F B N A S
A G G L I N C S R A W D L O A O D P A
D H O H G N A I N I K H L K N N Y I W
U X T K I T K O C U A S U C U O S A K
Z C O L V K I K M S O B E L F A S T I
P K X E V E I K A R A I N O H X M A Q
I U N E D A B A N K A R A T A I P E I
```

60

Exploring the Swamp

ALLIGATOR	CHANNEL	GNAT	MOSQUITO	SNAKE
AQUIFER	CLOSE	HERON	MOSS	STICKY
BAYOU	CREEPER	HOT	MUD	STUMP
BOG	CYPRESS	HUMID	OPOSSUM	TANGLE
BRACKISH	DARK	HUMMOCK	PUNT	THICK
CANAL	DISMAL	JUNGLE	RACCOON	THORNS
CANOE	DUGOUT	KNEE	REED	TURTLE
CARP	FLOW	LOGS	ROOT	VINE
CATFISH	FROG	MOIST	SAND	WET

```
T T H O R N S V N D I M U H X I Z R X
N A K C O M M U H A K R E F I U Q A L
U N L I C A M J M O S Q U I T O J E P
P O U L Q A S H R O O T J B G O B N D
D O O O I H T S H T B H U R F E S I I
N C Y K J G T F E C E P L A L L T V S
A C A H R H A T I R N C L C O T U D M
S A B T I E U T O S P H I K W R M E A
C R C C S O E N O Q H Y C I E U P L L
A R K H G I O D J R K U C S E T M G B
N B E U A L O E E C D O B H N V D N L
A S D E O N K M I G O R F M K T X A T
L S Z G P A N T I J U N G L E A C T H
V O S Y N E S E D K R A D C A N O E G
J M F S U Z R R L T F C A R P G J J E
V T E W I Z Z I Z O O F V Y Q D U M U
Y V M Z O P O S S U M H E S O L C Y V
```

78

Under the Big Top

ACT	CHEER	ELEPHANT	PARADE	TENT
AMAZING	CLOWNS	GASP	POISE	TIGER
ANTIC	COLORFUL	GRACE	RIDE	TRAINED
APPLAUSE	COMMAND	HIGH WIRE	SEAL	TRAPEZE
BALANCE	CONTORTED	HORSE	SEQUIN	TRICK
BAND	COSTUME	LEAP	SMOOTH	TUMBLE
BARKER	CROWD	LION	SPARKLE	TWIRL
CATCH	DANGER	MUSIC	STRENGTH	WHIP
CHAIR	DOG	NET	SWING	WONDERFUL

```
K C I R T C H A I R S E A L D O G F L
G H O T R A P E Z E E T I G E R C I K
E T U N I P E O L S Z D F J T I O C A
S G O E T C A K X M A E R G S N L G E
I N A T A O R E E O M L O U N O O L B
O E J R N A R R L O A B M O W I E U B
P R G E P D I T H T Z M G N Q P W R A
N T T S W W N C E H I U S B H W L S L
N S H L H L T A H D N T C A O X E T A
N K R G U A R G M I G O N N E W S R N
M I I E C F V I T M S T D A S W R A C
E H U X G N R Z W T O E C C U H O I E
D E B Q G N C O U T R C R T A I H N Z
A K B A E H A M L F R R O N L P U E B
R K S A E S E D U O W I W P P Q Z D L
A P T E N V K L W C C B D I P Z E C X
P M R B M D R E K R A B I E A N T I C
```

A Day in Court

APPEAL	COURT	FEE	OFFICE	RETAINER
ARGUE	DAMAGE	FILE	PLAINTIFF	RULING
ATTORNEY	DEFENDANT	JUDGE	POLISHED	SPEECH
BAR	DISTRICT	LAW	PRECEDENT	STATUTE
BENCH	DIVORCE	LAWYER	PREPARE	STUDY
CALLED	ESTATE	LEGAL	REBUTTAL	SUE
CASE	EVIDENCE	LIBRARY	RECORD	SUIT
CLIENT	EXAM	LOOPHOLE	RECOVER	TIE
CONTRACT	FEDERAL	OBJECT	RESEARCH	TORT

```
M P T Y D U T S L H C C W A C J D R T
E A L C E C I F F O C A F A A U I E I
X I K A E C P F I G O N S M L D V C E
A T R G R J P R F T E P E E L G O O Y
M I C E P E B U E I E V H B E E R V A
M M T I Y R D O F P T T I O D I C E C
D R N U R W E E T R A N U D L D E R A
A U A T U T A C F A E R I T E E T G T
M L D N E R S L E T R N E A A N C H T
A I N E E A M I C D D G I S L T C C O
G N E I F B A A D Y E L U A U P S E R
E G F L E P R E L I F N I E T E D E N
R P E C P T D R O C E R T B T E R P E
L V D E N A H C R A E S E R R R R S Y
G C A O B T R O T G L A G E L A U L N
X L C V S U I T R E B U T T A L R O F
E K P O L I S H E D M E S T A T E Y C
```

Refined Men's Furnishings

ALTER	DRAPE	LINKS	PLAID	TAILORED
BELT	FIT	LOAFER	POPLIN	TASTE
BLACK	GLEN	LONG	QUIET	TIE
COLLAR	GRAY	MANNEQUIN	RESTRAINT	TIE CLIP
CRISP	HAND	MAROON	SERGE	TUXEDO
CUFFED	HOUNDSTOOTH	MEDIUM	SHIRT	TWEED
CUT	INSEAM	MODEL	SHORT	WEIGHT
DARK	JACKET	NAVY	SILK	WINGTIPS
DARTS	LAPEL	PIN STRIPE	SLACKS	WOOL

```
T T U O D E X U T G R A Y B A C O V E
D G C H E T Q U I E T N E F Y V A N O
A J J O G C A C M P Z L M T I T F L N
Z Y V U R R W I M L T V A U N T N E T
H D S N E I M I L T R S L I I P P D R
C E P D S S I A W O T S A T I D N O I
X F I S O P X E E R H N W I E M H
J F T T M L I B W S T E S O L E K M S
E U G O D G O R M S N T D P R C E N A
K C N O H X E A E A R I O P A T I D D
C L I T P T L R F I R P B L C U G S P
L O W H L I D A P E S O B P Q L I L E
O H L A W R L E P K R D O E E L A A I
N T N L A O P C N E A B N N K I K C T
G Z U P A N O I E R L N N M D Z C K D
G Z E C V R L L T I A V K R A D F S Q
V T E K C A J S G M T R Q U H A N D N
```

Small Town, Kansas

ALDEN	JETMORE	PFEIFER
ANGELUS	KANONA	RADIUM
ARNOLD	KISMET	RANSOM
BAZINE	LAKIN	SAXMAN
BEELER	LEOTI	SILICA
BELPRE	LOGAN	SITKA
BISON	LUCAS	SPEED
BLADE	LUDELL	TENNIS
CAIRO	LYDIA	TRAER
CHASE	MANTER	TURON
CORINTH	MEDWAY	WALLACE
FRIEND	MISSLER	WINONA
GOVE	MODOC	WOODS
HANSTON	OTIS	ZOOK
HORACE	PALCO	ZURICH

```
W A L L A C E E X N E D A L B F H W I
Y R E A R T H A K T I S F W E G C O N
A K F S I T O R E T N A M P R P I O Z
E N R N N U V A F R I E N D O F R D L
V Z G I B K F S A X M A N I M U U S Y
O O R E R E L S S I M E M R T E Z A D
G O B A L J M U I D A R Q J E R V C I
C K Y A N U B I A L E O T I J P L I A
I R A L N I S P X K A N O N A L E L D
R E W O D O K B D A L D E N E E Q I E
Q L D G O N N A A R N O L D H B C S E
B E E A V O O I L Z M Q U S A C U L P
I E M N D U J T W D I L H O R A C E S
S B M O S N A R S M Z N Q O R I A C U
O C O C L A P J P N A B E S A H C Q F
N R N T E M S I K R A T E N N I S X O
I N D R E F I E F P Y H M O D O C I A
```

It's a Dog's Life

BARK	HUNT	SCRATCH
BRISTLE	HYDRANT	SIT
CHAINED	KENNEL	SNARL
CHASE	LEAP	SNIFF
COME	LEASH	SNOOZE
COWER	LOLLOP	SNUFFLE
DISH	LOOSE	SPEAK
DROOL	LOPE	STAY
FETCH	LOYAL	SURVEY
FLEAS	MANGE	TRACK
FOLLOW	PANT	TREE
GRIN	PLAY	TROT
GROWL	ROLL	WAG
HEEL	RUN	WATCH
HOWL	SCENT	YIP

```
Q J P R O L L X D C Z F R K S T A Y L
F F S N U F F L E N N E K N U D C Y O
F D T R U Y N H N F A R L K F M G E Y
I Y B N Y G K O H O O E M O C Q F V A
N I P T U C X A K C S L E A S H I R L
S H L R R H E T E G T C L S P V O U W
V S A A R E C E N P R A E O N I A S T
H I Y C Z D W H Z A S O W N W A Y F O
A D V K G G F O A O P N W Q T Q R E R
A M S E A B E R C I O T U L T W L L T
F D C Y W A T X F D N N T R I T M M L
L E R C V R C L L R L E S N S N A D E
W M A E H K H O E O O Y D I A N I J E
O X T L P A L O A O L A R W G R Z R H
H K C Z H O S S L L B D E C C D O G
B X H N P H F E F Y O G O I Y H J Y B
J Z Q E L G E E R T P M L E A P O G H
```

On the Trail of the Wolf

ALPHA MALE	FUR	PACK
ARCTIC	HARDY	PELT
BOUNTY	HERD	PUPS
BREED	HOWL	RARE
CANADA	HUNGRY	RELAY
CARIBOU	HUNT	SLY
CHASE	KILL	SNOW
CHORUS	LEMMING	STALK
COMPETE	LITTER	SURVIVE
DANGEROUS	LOBO	TERRITORY
DEN	MICE	TRAPPED
FAST	MUSK OX	TUNDRA
FIGHT	MYTHS	WILD
FREE	NUZZLE	WILY
FROST	ORDER	WOLF

```
L  B  T  K  Z  Z  Y  D  R  A  H  W  I  L  D  W  H  A  E
Y  O  E  I  M  L  K  F  I  G  H  T  Y  E  D  W  I  L  Y
W  U  V  L  O  C  X  Q  B  R  W  S  U  T  L  E  A  W  E
M  N  G  L  A  O  F  K  K  S  U  U  E  E  A  G  D  U  E
L  T  X  P  K  M  S  R  U  R  D  R  Y  P  R  R  A  D  R
F  Y  Q  S  E  T  A  O  O  A  O  V  O  M  D  E  N  R  F
L  C  U  O  A  P  R  H  L  S  I  I  Y  O  N  T  A  E  Z
T  M  A  L  C  E  C  E  P  F  T  V  R  C  U  T  C  H  A
T  D  K  R  G  H  M  C  A  L  B  E  O  C  T  I  R  X  R
N  E  D  N  I  M  A  S  P  M  A  I  T  R  L  L  L  I  A
U  N  A  E  I  B  T  S  L  Y  C  D  I  Q  R  T  O  O  R
H  D  C  N  E  R  O  P  E  T  I  E  R  E  H  U  B  G  E
T  C  G  X  R  R  A  U  W  H  T  P  R  C  L  O  O  D  Y
H  M  I  C  E  U  B  P  O  S  C  P  E  H  M  Z  W  C  L
R  O  R  D  E  R  F  S  L  U  R  A  T  M  X  L  Z  L  S
G  Z  V  B  P  E  L  T  F  A  A  R  R  E  L  A  Y  U  C
W  O  N  S  O  H  U  N  G  R  Y  T  V  G  X  Q  P  C  N
```

67

Lonely Lakes in the Northwest Territories

ARMIT	DISMAL	HALL	LYNX	PETER
AUBRY	DUBAWNT	HANBURY	MACKAY	QUARTZ
AYLMER	EDEHON	HARDISTY	MAGUSE	SCHULTZ
BACK	ESKIMO	HORTON	MALLERY	TACHE
BAKER	FABER	HOTTAH	MARIAN	TAHOE
BELOT	FLINT	ITCHEN	MAUNOIR	TAKIJUA
BROWN	GARRY	KASBA	MILLS	TEHEK
COLVILLE	GREAT BEAR	KELLER	MINGO	TROUT
CURTIS	GREAT SLAVE	KIKERK	PELLY	WILLOW

```
Q U A R T Z Y G O Y K K I K E R K T H
Y O N P O E M R R H W O M A G U S E D
L C M U N G H I R E H A L L X W J C T
L E U I B O N E T A A M A U N O I R N
E Y W R K N T I K I G T Q C Y L N E I
P U A V T S E R M C M N B P L L A A L
T T N K T I E V O H M R Z E Q I U B F
W X A A C F S L A H A A A T A W B S P
Y N H K A A V H P L Q N R A L R R A E
R O W B I I M D O M S L B I E U Y K T
E K E O L J U L B T B T E U A H H O E
L R C L R B U P A E T I A D R N C C R
L T E A A B L A E M L A T E E Y C A S
A R U W B R E K A B S O H C R H X Q T
M K N O K E L L E R C I T A H G O I J
W T H A R D I S T Y X Y D J T E X N J
S L L I M T E R E M L Y A G E E N C U
```

Those Northern Winters

ARCTIC	DARK	GRIM	PLAINS	STRONG
BLAST	DEEP	GRIP	POLAR	SWIRL
BLIZZARD	DRIFT	HELD	RELENTLESS	TUNDRA
BOUND	DRIVEN	HIBERNATE	RUTHLESS	TWIST
BURIED	FLAKES	HOWL	SCOUR	VAST
BURROW	FRIGID	ICE	SHELTER	WEATHER
CHILL	FROZEN	IRON	SLEET	WILD
COLD	GALE	NIGHT	SNOW	WIND
CRUST	GELID	NORTH	SOLSTICE	WINTER

```
O  Z  B  D  B  C  T  U  N  D  R  A  Y  R  T  G  R  I  P
M  I  R  G  U  W  H  O  W  L  B  E  R  S  N  I  A  L  P
I  A  H  D  R  M  S  E  X  A  C  U  P  Z  D  J  C  H  C
H  D  W  P  I  O  E  F  D  I  O  E  J  F  M  I  I  E  G
D  R  W  S  E  Q  K  Y  T  C  E  E  R  N  R  B  N  N  D
R  A  L  H  D  Q  A  S  S  D  L  I  E  E  E  H  O  I  T
I  Z  C  E  H  E  L  D  F  A  G  Z  L  R  T  R  L  H  F
V  Z  O  L  R  O  F  L  G  I  O  E  N  S  T  E  G  R  E
E  I  L  T  S  T  L  Y  D  R  N  A  U  S  G  I  T  U  G
N  L  D  E  P  I  S  B  F  T  T  R  J  X  N  W  G  T  B
C  B  V  R  H  H  O  A  L  E  C  V  S  L  E  E  T  H  B
W  E  L  C  W  U  T  E  L  D  Q  T  A  A  C  M  Z  L  D
W  I  S  R  N  O  S  R  K  B  F  E  T  I  I  R  T  E  N
I  K  N  D  I  S  R  R  O  I  I  H  V  R  T  A  S  S  I
L  T  O  T  O  W  A  R  R  N  E  Y  A  O  C  L  I  S  W
D  U  W  J  E  D  S  D  U  R  H  L  S  N  R  O  W  F  M
K  V  O  D  H  R  I  L  U  B  P  Z  T  H  A  P  T  H  P
```

When Knights Were Bold

ARCHER	CARLS	GATE	MEDIEVAL	SHIELD
ARMORY	CASTLE	GUARD	MINSTREL	SMITHY
ARMS	DONJON	HALL	MOAT	SQUIRE
BALCONY	DUNGEON	HERALD	PENNON	STONE
BARON	EARL	HUNT	PORTCULLIS	TAPESTRY
BLAZONRY	ESNE	KEEP	RANK	THANE
BRITON	FIRE	KNIGHT	SAXON	TOWER
BUGLE	FORTRESS	LADY	SERF	VENERY
BUTTERY	FRANK	LORD	SERVANT	WALLS

```
D R V E N A H T T P N I H A L L P G S
R S W P R E W O T Y O D D M N O M M Q
A Q M D E B E E Y S T L W O R F I Z R
U U E L W N A R E J I M R T R T S I W
G I D A F A N R I H R A C A H M S B Y
A R I R A Z V O C F B U N Y R S U R K
T E E E Q A D D N H L K O A E T T K T
E N V H N R O K N L E W P R T S C E G
B A A T O N N O I L L R T E E Y T E L
U Q L L J A E S K C L R R P R B T P E
G F C O R G P O N A O Y A N S A Y S R
L E N A N J E J I F J T O E E L R H T
E N Z U S N B C G G B Z A I R C O I S
H O D R S T A U H L A D Y P F O M E N
U T M E F R L X T L O T A O M N R L I
N S R C L M U E B H V E N E R Y A D M
T D H S S A X O N V J C W A L L S N P
```

Dreams of a Crusader

ADVENTURE	FAITH	HELM	MAIL	SILK
ARMY	FANATIC	HOLY	MARCH	SQUIRE
BAZAAR	FIGHT	HORSES	MOSLEM	SUTLER
CHURCH	FREE	INFANTRY	OTTOMAN	SWORD
CRUSADE	GATHER	INN	PAGE	SWORN
DAMASCUS	GOLD	JERUSALEM	PLUNDER	TRAVEL
DEFEND	GRAIL	KINGS	POPE	TURKS
DIE	HARDSHIP	KNIGHT	PRIEST	WEAPON
EMPIRE	HARNESS	LOOT	SANCTION	WOUND

```
G R E R I P M E W B M F S W O R N W W
L I A R G H E Z N O Q E D O H U D E B
T P I H S D R A H G U L L T F N A Y Y
U T J P T H G I F L O N I S E P R L M
R O T T O M A N T G F A D F O T K O R
K M E L A S U R E J F A E N N M K H E
S B A Z A A R A E Y P D N A X I B P H
E G H C C H U R C H G L F A N K E R T
D A F O T Q U M N Q X N U G T E N I A
M X H O X T Z Y N P I T S N R I E E G
A D O O N E E R I U Q S R F D I C S B
I L R E R H C R U S A D E A D E I T T
L H V O E S N O I T C N A S V L R P L
C D C L W E E K K N I G H T K E M O L
A Z M R G S B S I M R E L T U S L P Z
X B B A A B R Z S U C S A M A D G E Q
B V P B O M W E H A R N E S S L U O A
```

Step Right Up!

AMAZING	COMPARE	FIRE SALE	PRICE	SAVE
BARGAIN	CURIOUS	GALORE	PRIME	SPIEL
BELIEVE	DEMO	GOODS	PRIZE	STYLE
BEST	DIME	GUARANTEE	PROMISE	SUCKER
BETTER	DOLLAR	MONEY	PROUD	SUPER
BRAND	ENHANCE	MUST GO	PURCHASE	TODAY
BUY	EVER	NAME	QUALITY	TRUST
CHANGE	FAITH	NOW	SALES	WINNER
CHEAP	FINEST	OWNER	SATISFY	WONDERFUL

```
R C T W N T U G P Y B D S U P Y L Y H
E W U S O C S B U Y A U E U K E U E Y
P I Z R U N J E V A C D R M I G P C V
U N B E B R D T B K R C O P O N R N P
S N F N N C T E E H A S T G A I A R
Z E I W I X O R R A C N N M L H M H I
B R R O A X D M S F X I Y T O C E N Z
E O E B G M N E P C U F R B E N B E E
T L S M R G A N J A U L U P S E E P D
T A A U A O R E Y G R R L R L E R Y X
E G L S B O B S N S Q E I I A O L X P
R M E T N D Y I Z A E U E O U L H A T
J P N G O S Z M N T V V A D U T L S S
L A A O T A E O O I E B A L I S E O P
V E M X M C M R W S R I H A I N H Y D
K H E A Z U I P A F Q Y F B I T G J R
A C E V A S D T C Y J Y G F E L Y T S
```

72

Cruising the Yard Sales

ASHTRAY	CUSHION	HAT	RUG	TAG
BARBECUE	DICKER	HEAP	RUMMAGE	TOOLS
BLANKET	DIG	JEWELRY	SCRUTINIZE	TOY
BOOK	ESTATE	MAGAZINE	SEARCH	TREASURE
BOX	FADED	MENDED	SHOES	TRIKE
CANDLE	FIGURINE	MIRROR	SHOVEL	USABLE
CHAIR	FIND	PATCHED	SKIS	VASE
CLOTHING	FIXED	PICTURE	SUMMER	WORN
COAT	GARAGE	RACQUET	TABLE	YARD

```
G L H E N I R U G I F G R I A H C D K
P Y A R D F R E K C I D E S T A T E D
O O Y B O X R L E E L B A T T K B X V
G Z R E L R A C Q U E T O A O A W I G
D H L E N I Z A G A M V H O D P V F R
N W E G H E U B I Z S L B E A W P P O
I X W I O T L V W C E I D E Y I A C R
F F E D R A M R R V E A H A C T O N R
P Y J I N E U U O U F G R T C A O Y I
E D K K N M T H C R N T U H T I O Y M
R E E D M I S E V I H R E D H T E Y Y
U T E A N C B A H S E D R S G S G S S
S D G I Q R S T A A O C U U D H A I U
A E Z V A E O S E A R C H Q G O R K M
E E V B B L Y Y C A N D L E I E A S M
R R L I C T O O L S B I Q T P S G X E
T G A T M N R O W U S A B L E J E F R
```

73

Creeping Darkness

APHOTIC	DARK	GRAY	OBSIDIAN	SOMBER
BLACK	DARKLING	INKY	OPACITY	SOOTY
BOSKY	DIM	JET	PITCH	STYGIAN
BROWNOUT	DINGY	LIGHTLESS	RAVEN	SUNLESS
CHARCOAL	DREAR	LIVID	SABLE	SWART
CIMMERIAN	DUSKY	MELANOID	SHADE	TENEBROUS
CLOUDED	EBONY	MURK	SHADOW	TWILIT
COAL	ECLIPSED	NIGHT	SLOE	UMBRA
CROW	GLOOM	OBSCURE	SMUDGE	UNLIT

```
O T W C M Q P V L G N A I D I S B O L
P O X O H F T U N L I T B Y S L O E Z
A F W C R A U H E Y I I D K D C B B E
C D R I O C R L G L N A Z S E I R T D
I U E T V N B C I I R O A O S M O E A
T S B O J A M W O K N D B B P M W J H
Y K M H S K T D L A O C I E I E N K S
G Y O P C V I I C D L K F M L R O R C
V F S A V N N L S L R M P I C I U U R
G O L U G G O B L S M E G R E A T M T
N B B Y O U A I A E E H A J A N O W T
A V R S D R G R L P T L L R Y V O V E
I Y I E C L B A B L I I N A M D E G T
G T D N O U N E E M V T R U A E D N Y
Y O Q O K O R S N I U G C H S U Z F L
T O M D I Y S E D E U U S H M D Q E M
S S F D S W A R T M T T Q S K R A D O
```

74

Filled With Light

AURA	CANDLE	GLARE	LIGHT	RADIANT
AURORA	CLEAR	GLINT	LINK	REFLECT
BEACON	CORONA	GLITTER	LUCENT	SHINE
BEAM	CORUSCATE	GLOW	LUCID	SPARK
BLAZE	FIRE	HALO	LUSTROUS	SPARKLE
BOREALIS	FLAME	KINDLE	MATCH	STARS
BRAND	FLARE	LAMBENT	MOON	SUN
BRIGHT	FLASH	LAMP	NIMBUS	SUNNY
BRILLIANT	FLICKER	LANTERN	PALE	TORCH

```
E L U A R O R U A K B E A C O N Q V P
K R A P S V S H L B O W F G R U V A M
V E T L Z U D C S T A R S L N A L P A
W Y H Q B F U R S U N N Y E A E E E E
T O G M S N E O J C O R O N A R R L B
N X I N U R E T T I L G V X I I E I C
E N L L O T Q S A D I C U L F I Z V P
C H V C R N T U L C S I L A E R O B L
U A F A T A N N F A S S H I N E H F A
L L K N S I A R L C N U L C H L I O M
J O I D U L I E I B V T R V M K D I P
Q G N L L L D F C G R I E O A R D H U
H B D E E I A L K K L I F R C A N C W
S N L M X R R E E W N A G L N P A T O
A P E A O B C C R T U I R H A S R A L
L R M F Z O Q T L R V R L E T M B M G
F L A M B E N T A R Z T N I L G E C N
```

The Battle Continues

ADVANCE	ENRICH	RAISE
AGE	FIX	RECLAIM
AID	FOSTER	RECTIFY
ALLOY	HELP	REFINE
AMEND	IMPAIR	REFORM
BETTER	INCREASE	REGRESS
CIVILIZE	LIFT	REMODEL
CORRECT	MELLOW	REPAIR
CORRODE	MEND	ROT
CURE	MOLD	SICKEN
DECAY	POLISH	TOUCH
DECLINE	PROGRESS	VITIATE
ELEVATE	PROMOTE	WASTE
EMEND	PURIFY	WITHER
ENHANCE	PUSH	WORSEN

```
V Y O L L A N M P U U C O R R O D E F
G T O U C H K R H E T V R E C L A I M
E N I F E R O T E C T C I E M Z N F A
E F A V P G J N L N H O E T T J J L W
T P B A R P W N P A S X M R I T K Q O
A Z R E G R E S S V I R Q O R A E F L
V J S X O K E I U D L O M E R O T B L
E S I T C X M Z D A O E F R X P C E E
L F H I G P R E I T P O N R E R A E M
E O S C A E S A Y L R Z E H E T N D J
H M J I I A T A I M I M L C A I S E A
S E R R E R C S R S O V T I L N R O D
U N D R E E N E A D E I I C F U C P F
P D C N D P H E E W F A E C C T T E B
C N P H E T A L J Y I D P U R I F Y F
I E G A I M P I F D D D W O R S E N W
F H D W L X A V R C V L D N E M E Y U
```

The Museum Field Trip

ANCIENT	EVOLVED	ROOMS
ARTIFACT	FOSSIL	SCHOOLS
BASKET	GIFT SHOP	SHIELD
BEADS	GUIDE	SHOW
BIRD NEST	HISTORY	SIGHT
BONES	INFORMATION	SKELETON
BROOCH	LECTURE	SKULL
CAMERA	MODERN	SOUND
CASE	MUSEUM	SPEAR
COSTUME	NECKLACE	STAGE
DINOSAUR	PETRIFIED	STUFFED
DIORAMA	PICTURE	TAPE
DISPLAY	POSE	TOUR
DRAWING	POTTERY	TRIP
EGGS	ROCKS	VENDOR

```
Y D F Q S O J G A A L I S S O F D T A
X M J X Y D U M B U R T D V O L A M D
B O N E S I A S T A G E N N M P P U B
R D Y M D R N E H P V N M E E B I S R
V N E E O Q Q F B L S P I A I R R E O
A S E I S G G E O S Y K O W C C T U O
T T D C R G E V B R C R E H A W N M C
C U L N K S E M D I M H O L S R O A H
A F E Y U L H P U I R A O T E T D H I
F F C M T O A I E T S D T O S T F Y S
I E T O N G S C E T S P N I L I O I G
T D U R A E P S E L R O L E O S H N G
R R R U A S O N I D D I C A S N R J S
A W E R U T C I P L O X F A Y T O E I
T R O D N E V M O D E R N I S V O S G
D J Y R E T T O P L L U K S E E M O H
B V E B A S K E T S K C O R R D S P T
```

Listen Closely

ATOM	EMBARK	JOT	QUIET	SPRING
BEGIN	ENTER	MITE	RISE	START
BIT	FAINT	MORSEL	RUSTLE	STILL
BREW	FRAGILE	MOTE	SHRED	SUBTLE
COMMENCE	GENTLE	MURMUR	SILENT	TINY
CREATE	GRAIN	MUTE	SLIGHT	TRACE
DAWN	HUSH	ONSET	SOFT	TRICKLE
DELICATE	INITIAL	OPEN	SOURCE	WHISPER
DROPLET	INKLING	ORIGIN	SPECK	WISP

```
S B V S P E C K M O R S E L I C J P O
U B E T U M H S U H F C S C D L Z R P
B O I T O E E N M V Q W O P W E R B O
T F N T A L T U Q G U M F T I U E B N
L E A S T C R A O D M E T Y S N P T I
E Q M N E M I P E E E L N C P I S N G
D Q E B U T E L N R E I S E J A I E I
E G U R A N D C E D C G P L N R H L R
R I U I D R E R R D A A R K I G W I O
H Q N Y E G K O U L R R I C G T J S M
S L O I N T P Y G S T F N I E H R O N
K A L W T L R N T T T M G R B G E O T
K E A I E I I I N R T L E T D I T W W
Z D T T T L A I S F A T E C A L O R L
X C E I K S A L X E N T N Y Q S M D C
O P V N M F N D P E C N S S O U R C E
I Y I B R L J Q Q W H R R N Y N I T J
```

78

Free Enterprise on the Move

ACCESS	CONCEPT	EXPAND	IMPROVE	PROCESS
ACCRUE	CREATE	EXTEND	INCREASE	RISE
ADD	DESIGN	FILL	INVENT	SPREAD
ADVANCE	DEVELOP	FORESEE	MAKE	SURGE
AMASS	DEVISE	FORGE	MARCH	THEORY
AUGMENT	DIRECTION	FORWARD	MOTION	UPWARD
BOOST	DREAM	GAIN	NEW	VISION
BREED	ENHANCE	GROW	NOTION	WAX
BURGEON	ENLARGE	IDEA	ONWARD	WRINKLE

```
E  G  R  O  F  E  Q  M  N  O  I  T  O  N  B  O  O  S  T
D  A  S  S  E  C  C  A  A  E  V  O  R  P  M  I  X  M  L
E  F  Z  E  J  P  I  K  I  N  C  R  E  A  S  E  W  A  N
Y  R  O  E  H  T  Y  E  E  N  L  A  R  G  E  G  J  M  G
F  O  R  E  S  E  E  E  B  I  A  T  R  I  S  E  R  A  I
W  A  D  V  A  N  C  E  U  X  U  N  P  R  O  C  E  S  S
E  W  D  N  E  T  X  E  R  A  G  E  N  E  A  M  L  S  E
N  A  D  M  A  E  R  D  G  W  M  V  N  A  U  V  R  W  D
O  D  E  V  I  S  E  D  E  O  E  N  E  D  I  R  R  H  F
I  D  E  B  W  P  C  A  O  N  N  I  W  S  D  I  C  I  Z
T  A  R  Q  I  Y  O  R  N  I  T  W  I  R  N  S  L  C  Z
C  E  B  G  C  E  N  L  F  A  Z  O  A  K  U  L  C  B  A
E  R  J  P  T  T  C  H  E  G  N  W  L  R  T  G  R  O  W
R  P  H  A  O  T  E  C  Y  V  R  E  G  B  D  H  H  L  A
I  S  E  L  U  K  P  R  A  O  E  E  N  H  A  N  C  E  E
D  R  I  D  X  C  T  A  F  Q  I  D  D  R  A  W  P  U  D
C  K  N  O  I  T  O  M  E  X  P  A  N  D  T  N  O  R  I
```

Homonyms!

ALL	DUN	LIMB	PEEL	SIGN
AWL	FLOE	LIMN	POLE	SINE
BAUD	FLOW	MOOR	POLL	SOLE
BAWD	FORE	MORE	POOR	SOUL
COAT	FOUR	MORN	PORE	SOW
COTE	HAIR	MOURN	POUR	STAIR
DEAR	HARE	PAIR	RIGHT	STARE
DEER	HEAL	PARE	RITE	WRIGHT
DONE	HEEL	PEAL	SEW	WRITE

```
C R U M U P O U R Z L A E P E W W X K
A N L G T D D H G W R D W A B R O E D
D W J L W Q E U P R R D C I G K A L S
O V W K O V A N W I I S T A I R O P F
A N U F T P R Q W G A W L F O U R Z P
W M A V G O M T M H H U Y R O O M F H
L E B E M H H I N T A F F P D G N F S
B G X A I G J G L U O S E O O E B T T
I M F N I Z F L O E D L E E H O E B A
K N O R O D U A B O Y M E W S N R R R
Y V R U E L O P N H H C O T B O M J E
N S E V V E C E Y E A R R U I R W I F
P H O N A O Z O P A R I T E R R A R L
S O O L A L Q P E L E A B F S N W O E
W I R T E L L Z E K B P L F B I L H B
V P G E X W M A L P L I M B O K N Y L
M X I N T G C O T E H L Y M O R E E V
```

80

From the Catbird Seat

ABOVE	GLARE	OBSERVE	ROOST	SIT
ADMIRE	HAVEN	OGLE	SAFE	SPY
ADVANTAGE	HIDDEN	OVERSEE	SCAN	STUDY
BEHOLD	HIGH	PATROL	SCOUT	SURVEY
CONCEAL	INSPECT	PEEK	SECRET	USEFUL
CROW'S NEST	LOOK	PEER	SECURE	VIEW
CURTAINED	LOOKOUT	PERCH	SEE	VIGIL
EXAMINE	MARK	REFUGE	SHELTER	WATCH
EYE	NOTICE	REGARD	SIGHT	WITNESS

```
K E R U C E S D E H D P A T R O L W V
W A T C H E W W I N Q L E L I G I V T
T E R C E S R D E T I A O C S T Y L A
T C A S Q I D A U I D M P H N E A O T
R H B U T E M O L V V C A E E E E T O
U T G N N U C G A G E O S X C B F U B
R X S I A S D N D V R S R N E R A O S
E Z E E S C T Y O E L O O K E Y S K E
G D L Y N A S B V T N C U T K X E O R
A K R R G S A D C O P I L H H R Z O V
R L N E E H W E N Z V E A S T C A L E
D H Q O J F P O H E H E R T P G R M T
P M O G T S U G R S V P R I R Y B E A
T E Z G N I I G I C T A E S M U H C P
B U E I L H C T E A A U H E E D C D O
W G X K H E T E T S O O R O R E A D H
D B S U R V E Y D I U S E F U L M J R
```

Birds Around the Globe

AUK	EAGLE	HOOPOE	PELICAN	SWALLOW
BULBUL	EGRET	JACKDAW	PETREL	SWIFT
BUNTING	FINCH	LARK	PLOVER	TERN
CHAT	FLAMINGO	MAGPIE	RAVEN	THRUSH
CHOUGH	FLICKER	MARTIN	ROBIN	VEERY
CREEPER	GROUSE	NODDY	ROOK	WAGTAIL
CURLEW	GULL	OSTRICH	SHRIKE	WARBLER
DIPPER	HARRIER	OUZEL	SPARROW	WAXWING
DOVE	HAWK	OWL	SUNBIRD	WREN

```
X F H M E A S L I A T G A W N L K N L
C K I S F T H U D E K I R H S N P C E
V R E S U O R G N H O O P O E M X E R
O A E T Z R O L R B Y R E E V V Y Q T
Y L R E X D H G K L I H C H O U G H E
E J A E P W T T N M U R C R Z E X O P
G L V L T E O A R I A B D I E X V M I
R P E G U K R R H E M R L S R V W O G
E H N A M Y U H R C K A T U W T O K D
T I P E L I C A N A W C L I B I S L R
R F P U T N O I R A P A I F N O F O P
E H Q G I E B U X E C S R L L O Z T Q
P A R F A O R W Z L I U R B F L D T J
P W O W R M I N T E L R R O L W H D N
I K O B U N T I N G L U R L O E I T Y
D Y U W G J A C K D A W G A E K R J Q
N E R W L W O L L A W S R R H W R R O
```

Raising a Feathered Family

ADULT DOWNY GUARDED NESTLING SWAY

BABY EGGS HATCH PARENTS TERRITORY

BIRD FEATHER HIDDEN PERCH THICKET

BOWER FEED HOME SAFE TREES

BRANCH FIRST HUNGER SECRET TWIG

BROOD FLEDGLING LAID SHELL VORACIOUS

BUILD FLIGHT LEAFY SIT WAIT

CHECK GRASSES LINED SOFT WARM

CHEEP GROW NEST SPECKLED WOVEN

```
G Y M B U I L D T S R I F Y S O F T K
G R S I T L N F T R B K N D Y W A R M
R Q O E H D A E B V E W Q O B I Y T G
A N Y W L U R Q F P O W D O A R E V I
S C O E K R N E F D A I O R B K R O W
S A R T I C A G R L A R O B C E H R T
E G S T B T E H E L E D E I O G C A L
S E O I H G C H D R C D H N P G T C U
N R R E Q N N T C E T T G F T S A I D
Y D R D A Y D I Z R D C D L G S H O A
N K B R I V E Y L H E R S E I F T U M
X J B R Q F L W R T I P A H E N T S Y
T E R C E S K O S H S D W U E F G E F
U Q P H X S C V E G T E D A G L I M A
Q D T E H A E E E I E N N E I E L O E
L I N E D F P N R L Y A W S N T G H L
N Z C P P E S Q T F E E N Z P D H V K
```

Home Is Where the Heart Is

ADOBE	DIGGINGS	POOL
APARTMENT	FARM	RANCH
BARN	FLAT	ROCK
BUNGALOW	HOLE	SALTBOX
BURROW	HOTEL	SHED
BUS	HOUSE	STY
CARAVAN	HOVEL	TENEMENT
CASTLE	HUT	TENT
CHALET	INN	TRAILER
CHATEAU	KENNEL	TUNNEL
CONDO	LODGE	WARREN
COOP	MANSION	WEB
COTE	MOTEL	WICKIUP
COTTAGE	NEST	WIGWAM
CREVICE	PALACE	YURT

```
J  K  Z  J  L  O  O  P  P  B  E  Z  B  U  S  T  V  L  J
M  I  P  O  O  C  B  Q  C  U  C  W  X  J  T  N  F  E  W
W  H  C  N  A  R  F  A  H  N  A  C  N  U  S  E  L  N  I
X  O  B  T  L  A  S  N  K  G  L  J  H  M  E  M  R  N  C
F  K  E  Q  V  T  O  H  T  A  A  T  R  A  N  E  O  U  K
L  T  L  Y  L  I  I  E  N  L  P  A  S  B  T  N  T  T  I
C  N  O  E  S  R  G  A  E  O  F  L  G  T  H  E  R  D  U
A  E  H  N  K  A  D  W  M  W  R  F  N  E  O  T  A  M  P
R  T  A  U  T  H  Y  W  T  N  M  K  I  L  V  V  I  U  E
A  M  J  T  O  U  N  O  R  R  L  C  G  A  E  C  L  E  T
V  L  O  U  R  E  M  R  A  A  O  O  G  H  L  R  E  C  O
A  C  S  T  R  K  L  R  P  B  D  R  I  C  M  L  R  I  C
N  E  W  R  M  A  E  U  A  A  G  U  D  N  K  D  K  V  O
T  E  A  O  S  B  N  B  Q  T  E  L  L  Z  E  D  X  E  D
B  W  T  T  O  F  N  T  I  L  E  T  O  H  A  E  I  R  N
Z  E  Y  D  L  K  E  U  P  N  L  U  S  L  X  V  P  C  O
L  Q  A  F  R  N  K  H  O  Q  N  M  A  W  G  I  W  T  C
```

84

Peter Pan

AMBUSH	FOREST	PLANK
ARROW	GROW UP	POISON
AUTHOR	HOOK	PRINCESS
BARRIE	INDIANS	RESCUE
BOYS	JOHN	RETURN
BROADWAY	LOST	SAVE
CAPTAIN	MICHAEL	SHADOW
CAPTURE	MOON	SHIP
CARTOON	MOTHER	SMEE
CROOK	MUSICAL	STARS
CROW	NANA	TANGO
DISNEY	NEVERLAND	TIED
DREAMS	NOVEL	TIGER LILY
FAIRY	PETER	TINKER BELL
FLY	PIRATE	WENDY

```
N O E I R R A B D N A L R E V E N Q A
R L E V O N P R O H T U A Y A P C J K
U T I N K E R B E L L H A N Y Q A T L
T I Z N M P L A N K O W C Y T J P E Q
E V I G O O S A V E D K D Z S O T R E
R B W X K O T C T A T N U L E H A U E
E O R W D P T H O I E Z S P R N I T M
T Y E T I V L R E W G S M L O M N P S
A S S S S A B E A R E E O U F I C A M
R K C N N G R Q A C B S R F S Q S C O
I O U A E G Y R N H T Z Z L A I W O O
P O E I Y L R I O O C I C H I I C B N
C H I D F E R O F W G I E R S L R A N
G R M N P P Z K W A J N M D O U Y Y L
R L O I A N A N T U Y K A D I O B Q V
L Z H W S M A E R D P R E T E P K M P
O S J S H A D O W R E Y S T A R S O A
```

85

On the Road

AMC	ISUZU	PICK UP
BMW	JAGUAR	PINTO
BUG	JEEP	PLYMOUTH
CHEVY	KAISER	PONTIAC
CHRYSLER	LARK	RAMBLER
CORVETTE	LE BARON	ROADSTER
COUPE	LINCOLN	ROLLS
DATSUN	MERCEDES	SEDAN
DODGE	MERCURY	TOYOTA
FIAT	MODEL-T	TRIUMPH
FLIVVER	MORGAN	VAN
FORD	MORRIS	VOLVO
GMC	NASH	WAGON
GREMLIN	NISSAN	WILLIES
HONDA	PACKARD	YUGO

```
S  E  D  A  N  O  L  C  C  A  I  T  N  O  P  H  E  W  G
O  H  S  A  N  I  C  U  O  Q  R  O  A  D  S  T  E  R  X
B  V  M  O  N  R  E  H  J  U  K  Z  R  P  G  T  C  A  D
U  Y  G  C  V  P  R  L  R  T  P  O  M  H  U  J  E  E  P
N  A  O  S  I  R  R  O  M  Y  F  E  T  O  N  K  C  X  D
W  L  A  R  K  D  G  L  W  I  S  U  Z  U  D  D  C  K  M
N  N  A  S  S  I  N  R  K  M  O  L  S  H  C  E  E  I  F
T  X  K  Y  R  U  C  R  E  M  B  T  E  A  F  T  L  Z  P
R  M  S  L  L  O  R  K  Y  M  A  L  F  R  T  I  U  T  N
I  Y  E  A  B  A  V  L  A  D  L  D  E  E  R  O  A  D  A
U  W  F  R  M  R  P  O  W  I  R  I  V  B  F  A  Y  T  V
M  U  I  B  C  E  A  Q  L  A  S  R  N  L  A  A  M  O  K
P  N  L  L  Y  E  C  U  K  V  O  E  I  P  L  R  U  C  T
H  E  P  V  L  M  D  C  G  C  O  V  R  D  U  W  O  H  D
R  Y  E  B  G  I  A  E  F  A  V  P  I  N  T  O  Y  N  D
H  H  U  P  Q  P  E  C  S  E  J  N  F  N  A  G  R  O  M
C  G  R  O  G  U  Y  S  R  H  O  N  D  A  D  O  D  G  E
```

86

Business as Usual

ACCOUNT	COMPANY	ENVELOPE	NUMBER	SERVICE
ADD	COMPUTER	ERASE	OFFICE	SHIP
BALANCE	COPY	FILE	ORDER	SIGN
BLACK	CORRECT	FORMS	PARTS	SOFTWARE
BOOKS	CREDIT	FREIGHT	PAYMENT	STAPLE
BUSINESS	DEBIT	INVOICE	POSTAL	STATEMENT
CARDS	DOLLARS	LETTERHEAD	PRINTER	SUBTRACT
CHECK	DUPLICATE	MAILING	RECORD	TYPE
COLUMN	EMPLOY	METER	RED	WORK

```
Y P O C M A I L I N G G K P R E D R O
D K X T H G I E R F T N E M Y A P L P
R K C L A T S O P X C O M P A N Y C P
L E T A T N U O C C A A R E C O R D N
Z E T I L R E T N I R P A R T S V M D
U B T E D B K K C O R R E C T C U S D
Q A O T M E C R A E E N G I S L S T A
E L S Z E E R R O M N D O S O E Y N S
L A T V H R E C P F J V M C N P E U K
P N A C I T H L F E F R E I E R S M O
A C T I U A O E C I O I S L A E H B O
T E E P M Y D I A F L U C S O D I E B
S W M M D E O M A D B E E E H P P R H
R O E Y B V S O F T W A R E Z E E R T
C R N I N Y F O N E T A C I L P U D Q
M K T I A S R A L L O D E G S D R A C
S U B T R A C T K E C I V R E S R U A
```

112

Taxi!

ADDRESS	CATCH	DISPATCH	METER	TAXI
AIRPORT	CHANGE	DRIVER	PASSENGER	TICK
AVENUE	CHAT	DROP	PAY	TIP
BRAKE	CHECKER	FLAG	RIDE	TRAFFIC
BUMPER	CITY	HURRY	SIGNAL	TURN
CAB	CROSSWALK	JARVEY	SLOW	UPTOWN
CABBIE	CURB	JOCKEY	STORY	WINDOW
CALL	DENT	LANE	STREETS	YELLOW
CAR	DESTINATION	LIGHTS	TALK	ZIP

```
E  K  A  N  Y  W  Z  N  K  P  G  Z  L  Z  D  S  P  C  J
F  T  V  R  C  A  Q  Y  E  J  W  J  R  E  H  L  I  U  A
I  C  R  U  D  F  E  U  H  Q  O  O  N  E  N  O  Z  R  S
H  U  A  T  U  L  N  C  P  C  C  T  D  O  V  W  U  B  T
H  C  U  R  L  E  T  O  K  A  R  H  I  N  H  I  C  W  E
T  K  T  O  V  A  Y  E  A  L  S  T  E  S  I  G  R  O  E
R  K  W  A  C  E  Y  R  G  D  A  S  X  C  T  W  Z  D  R
O  E  L  C  P  R  W  O  O  N  D  W  E  E  K  H  A  Y  T
P  G  N  A  Q  S  Y  L  I  T  H  R  S  N  A  E  G  I  S
R  N  H  L  T  T  I  T  B  E  S  C  E  S  G  W  R  I  H
I  A  H  L  I  B  S  D  P  B  J  I  H  S  O  E  D  R  L
A  H  V  C  A  E  I  O  I  O  U  A  G  A  S  R  R  K  L
D  C  L  C  D  M  M  Y  Q  D  R  M  R  N  T  D  C  R  A
C  A  B  B  I  E  K  A  R  B  F  D  P  V  A  Z  P  I  N
G  Q  G  A  L  F  U  P  T  O  W  N  L  E  E  L  I  D  E
M  Y  W  Z  A  P  R  J  R  E  T  E  M  O  R  Y  T  E  E
G  T  I  C  K  H  I  X  A  T  Y  T  R  A  F  F  I  C  D
```

88

All about Utah

ARCHES	DESERT	HOT	PARKS	SILVER
ASPEN	DRY	IRRIGATE	PINE	SKIING
BASIN	ELK	MARBLE	PRONGHORN	STONY
CANYON	FARMING	MESA	PROVO	TRAINS
CLIFF	GENTILE	MONUMENT	RIVER	UTAH
COAL	GOLD SPIKE	MORMON	SALT	VALLEY
COLORADO	GRANITE	OGDEN	SALT LAKE	VARNISH
COPPER	GROUSE	OIL	SAND	WASATCH
COYOTE	HISTORY	ONYX	SCORPION	ZION

```
D Y X U E R R H P C H O T Y E L L A V
E N A N L U E C A O N Y X P Q E L V D
S O R O I G V T R A J T W R T E L K E
E T C I T N L A K L L E T O E S E G M
R S H P N I I S S I E N Y N E U H R N
T O E R E I S A O T E O C G V O F A O
K V S O G K Q W A M C O E H T R A N Y
N O H C T S F G U P P K V O O G R I N
O R R S H U I N D P I T H R A E M T A
M P G P O R O U E P R I N N K P I E C
R E V I R M U R S A S E M A U V N S Y
O M B I D R U D I T D L L S U A G A E
M A Z B R K L N O G F T A N S R M N P
P R I A Y O S R O F L L O P Y N H D I
O B E S G E Y F I A T I E K P I A C N
R L H I G O L L S I Z N L V E S T P E
G E T N H A C O L O R A D O Q H U N N
```

114

Western Rivers

BOISE	HUMBOLDT	NACHES	ROGUE	SISQUOC
CARSON	JORDAN	NASS	RUSSIAN	SKAGIT
CLARK	KLAMATH	NAVARRO	SACRAMENTO	SNAKE
COLUMBIA	LEWIS	OWYHEE	SALINAS	SPOKANE
EEL	LOST	PECOS	SALMON	TULE
ENTIAT	MADISON	PIT	SAN JOAQUIN	WALKER
FRASER	MALHEUR	RED	SELWAY	WILSON
FRESNO	MATTOLE	REESE	SHASTA	YAKIMA
GREEN	METHOW	RIO GRANDE	SILETZ	YUBA

```
Q H C F L E E Q E S A N I L A S T X T
H N J R K M X T K R U T S P I J S I O
H Y O E E J A L U F I I A L E A P R N
M S C S G K A L R L S O E I N C R J A
A E O N L M L A H Q E T G J T A O I I
T L W O A I S A U E Z C O R V N C S S
T W Y T B E W O W H U A A A A L E E S
O A H K R S C M U O Q R N R A N N H U
L Y E R H E E M K U T A N R S A D V R
E N E A U T B E I A D N K L K O T E N
Y A S G H O S N I R P N E O F S N Y A
R T O O L K R B O F O W P M O G P A C
A R W D A B M J A S I S B L A Z G K H
K T T G O U P B I S N A S S A R E I E
Q B I I L W U D S A L M O N E D C M S
H T S O Q Y A E K A N S A E A I Y A B
B E C C P M D E S E E R N B R E D C S
```

Plants under Glass

BEGONIA	FORCE	LEAF	REPOT	TROPICAL
BENCH	GIFTS	MINERALS	ROOT	TROWEL
BUSINESS	GLASS	MUM	SALE	VARIEGATED
CULTIVAR	GREENERY	ORCHID	SOIL	VARIETY
DRACAENA	GREENHOUSE	PEST	SPRAY	VENT
FERN	GROW	PLANT	STALK	VINE
FERTILIZE	HOTHOUSE	POISON	STEAM	WARM
FICUS	HUMID	POTS	SUPPLY	WATER
FLOWER	JADE	RARE	TERRARIUM	WINTER

```
S R S C N V G W L H O T H O U S E Y M
U E O M R P A W B E N C H M A E T S J
C W I U E D C R G Y M R C L W Y W G A
I O L M F V Q O I R A U Z E I T O Q D
F L A C I P O R T E E R C A N E R T E
D F S S A L G B G Y G E P F T I G O D
S T E R R A R I U M R A N S E R T P J
T T N E V S T F I G A E T H R A J E A
O T D I M U H L O B R F N E O V M R Y
P N O S I O P U C R E D O E D U A O L
F E R T I L I Z E U D G R R E K S X P
T P E S T P L A N T L I O A C R U E P
O N K C K F E N I V W T H N C E G E U
O B U S I N E S S U I A I C I A X B S
R Z G S L A R E N I M Z R V R A E P F
V W U E L A S D K L A T S M A O D N N
E K M T R O W E L V W A T E R R O C A
```

91

The Industrial Botanist

ABILITIES	FLAVOR	MILDEW	SCALE	STRONG
BERRY	GROWTH	MUTATE	SEASONAL	STUDY
BLISTER	HABIT	PISTIL	SEED	TENDER
BREED	HYBRID	PLANTS	SHAPE	TRAIT
CHANGE	INDUSTRY	PODS	SPORT	TYPE
CLIMATE	INSECTS	POLLEN	STAMEN	VARIETY
COLOR	KEEPING	PROPAGATE	STEM	WHEAT
DEVELOP	LEAF	RESISTANT	STERILE	WOODY
FAMILY	LEATHERY	ROT	STRAIN	YIELD

```
S C A L E H H H N E T A T U M L D K Z
P C H A N G E K E E P I N G E P Y T B
W D E V E L O P R E A E T A M I L C B
B R E E D T C L S E P D L L L Y A J E
R L Q L O F A J P D E P E I V R N X R
L O E R M M A A H T O S A T W T O N R
E I L K P R H M A T T P T S E S S R Y
Y S P O S S E G I N W E H I D U A O L
N T U O C T A S A L T O E P L D E V Y
T C I V L P E L I I Y L R H I N S A T
A E W B O L P R T S E L Y G M I T L E
E S R R A I E R I A T H Y B R I D F I
H N P Q R H A N F L R A W G S T E M R
W I Z A B I L I T I E S N W O O D Y A
A A F D T B L I S T E R S T R O N G V
D E E S T R A I N X R E D N E T L R Z
S T A M E N X B Y D U T S S P O R T E
```

117

Genetically Speaking

BOND	COUNT	GLASS	NUCLEUS	SLIDE
BREAK	DEFECT	HELIX	OBSERVE	SPIRAL
BUBBLE	DIVIDE	HEREDITY	PERCOLATE	SPLIT
CELL	DNA	IRRADIATE	PROTEIN	STERILE
CHART	DYE	LAB	RATS	STUDY
CHROMOSOME	EXPERIMENT	MEIOSIS	RECORD	SUGAR
COMPARE	FETUS	MICROSCOPE	RECOUNT	TUBE
COOK	FREEZE	MITOSIS	REPEAT	TWIN
CORK	GENE	MONKEYS	RNA	ZYGOTE

```
K H T N U O C I M O N K E Y S Y Q Q E
T K G E I L E C O M P A R E H G Z E H
I A E H M P E R C O L A T E T K L V W
L E P E R O Z C R N A T L R G B N E M
P R O N E C S O U W N A A T B Y Y E W
S B C U C O D O Q E R H S U T F I P I
O R S C O R N K M I C T B I K O B R H
E E O L U K A I P O U E D X S O R O E
L D R E N P R S C D R E Y I N A O T L
I I C U T E G F Y G R H S D D B S E I
R V I S P L E T Q E G X C I S L T I X
E I M X A T U F H R N F A E I A C N T
T D E S U E T O G Y Z T R D E E M C E
S U S S I S O T I M E V E P L Q E R N
Q N R E C O R D H C E C E L P F J F E
M H B A L R A G U S H R F R E E Z E G
P Z E B U T W R A T S P H D T W I N M
```

Among the -Ologies

ANTHROP	EMBRY	METHOD	OOL	PHYSI
ARCHAE	ENTOM	MINER	OPTHAM	PLANET
ASTR	ETHN	MORPH	ORNITH	PSYCH
BIO	ETYM	MUSIC	OSTE	RADI
CARDI	GEM	NECR	PALEONT	SCAT
COSM	GENEA	NEUR	PARAPSYCH	SOCI
COSMET	GEO	ONC	PARASIT	THEO
CYST	GRAPH	ONOMAT	PHARMAC	ZOO
ECO	METEOR	ONT	PHIL	ZYM

```
G O O J Y H N T P P H Y S I R X Z H B
E C N T N E V N K G U O P T H A M W A
O E C E H T H O L C O S M E T O D R U
Y Z U G W S H E N T O M G T I C O I M
E R F M H O P L K E H V E B M E H A I
O N T L C C A A Z T T N E L T C D M N
L D F M Y O R P Z A A T A E Y U Q Y E
Z O O U S S G P M L Y N M S T J A Z R
A H V S P M H O P M T A P W A M S N J
M T O I A A N B Y H N R P T C O T Y A
O E G C R O C H R G H C V X S Z R Q L
R M Q M A R E O T T T H T I S A R A P
P V A V P X P M R I E A N L E J J P V
H C A R D I W J B B N E V T I C X S O
P B L N O O E H T R C R H S X H Z O O
Y B M M G E N E A R Y P O Y P C P C L
U J Q E X N W G E M Q V Q C F V K I O
```

Just Add "Over"

ABUNDANCE	CLOUD	HAND
AGE	COAT	HAUL
ALL	COME	HEAD
ARM	CONFIDENCE	HEAR
AWE	CROWD	HEAT
BALANCE	DOSE	INDULGE
BEARING	DRAFT	JOY
BITE	DRESS	KILL
BLOWN	DRIVE	LAP
BOARD	DUE	LOAD
BOOK	EAT	LONG
BORNE	EXPOSE	LOOK
CAST	EXTEND	LORD
CAUTIOUS	FILL	NIGHT
CHARGE	FLOW	POWER

D	A	E	H	U	H	D	I	L	J	A	P	F	L	U	N	A	R	M
L	E	O	U	Q	A	D	G	N	O	L	W	V	I	X	W	Y	N	E
B	N	D	F	D	U	N	A	L	L	R	G	E	W	L	O	E	C	K
P	R	Y	N	K	L	E	F	H	K	T	D	V	G	K	L	M	T	O
A	O	E	O	E	G	D	R	E	S	S	V	I	Q	H	B	O	J	O
X	B	O	C	R	T	N	D	A	Y	C	Y	R	N	A	C	C	R	B
P	L	I	A	N	K	X	C	I	P	H	O	D	E	N	U	A	E	T
L	C	H	N	F	A	K	E	E	H	L	E	S	X	D	F	D	W	E
A	C	R	D	D	A	D	G	C	W	N	O	A	G	R	G	U	O	C
P	X	O	O	E	U	A	N	S	N	P	I	E	R	K	N	O	P	N
Q	S	U	T	W	D	L	U	U	X	A	A	G	W	P	I	L	C	E
E	Z	I	W	R	D	O	G	E	B	T	L	N	H	V	R	C	Q	D
J	B	O	A	D	I	J	X	E	C	A	N	A	L	T	A	H	U	I
B	L	F	X	T	O	B	O	A	R	D	U	O	B	Y	E	E	A	F
F	T	Y	U	Y	N	T	M	Y	M	N	A	D	U	E	B	A	W	N
Z	T	A	Z	J	X	V	H	Y	Y	D	N	W	E	M	A	T	M	O
Y	C	H	M	K	B	W	M	A	C	O	A	T	D	K	I	L	L	C

Just Add "Out"

BACK	FIT	POURING
BID	FLANK	PUT
BOARD	FLOW	RACE
BREAK	FOX	RAGE
BUILDING	GROWTH	RANK
BURST	GUESS	REACH
CAST	LAST	RIGGER
CLASS	LAW	RIGHT
COME	LIVE	RUN
CROP	LOOK	SHINE
CRY	LOUD	SIDE
DATED	MODE	SMART
DISTANCE	PATIENT	SPOKEN
DOORS	PLAY	STANDING
FACE	POST	STARE

```
K V Q S F G S T A R E T G L D Y J X O
H D A I S D X O F B S R K E O D Q P G
W Y T P M E V R U A O N T X R I P P N
U E R R O F U R L W M A E S M S F T I
K D X C L R S G T A D D E S J T K S D
B O T O G T C H R P I B M A B A C O N
Q M U C S E K V U S U N O L N N A P A
L D N H B N D T P I B P C C J C B F T
R V I R A J R O L C B E A W B E A G S
T N E L D E K D R O X G P T I V N M A
E A F Y A E I I A S L A W K I I T J W
K A G C N N G R O R R R W C R E Z F R
C A H Z G G D Y U V I O L U U X N C A
P Z D B E N A E V I L G O O N H A T N
A J R R I L H R I F Z P H D O S C Z K
Q U C I P D U P T R A M S T T K L N L
A Z Q K G N O F A C E W M Z R A C E I
```

A Well-Stocked Vegetable Section

AISLE
APPLE
APRICOT
BASIL
BERRY
BIN
BROCCOLI
CABBAGE
CARROT

CAULIFLOWER
CHILI
CILANTRO
COLLARD
COOLER
CRATE
CUCUMBER
DISPLAY
DRESSING

EGGPLANT
GARLIC
GREENS
HERB
KALE
KIWI
LEMON
LETTUCE
LIGHTS

MELON
MUSHROOM
MUSTARD
ONION
ORANGE
PARSNIP
PEACH
PEAR
PEPPER

PLUM
POTATO
PRUNE
SPINACH
SPRAY
SPROUT
TANGERINE
TOMATO
YAM

```
B A S I L Y A M G T J W B E R R Y M M
J J I K H Q P R A P R I C O T C C P B
F V A C I E E N M M U L P M A D H G H
W L A L P E G G U K Y E E U O C N C O
E E I P N E A C S D T L L T A I A R D
P H E S R R A O H A O I A N S B T P R
C R L I L R T L R N F M I S B N E Y A
R B N I R A E C O L O P E A A A A H L
E E C O T M K S O T S R G L R R O M L
L G T O O I P W M M D E I B P Z B J O
O G P N W R E Z U V Y C O S G N U Y C
O P Y I O R O S F R Y A L P S I D S E
C L I U B N T V I L O C C O R B U T N
E A T I I A P P L E A I S L E A B H U
K N N O R P A R S N I P J U E B R G R
M T N D C K E K C U C U M B E R E I P
L E T T U C E M A G E G N A R O H L M
```

124

A Little Something from the Bakery

BAGEL	CORN	FLOUR	OVEN	ROLL
BISCUIT	CRACKER	FRENCH	PANS	RYE
BRAN	CREPE	FRITTER	PASTRY	SESAME
BREAD	CROISSANT	FRY	PIE	SODA
BRIOCHE	CRULLER	GRAHAM	PITA	STREUSSAL
BUN	DOUGH	KNEAD	PIZELLE	TEA CAKE
CAKE	DOUGHNUT	LOAF	POTATO	WAFFLE
CHOLLENT	EGG	MUFFIN	RAISIN	WHEAT
COOKIE	FAN TAN	OAT	RISE	YEAST

```
M O T A T O P V V K H D P A S T R Y B
P R U O L F P I Z E L L E A C Z F M G
S E S A M E O T B A G E L O D A B U R
M A H A R G N M N S I I R A O O I F B
U K N E A D A Y Z A T N P L N O S F X
R T R G G E T A E E S R N Q U J C I R
A C E F R E N C H A L S E E B R U N R
I Z O A E U A X T D S F I U V Y I E O
S N D T C S F W F B T T F O S O T S L
I B C A C A N B O T R A U A R S M I L
N R R O R H K A R N F I E N W C A R A
A A E H U P U E P E T R O H H M J L Q
P N P G L H R R P L A P I C W G N P R
P H E U L E T T L L D D D T H C U K Y
I E P O E X K C O O K I E W T E V O P
T Y L D R Q G A T H J L R H I E D Q D
A R R E K C A R C C F R Y P C B R T D
```

At the Movies

ALGIERS	DALLAS	HENRY V	LEPKE	PASTUER
ALIBI	DESIREE	HOUDINI	LOLITA	PATTON
APACHE	DILLINGER	INCHON	LUDWIG	PLAYTIME
ASHES	DOC	IVANHOE	MAHLER	ROPE
BECKET	DR. NO	JANE EYRE	MARLOWE	SUEZ
CAPONE	FREUD	JUAREZ	MELBA	TRAFFIC
CASBAH	GUNFIRE	JULIA	MIDWAY	UPTIGHT
CAUGHT	HARLOW	KIM	MOSES	VAMPIRA
COMPULSION	HEIDI	KIPPS	NANA	WATERLOO

```
O E R I F N U G P A T T O N C S V X R
M J O W R E U T S A P K M O E U W S Q
L C Z J Z K I N C H O N M H I M R E G
O E A C E M I T Y A L P S R W E W I Z
L K X P H I B I L A U A E A I O W I T
I P J C O Q O Z J L V L T G L D R N H
T E A T U N Q P S Y H E L R U E W C G
A L N D D V E I R A R A A L G I I P I
A T E T I C O N M L H M E N V F C M T
I E E A N N E O O A H V I A F A E I P
L K Y P I H S O R E A L N A U E F D U
U C R A U E A L I M L H R G R H R W T
J E E C S B O D P I O T H I A E E A R
O B K H L W I I D E Z T S B F A U Y O
N Z I E Z E R A U J C E S Z N E D U P
R Q M G E A J Q O O D A X A S U E Z E
D L I S A L L A D T C K N U K I P P S
```

Indulging in a Matinee

ACTION	CINEMA	FILM	NEWSREEL	SODA
ACTOR	COLA	FLICK	POP	SPY
AISLE	COMEDY	FOCUS	POPCORN	STAR
ANIMATION	CONCESSION	HORROR	POSTER	SUSPENSE
BALCONY	CURTAIN	LINES	PROJECTOR	THEATER
BUTTERED	DIM	MARQUEE	RAMP	TICKET
CANDY	DIRECTOR	MATINEE	SCREEN	USHER
CARPET	DRAMA	MOVIE	SEAT	WESTERN
CARTOON	FEATURE	MYSTERY	SHOWING	WIDE

```
M P M Q Y C F E A T U R E M I D E M X
A Y O L N R A N I M A T I O N P D Y T
R B V E O X O V W M S C R E E N E R A
Q Y I E C E O R H D B P M A R B R E E
U E E R L D C N R O C P O P S O E T S
E S O S A I R Y R O C Z P H M N T A N
E E R W B W C E C O H T O A R D T E O
A N O E M U F I N Q T W I E I D U H I
L I T N R L N C M C I C T C I S B T T
O L C T I E E E A N P S E R K N L E C
C P A C M S E N G M E O E J I E S E A
A I K A S N D O K W L C S Y O N T Y K
N B H I I Y J O H H T I G T E R B D A
S C O T F S H T E O A W F P E T P E M
P N A K K O T R R R M Y S T E R Y M A
Y M R E H S U A M Q S U C O F K I O R
S O D A P O P C R U S T E P R A C C D
```

Johnny Rebeck's Machine

AERATOR	CAM	CYLINDER	GOVERNOR	SOCKET
AXLE	CHAIN	DIGESTER	HYDRAULIC	STAMP
BEAM	CHAMBER	DISC	METER	TUBE
BELLOWS	CHASSIS	DOLLY	MOLDING	TURBINE
BELT	CONDENSER	DRILL	MOTOR	VALVE
BLOWER	COUPLE	DRUM	PIN	WASHER
BOLT	COWLING	EXHAUST	PIPE	WHEEL
BORE	CRANE	GATE	PISTON	WICKET
BRAKE	CRANK	GAUGE	PUMP	YOKE

```
B L O R O E C W R E P I P K N A R C L
B E V O N X M R D Y M T L E B L E P C
E N G T E H U B E A M R C A M R N R C
L I D A B A R Y T D E O D K E E A E C
L B C R U U D Y D S N O J T C R R B O
O R T E T S K R N P L I S I O N C M U
W U M A O T I E E L M E L N V M B A P
S T O I Y L D B Y G G U R Y O J V H L
Y I T O L N L C G I A E P C C T Y C E
O M O D O O M A D R V T G H X B S P V
K T R C W E U W D O L M S A W O W I F
E C Y E T G I Y G O W O O S A R B E P
R S R E E C H E B G Z L C S S E V K M
A I R W K O C H A I N D K I H E A A A
A D R E G N I L W O C I E S E T L R T
Z F T N I P E L X A O N T D R A V B S
H M W L E E H W W J U G V L J G E B M
```

Dams Around the Nation

ALCOVA	ELECTRA	HOOVER	MATHEWS	PARKER
BEAVER	EUFAULA	HUGO	MCNARY	PLATORO
BOULDER	FOSS	IMPERIAL	MORRIS	SALINA
BULL	GARRISON	ISABELLA	MURRAY	SANTIAGO
CONCHAS	GLEN CANYON	JOCASSEE	NAVAJO	SCOTT
COUGAR	GRANBY	JOHN DAY	NORFORK	SEMINOE
DAVIS	GRENADA	KAW	OAHE	SHOSHONE
DENISON	HARTWELL	LAGUNA	OZARK	UTE
DILLON	HEYBURN	LEMON	PAONIA	WILLOW

```
W O S D N O R O T A L P T I A G X H O
I B W I B Q V E L N S T H N R L R A G
L E E C Y O T Q O A O S I P A I E R U
L A H O B U U S S C G L O I G C U T H
O V T J N L I L S A A U R F U W F W G
W E A A A R L A D S H E N G O Y A E R
B R M V R B L U E E P C L A C A U L E
D T M A G L O N B M R E N J Z D L L N
E E G N E S O G I A N L O O Y N A E A
K H N B R H E B A C V C E N C H R L D
Y E A I S U S M A I A O O M P O E E A
M S B O S I B N I S T R C A O J V C P
I U H S R O Y Y S N F N O L T N O T A
T S R R I O N E E O O N A K A W O R R
I T O R N V E F R H I E U S H V H A K
M M N Y A I A K V A Z D I L L O N W E
K R A Z O Y Q D H N M C N A R Y O T R
```

Butterfly Days

AIRS	COY	FLITTER	GLIDE	SPIRAL
ALIGHT	CURVE	FLOWER	LEAF	STRETCH
ANTENNAE	DALLY	FLUTTER	LIFT	SUMMER
BEAUTY	DANCE	FLY	MATE	SUN
BRIGHT	DELICATE	FRAGILE	PLAY	SWAY
CAPER	DIP	FRISK	PRANCE	SWIFT
CAVORT	DUSTY	FRITTER	REST	TWIRL
COCOON	EGGS	GAMBOL	RISE	WHISK
COLOR	FLIGHTY	GIDDY	SOAR	WINGS

```
B F D Q M N T H B U F P C B P L A Y N
E L Y U F A I H B H A I T L I F T U Y
A U F F S R W Y G W E D P S R E S T X
U T A L X T A I D I L G R B O G K T G
T T F O K Y G N D L B A H G A H F A
Y E C L Z W S S I G I A N E F G R E M
A R F U I S E I P L S G C T I I C T B
W O T L U G X R R I E H E R T N T R O
S N B M Y N H C D F R C B T A E S E L
A B M N M T O T V E O A E D A R V P H
W E Q K W C H D Y L L R L N I R C A C
R Z W I O S A O O R H I N A E B A C T
Z U R O W L C R I Z I E C T F V V W E
B L N I L E D I L G T S T A T L O H R
X G F Y N E T A M N I I E A T R R I T
X T B B K V J J A R L H J P H E T S S
E W P F E V R U C F L Z U L Z Z F K R
```

103

Saturday Night Frolics

ANTIC	CHUCKLE	GIGGLE	PARTY	SOCIAL
BADINAGE	CHUMS	GOSSIP	PATIO	SOIREE
BAND	CROWD	HOBNOB	POOL	SONG
BANTER	DANCE	JOKE	RECORDS	SPEAKER
BUFFET	DRINKS	LAUGH	REPARTEE	SUMMER
BUSY	FLIRT	MINGLE	REVEL	SWIM
BUZZ	FRIENDS	MUNCH	SALSA	TALK
CHAFF	FUN	MUSIC	SIP	TERRACE
CHATTER	GATHER	NIBBLE	SNACK	TIDBIT

```
P U R G N O S O C Z Z U B S S I S M A
H D P O M K C H Y W C A M D R B U C Q
A R O I C I A G H I D U N D E G M M G
M I O B S T G E T I H E N Z K C M I A
U N L U T I L N N C I A H X A Y E N T
N K M E G K A A S R B W G Y E K R G H
C S R G C R G E F O S Z U K P Q E L E
H P L U E E B L C E A A M S B Q E R
A E H T O J P B C T E I L V I J L T T
F C N W Y I S B C R A T A S G W E L I
F A F T S N D I G H O L R L A F S E D
B V R Z A X N N G F L W K A F V S V B
X A E C A R R E T Q L H D U P Q O E I
P J K R S D R O C E R I B Z G E I R T
V O I T A P G O S S I P R N I I R K K
G K H H J T D A N C E H V T U Y E Q D
M E J H O B N O B G Y S U B O F E O A
```

Mysterious and Ancient Egypt

AMENHOTEP	HIPPO	PHAROAH
ANUBIS	HORUS	POMEGRANATE
ASP	IBIS	PYRAMID
CAIRO	ISIS	QUEEN
CAMEL	KARNAK	RAMESES
CHUFU	LINEN	SACRED
CLEOPATRA	LOTUS	SETI
DATES	MEMPHIS	SILT
DELTA	MUMMY	SLAVE
DESERT	NEFERTITI	SPHINX
EGYPT	NILE	STORK
FLOOD	OBELISK	TEMPLE
GIZA	OSIRIS	THEBES
HATSHEPSUT	PALMS	TOMB
HIEROGLYPH	PAPYRUS	TUT

```
P D C A I R O S E T A D T A T U T O I
O S I S I K R O T S E T I N Q Y B E B
O S I R I S F G P A L M S U X E V U I
D I T I T R E F E N C O L B L A E P S
H A R T A P O E L C F U P I L P O U H
H I P P O D E L T A A U S S O D F A R
D I M A R Y P E I L Z K A M E U T A B
L W H P Y L G O R E I H E R H S M M M
L D E L P M E T L E G G C C H E X U O
O L K E G Y P T C L R A M E S N M T T
T D A Z D N O P A A S P E I M P F M
U T N N E I J H N C I S S H Y P A L E
S H R E S L Y A V L U X P N I M P O M
O E A N E E T R T T I S H N E X Y O P
M B K I R E F O A L E M A C U E R D H
E E M L T N R A M E N H O T E P U N I
H S Y P O B W H J O N S U R O H S Q S
```

Revolt in the Desert

ADVANCE	ENCOURAGE	POWER
AID	ENGLISH	RED SEA
AMBUSH	FEISAL	REVOLT
ARABIA	FEUD	RIFLE
ARTILLERY	HORSE	SHARIF
BATTLE	JEZAIL	SHEIKH
BEAT	JIDDAH	TENTS
BEY	LAWRENCE	TRAINS
CAMEL	LEADER	TRIBE
CAMP	MANEUVER	TURKS
CLAN	MECCA	WADI
COFFEE	MEDINA	WELL
DAMASCUS	OASES	WIN
DATES	OTTOMAN	WW I
DRIVEN	PASHA	YENBO

```
P U A I E U T T M A G S U C F B H Y L
M O I X F N A G N B R X K L D K H D D
A S B Y E E C W W I Q T U R I L R V I
C E A N B E C O N N D A I E U A Q M A
L T R I E S F L U A A A H L G T Z I P
A A A W X Y T F A R M S E S L W K E I
S D M E C C A N O N A O R S A E A O J
I E C N A V D A E C S G T E D P R D H
E L E S F E U D N T C O E T V E O Y I
F T C C E Z R I G A U P O V O O R A J
W T E A N S N G L H S N I A R T L O B
F A F R M E A Q I M A N E U V E R T D
T B J J I B R O S W E L L S H A R I F
R E L F I R U W H R C D R I V E N M Q
I H O R S E A S A X U R E D A E L P K
B A H A D D I J H L P P O W E R L G W
E A N I D E M B B E Y U D W L E M A C
```

Around the Mediterranean

ADRIATIC	GIBRALTAR	MOROCCO
AEGEAN	GOZO	OTRANTO
AFRICA	GREECE	RHODES
ALBANIA	IBIZA	SARDINIA
ALGERIA	IONIAN	SEA
CORSICA	ISRAEL	SICILY
CRETE	ITALY	SIDRA
CYCLADES	LEBANON	SINAI
CYPRUS	LESBOS	SPAIN
DJERBA	LIGURIAN	SPORADES
EGYPT	MAJORCA	SUEZ
ELBA	MALTA	SYRIA
EUBOEA	MIDEAST	TUNISIA
EUROPE	MINORCA	TURKEY
FRANCE	MONACO	YUGOSLAVIA

```
O F N T E L P E U R O P E L S P A I N
T O M H U L E S B O S C P I S N R M I
R L C S E R B B P G R G X G E X E Y B
A U Y C P N K A A E I O V U D T U M C
N Z D A O O A E T N Z B R R O P B A Y
T E M B I R R E Y O O M R I H Y O J P
O C C R Z N O A G U C N I A R G E O R
R E Y E E R A M D E G A M N L E A R U
N E C J U P T B J E A O L I O T O C S
A R L D S L M E L H S A S G D R A A Y
I G A I S R A E L A I O A L E E C R R
N H D A C I S R O C C Z Q T A R A A I
O M E J Y B C I T A I R D A G V I S A
I K S L Q D Y I N B S I C I L Y I A T
F R A N C E E O I D A C I R F A M A R
M T J A E S M S A R D I N I A T L A M
I A R D I S E A I S I N U T S I N A I
```

The Potter's Workshop

BAKE	EARTHEN	HEAT	OXIDE	SPONGE
BISQUE	EWER	JIGGER	PLATE	SPOUT
BOWL	FAIENCE	JUG	PLATTER	STONEWARE
CELADON	FIRE	KILN	PORCELAIN	TEAPOT
CENTER	FLANGE	LID	POTTERY	THROWN
CHINA	FOOT	LIP	RAKU	TILES
CLAY	GLASS	MAJOLICA	SGRAFFITO	TRIM
COBALT	GLAZE	NECK	SILICA	VITRIFY
COIL	HANDLE	OLLA	SLAB	WHEEL

```
R O Q R N I S E L I T K C E N Y V Y F
E J N P I W B A L S G L A Z E Z T V U
K R I A D F A I E N C E I B A K E O K
I O E L D N A H B Y F I R T I V X G A
L E U E C L A Y T G A C I L O J A M R
N W Q E F H B E U H M W C O I L H X E
O E S H U A A J T R I M S P O U T I G
X R I W C P S P N E H T R A E R O X N
I A B I O S L X O J T O F L A N G E O
D N L T A A B P O T T E R Y P W R Z P
E I U L T O Y B C O R E T N E C G W S
S H G T W R H O O T O T I F F A R G S
G C E L L F B F A N O D A L E C K M C
I R I N I A L E C R O P P L A T E X L
J R L R L R H L J N M T H O L L A D I
E I E T I O R S T O N E W A R E E T P
D N W O R H T I L R E G G I J C H Z P
```

138

At Work in the Atelier

ARTIST   DRAPERY   GESTURE   PAPER   SITTING

BRUSH   DRAWING   LIGHT   PENCIL   SIZING

CANVAS   ENHANCE   LIMN   PIGMENT   SKETCH

CAPTURED   EXPRESSION   LINE   PORTRAIT   STUDIO

CHANGE   FIGURE   MEDIUM   POSE   STUDY

CHARCOAL   FLATTER   MODEL   PROFILE   STYLE

COLOR   FORM   MOVEMENT   SCENE   SUGGEST

COMPOSITION   FRAME   OIL   SETTING   TEXTURE

CONCEPT   GESSO   PAINTING   SHADOW   TURPENTINE

```
J T E X T U R E F T I A R T R O P U T
I T H O Q Y L C P L W G N I T T E S S
J C P F I Y R E M R O F X T P E M L E
H A R E T D N X F L I Q U H A C U A G
C P E S C C U L N G I R G R I N I B G
T T P W I N A T U O P N E O N A D E U
E U A L M T O R S E I G E L T H E X S
K R P I T S E C N Z N T E O I N M P F
S E L E H Y C T I A L E I C N E O R U
G D R A D A I S H I R D L S G B D E G
N I D U N N I C O U R A E G O Z E S E
I O T V E T L A T A O E S O P P L S S
W S A C T I R S P C W F R A M E M I S
A S N I G T E E R T N E M E V O M O O
R R N H I G R A C H S U R B K J R N C
D G T S Y Y H J I I P R O F I L E E H
O U T G S C E N E P I G M E N T K Y N
```

A Cellarer's Care

AGE
ALCOHOL
ALE
BEER
BOCK
BOURBON
BRANDY
BREW
CASK

CELLAR
CEREAL
CHABLIS
CHIANTI
CLARET
DISTILL
EIMBECKER
FERMENT
FILTER

GIN
HOPS
KIRSCH
KUMMEL
KVASS
LIQUOR
MALAGA
MALMSEY
MALT

MASH
MEAD
MESCAL
MUST
NEGUS
PALM WINE
PORT
RACK
RUM

SAKI
SCOTCH
SPIRIT
SUGAR
TODDY
VODKA
WHISKY
WINE
WORT

```
Q Y D C A R K C A R S W I N E P C N E
X Z X L I Q U O R Z U Q O D A E E X M
C T E R A L C U D B G H C L R X S Y E
F B I T N A I H C R A C M E Y C K A S
W E K H M K B T M E R W A S O S L Q C
K E D S A V O I U W I L U T I C Y E A
C R C A L A U R R N O G C H O D X X L
O P B K A S R I E Z E H W H D T R O W
B O K I G S B P W N L E O O C H O P S
Y R M I A T O S A P Q L T A K D O V R
G T E N R W N C Y D N A R B K H S A M
I R A Y E S M L A M R E K C E B M I E
N A D O A A C O R S D I S T I L L T O
X L A O T W L H A K K M U S T B H L B
H L C H A B L I S C F I L T E R O A X
H E J N E L A T U L E M M U K V V M I
W C Q H G O A G E V T N E M R E F N E
```

Three Consonants Together

ARCH	DEARTH	HUDDLE	MUZZLE	STREET
BATTLE	DWINDLE	HURTLE	PITCH	STRICT
BOTCH	EARTH	JUGGLE	PRICKLE	STRING
BOUGHT	EIGHT	MANTLE	RIDDLE	STUMBLE
CATCH	FICKLE	MARBLE	SCHOOL	THREE
CHLORINE	GARBLE	MARCH	SOUGHT	TICKLE
CRACKLE	GARGLE	MIGHT	SPINDLE	WATCH
CURDLE	GIGGLE	MIRTH	SPRING	WEIGHT
DAZZLE	HATCH	MUDDLE	STARTLE	WIGGLE

```
M E L D D I R E L G G I W G N I R T S
I P E E L G G U J O W N D W I N D L E
G W L W W M G E E L D A Z Z L E C J G
H E Z V R B M L H E T M A R B L E L N
T I Z P J U T G C L H B A T T L E N I
E G U X D R E R R K R G A R B L E U R
L H M D A L H A A C E U S O U G H T P
K T L T T C R G M A E A H T R A E D S
C E S N T E U S K R D N L B O T C H E
I V A I L V G R P C S U I Q A E H L J
T M P K E I O H D I B T E R L R K I H
B O C I G D U T E L N Z R B O C C C C
B I G G E R H H L M E D M I I L T H A
F H L A T G A T D H O U L R C A H B T
T E R L U T T R D J T C P E W T C C C
O T E O T D C I U S R H S C H O O L H
H Z B E Q F H M H X T E E R T S R K M
```

Beneath the Skin

ABDOMEN	CAROTID	FIBULA	MOUTH	PLASMA
ADENOID	CHEST	FLEXOR	MUSCLE	PLEXUS
AORTA	CILIA	GLAND	NAIL	RIB
AXON	COCHLEA	GULLET	NERVE	SACRUM
BICEPS	COLON	HAIR	ORGAN	SCALP
BLOOD	CORNEA	ILIUM	OVARY	SKIN
BONE	CORPUSCLE	JOINT	PALATE	TENDON
BRAIN	FASCIA	LYMPH	PANCREAS	TISSUE
BURSA	FEMUR	MEMBRANE	PATELLA	TRACT

```
O I O A T R O A J O I N T N I K S B F
C S O N E R V E O N O L O C M Y W U B
Y I A M L Y M P H P R Q U M C O E R F
B A L E L I A N L E Q Z N E A R L S I
Y I D I R P P A T E L L A M E G C A B
R D W E A C S A T S E H C B L A S M U
A Y M R N M N A B E E O U R H N U U L
V E Q P A O E A R D N T D A C O M I A
O N L O L N I X P G O O I N O D X L S
R O C C R A E D D N B M D E C N B I A
F X A O S B C U G O P L E I X E J O C
B A C G T U R S S L O L G N T T A F R
M O U T H C P A P S A L E U Y O E W U
R F A S C I A R I E I N B X L M R J M
I A R F I Q Y R O N C T D N U L Z A T
A M P A L A T E T C X I G R B S E Z C
H I I F L E X O R B N P B B I R P T E
```

Mix Them All Together...

ANTLER	FIN	MUZZLE	SCALE	TOE
ARMOR	FLUKE	NECK	SHELL	TOOTH
BEARD	FUR	PAD	SNOUT	TUFT
CARAPACE	HOCK	PAW	SPINE	TUSK
CLAW	HOOF	PELAGE	SPOTS	WATTLE
COAT	HORN	PELT	STRIPES	WEBBING
DEWCLAW	LEG	PLATE	TAIL	WHISKER
FANG	LIP	PLUME	TALON	WING
FEATHER	MANE	POCKET	THUMB	WITHERS

```
M E P G F G N A F C D B P V C H P F L
Y K C Q L Y U R I K S U T K T O C K F
D U P A L F X N E F I N V R O R Y C V
A L E J R I Q L L E H S W N O N K E V
P F T T K A A X F E A T H E R M L N X
W G E L A C P T S T R I P E S T R K N
H Z S W S L B A E O T T U F T E T A L
I P P A C T P W C L A W W A A G O T X
S O I L O A L V E E Z K W A G A O U L
K C N C A L A Y W B U Z G G F L T O W
E K E W T O W P A M B D U W O E H N V
R E J E I N I L N U R I I M O P D S O
E T C D B F N U T H Q T N Z H I R U F
C F C X U P G M L T H E V G N C A H T
G L V R M E L E E N S P O T S E O Q
B Z I W U L L Y R A I V F J W E B C A
W J U P U T J S M U P A W W Q U J K E
```

Armed to the Teeth

ARBALEST   BOMB   DIRK   JEZAIL   PISTOL

ARMS   BOW   ENFIELD   KNIFE   RAM

ARQUEBUS   BULLET   FUSE   LANCE   RAPIER

ARROW   CANNON   GAS   LEWIS   RIFLE

ASSEGAI   CLAYMORE   GATLING   MACE   SABRE

AXE   COLT   GRENADE   MINE   SHELL

BALL   CULVERIN   GUN   MORTAR   SPEAR

BAYONET   DAGGER   HOWITZER   MUSKET   SWORD

BILL   DART   JAVELIN   PIKE   VICKERS

```
D C G M P K R I F L E C O L T U N B Y
L D L I N R F G R E N A D E B U Z L J
E C K I U E Y N C L A Y M O R E S L E
I E F L Q Z B I I Q U P E N W C H I Z
F E R O T T B G A G A T L I N G E B A
N P E T R I A R G X T F U S E F L O I
E V O S A W Y E E H E F Z H U E L W L
T Y Q I D O O G S E K J A V E L I N R
N S A P I H N G S C S R B O M B B A K
S R K R I D E A A A U E X A D R O W S
P E E D Q I T D A M M G I R A T R O M
E K C L R U U R A M B U L L E T N S M
A C N U L A E A C U L V E R I N O I R
R I A U R A A B R J F K R M S W N W F
B V L M G T B Q U R J U B I A I N E Z
E T S E L A B R A S O V A N G E A L H
K P Z C W R A P I E R W S E Z X C C T
```

Military Expressions

ADJUTANT	CAVALRY	FILE	MILITIA	REGIMENT
ADMIRAL	CHAPLAIN	FIRE	OFFICER	SAILOR
AIDE	COMPANY	FORT	PATROL	SQUAD
AIRMAN	CORP	GENERAL	PHALANX	SWAB
ARTILLERY	COSSACK	GUARD	PILOT	SWISS
BATTALION	DIVISION	INFANTRY	PLATOON	TROOP
BATTERY	DRAGOON	JANISSARY	POST	UNIFORM
BRIGADE	DRILL	MAJOR	PRIVATE	YEOMANRY
CAPTAIN	ENSIGN	MARCH	RANK	ZOUAVE

```
Y E O M A N R Y D R A G O O N B U N R
H K Y R A I A P T I O Q T R O O P O K
C C Y R O I R D I N N G I S N E W O N
G H R N T L T O M L A B A W S Y C T A
U T A A A N I I J I O T C O R P K A R
A S X P M P A A L A R T U E B C C L L
R O F Z L D M F S I M A L J A D A P O
D P B B O A P O N I M L L S D R U D R
D E A R E U I C C I I Z S E E A N K T
I T T I R Q A N A T N O C N R I I O A
V A T G I S N V R P C A E Z E D F F P
I V E A F K D A E F T G I F G E O F D
S I R D Y R A S S I N A J R I W R I L
I R Y E S S I W S V A C I N M F M C L
O P Y R L A V A C F O R T N E A M E I
N F N P N O I L A T T A B T N C N R R
O K X N A L A H P G F I L E T C V Q D
```

Cats and Dogs, Cows and Horses

AIREDALE	COLLIE	MORGAN
ANGORA	CORGIE	PERCHERON
ANGUS	DEVON	PERSIAN
ARABIAN	DEXTER	PINTO
BARB	DUTCH	POODLE
BASSET	GRIFFON	PUG
BEAGLE	GUERNSEY	SETTER
BORZOI	HOLSTEIN	SHETLAND
BRAHMA	JENNET	SIAMESE
CAFFRE	JERSEY	SILVER
CHEVIOT	KERRY	SUFFOLK
CHINOOK	MALTESE	TABBY
CHOW	MANX	TERRIER
CHUM	MASTIFF	WELSH
COHO	MERINO	WHIPPET

```
A O M F F F I T S A M C U A H S L E W
A M H A R B K E R R Y Y J T O E F L B
W A P W L O A P O O D L E D U T C H E
R N I H G T G R I F F O N S P T T C K
E X N I G O E H B M O R G A N E F O C
V T T P E I X S T E R R I E R R O O H
L J O P I V T X E M E R I N O N E A O
I E O E G E A I R E D A L E I R Q U W
S N H T R H B K C A T L C H U M I Q G
N N O G O C B Q O R O K C A N G U S G
I E C I C N Y V K O E L G A E B V P E
O T T E S S A B H G O C O L L I E B R
Z J N A I S R E P N O R E H C R E P F
R H O L S T E I N A S I A M E S E Z F
O P S H E T L A N D N O V E D X D W A
B U G N A I B A R A O D E X T E R X C
G G R Y E S R E J S U F F O L K P Q W
```

Under a Veterinarian's Care

ANTHRAX	GLANDERS	PLAGUE
BLOAT	GRUBS	POX
BOT	HEAVES	RABIES
CHOLERA	HOVEN	ROT
DISTEMPER	ITCH	RUMEN
DISTOMA	LAMPERS	SCAB
EDEMA	LICE	SCABIES
FARCY	LOCO	SCOURS
FARDEL	MANGE	SPAVIN
FEVER	MITES	SPLINT
FLEA	MURRAIN	STAGGERS
FLUKES	NAGANA	SURRA
FOOT ROT	NOSEMA	THRUSH
FOUNDER	PARASITE	TICK
GALLS	PINKEYE	WORM

```
X  N  D  L  J  S  L  L  A  G  S  T  A  O  L  B  O  B  I
B  E  T  N  I  L  P  S  A  T  X  E  E  N  D  X  B  T  R
A  V  T  O  R  T  O  O  F  O  L  O  V  I  U  O  C  R  P
C  O  A  R  E  L  O  H  C  R  G  O  S  A  T  H  P  E  G
S  H  C  F  H  A  N  A  G  A  N  T  C  D  E  X  D  D  R
E  N  F  L  N  E  X  N  I  K  O  X  S  O  T  H  S  N  U
Y  I  A  E  D  F  T  A  O  M  J  R  A  S  A  R  N  U  B
E  V  R  A  I  A  E  I  A  S  E  S  E  R  E  M  S  O  S
K  A  C  D  S  R  U  Z  S  D  E  I  R  G  H  E  E  F  E
N  P  Y  S  T  D  G  B  N  A  B  M  G  U  K  T  L  D  L
I  S  L  E  E  A  A  N  A  R  A  A  U  O  C  N  A  E
P  U  D  I  M  L  L  N  C  I  T  A  L  E  O  C  M  A  G
F  N  E  B  P  G  P  S  N  S  A  F  P  S  W  P  S  J  N
D  F  C  A  E  R  D  Q  E  G  R  R  M  M  E  V  P  W  A
N  W  I  R  R  N  I  X  M  U  R  I  R  R  W  T  Y  O  M
E  I  L  K  C  I  T  L  U  B  U  N  S  U  I  T  I  R  X
T  R  E  V  E  F  T  H  R  U  S  H  V  G  M  O  J  M  H
```

From the Calendar of the Saints

AGATHA	BRIDE	ERASMUS	HILARY	OSWALD
ALBAN	BRUNO	FELIX	HILDA	PANCRAS
ANNE	CECILIA	FIACRE	JAMES	PAUL
ANSELM	CLARE	FLORIAN	JEROME	PETER
BASIL	CYPRIAN	FRANCIS	JOHN	SIXTUS
BENNO	DENIS	GALL	LEO	SWITHIN
BIRGIT	EGBERT	GEORGE	LOUIS	THECLA
BLAISE	ELMO	GILES	MONICA	URBAN
BRENDAN	ELOI	HELENA	OLAF	WILFRID

```
P E M M O N I C A W E M O R E J O E L
D O E N V U E S I V B S W I T H I N E
F S J B A U F L U Y C R B R U N O C N
E Y E O I I F I B T P W E A J A J O N
L Q R L N R R J A D X S I N E D M I A
I A A A I A G O O C J I G E D L N Q X
X L L D L G I I L H R F S G E A Z A M
E C C R G I N R T F N E Q B S Q N N S
G E O B T A H W P E W T B E I G P E E
R H L D L U A J S Y T O R R C A L L M
O T G B R N P I P F C A A T N U O E A
E H A B S B A S I L S I A C A D O H J
G N A E W L I W Y M L G R P R L N E O
D N L P B U U Q U I A A Q U F A N D L
I M U W O E I S C T S H Y B N W E I A
T A D L I H U E H L L A G V I S B R F
P E T E R X C A L R G I O L E O W B V
```

Religious Officials

ABBOT	DEAN	LECTOR	PORTER	RABBI
ACOLYTE	DOMINE	LEGATE	PREBEND	RECTOR
BISHOP	EMINENCE	MINVAN	PRELATE	SACRISTAN
CANTOR	EXARCH	MOLLAS	PRESBYTER	SEXTON
CARDINAL	EXILARCH	MUFTIS	PRIEST	SHAMMASH
CENSER	HAZAN	NUNCIO	PRIMATE	THURIFER
CLERGY	IMAM	PARNAS	PRIOR	ULEMA
CUSTOS	KADIS	PATRIARCH	PROCTOR	VICAR
DEACON	LAMA	POPE	PROVOST	WARDEN

```
Y P E T A M I R P P R I E S T L X G G
S R D R H N N U N C I O V Y F E R N C
I E E O S A C R I S T A N E W C P L L
T S A T R R E C T O R S R T R N G A E
F B N C H B I S H O P I P Y E E M N R
U Y A E A J I R C R G D R L T N O I G
M T V L Z R O D R O W A I O R I L D Y
K E N B A T E P A T S K O C O M L R L
C R I W N L F F L C R H R A P E A A D
U N M A M I B L I O P G A R B E S C B
S O C R P R E E X R J R E M T B U I D
T S R D R S X G E P U S E A M L O V O
O E A E O A A B N N H L B E A Z T M
S X B N V N R T M E M E T M E P S N I
U T B J O R C E C A R O A Q P N O H N
Z O I H S A H J Z P L N O C A E D P E
J N O P T P V H C R A I R T A P J T E
```

151

Artists from the Netherlands

AEKEN	DE HAAS	ISRAELS	MILET	VAN VEEN
BACKER	DOES	JANSSENS	MORE	VANLOO
BLES	DOW	JARDIN	NEEFS	VOS
BLOEMEN	EYCK	KUYP	NEER	WATERLOO
BOSCH	FEYDT	LAAR	ORLEY	WEENIX
BREUGEL	FLINCK	LELY	REMBRANDT	WEYDEN
BRUXELLES	FYT	MAAS	RUBENS	WITTE
CALVAERT	HALS	MESDAG	RUISDAEL	ZEEMAN
DAVIT	HOOGH	MEULEN	STEEN	ZEGERS

```
E F Y T D Y E F C K U Y P P L R R N D
Q R E B U R E M B R A N D T E K H M M
W U L W L K C N I L F E J I A N T O O
N B R O H O S X R R G Y M A D E R O R
B E O D U C E E T A C C I Q S E R L S
V N D C K S S M L M A K L H I F O I R
N S K Y A N A O E L A L E A U S O S E
G X V L E L I A B N E A T L R N L R G
A E A E H W V D H A D X S S E T R A E
D M N G J G I A R E C N U E V X E E Z
S K L U N A O T E A D K T R D W T L Q
E V O E E S N O T R J S E O B C A S P
M A O R E O T S H E T R W R L Z W W D
A K W B R V L I S V A N V E E N J B T
O N E K E A X E V E N E L U E M N L Y
U X Z E E M A N L A N S E O D Q A E F
P C X I N E E W G Y D S D R X X Y S L
```

The French End of the Art Museum

AUBLET	COUSIN	FRAGONARD	LORRAIN	REDON
BIARD	COUTURE	GAUGUIN	MILLET	RENOIR
BONHEUR	DAUBAN	GERARD	MONET	RIGAUD
BONNARD	DAUMIER	GERCAULT	MORISOT	ROLL
BUSSON	DAVID	GROS	PEEL	ROUGET
CLOUET	DEFAUX	INGRES	PICOT	SISLEY
COMTE	DEGAS	ISABEY	PILS	TISSOT
COROT	DUPRE	LEBRUN	PISSARO	VERNET
COURBET	FOUCQUET	LEROUX	PUGET	WATTEAU

```
M Y E B A S I T O C I P B L E B R U N
T O I C H F N T E D E O B O N H E U R
E N O D E R L O V U N T O S S I T W Q
L S L I P U D T S N V R O U G E T X S
L F F B A L X R A S T R R Z B L L O R
I I T C D U E R A E U S E R F B R E M
M A R E A A D R N N E B U N R G R T O
D E U F U Y U R O R O O T I O U A M R
G D E B R Q E M G U C G G M T I V O I
Z D I U L V C N I O X A A U D D R C S
T C A V A E I U R E U L O R R A I N O
Y O B U A E T O O D R C M T F D F J T
E U M K B D T T B F P J O E F R E E D
L S A O O A W T E I P A N U L A R L E
S I B W X W N C A G A Q E O E R P W G
I N N I U G U A G W U R T L E E U N A
S O R A S S I P P L G P D C P G D T S
```

The Bath at the End of the Day

BALM	LAVE	SCENT
BOOK	LAVISH	SINK
BUBBLES	LOLL	SOAK
CALM	LUXURY	SOAP
COMFORT	MOIST	SOOTHE
DEEP	OILS	SPIRIT
DRAIN	PORCELAIN	STEAM
DREAM	QUIET	STOPPER
EASE	READ	TALC
ENJOY	REFILL	TOWEL
FAUCET	RELAX	TUB
FLOAT	RESTORE	UNWIND
FOAM	RINSE	WARMTH
HEAT	RIPPLES	WASH
LANGUOR	SALTS	WATER

```
P  E  E  D  C  F  E  G  X  S  Q  W  A  S  H  J  A  X  U
N  M  P  M  O  A  N  H  T  Y  H  L  C  L  T  K  Y  N  Z
S  C  C  T  M  R  F  L  T  N  L  L  E  E  P  X  W  A  J
P  A  L  E  F  N  A  D  I  O  A  W  C  A  E  I  R  S  W
I  L  A  I  O  S  I  A  L  V  O  U  O  R  N  E  E  U  A
R  M  T  U  R  T  R  A  E  T  A  S  O  D  P  L  H  L  T
I  Y  Y  Q  T  D  D  O  L  F  N  T  X  P  P  A  T  M  E
T  Z  L  J  Q  N  R  S  H  E  S  W  O  P  H  W  M  L  R
Y  X  G  A  N  C  E  S  T  E  C  T  I  J  Z  E  R  A  X
F  A  W  L  V  Y  A  O  R  E  S  R  C  O  B  A  A  B  U
R  L  E  T  L  I  M  A  R  E  A  D  O  K  Z  O  W  J  L
I  E  O  T  S  I  S  K  J  B  Y  M  U  P  H  U  O  M  A
N  R  U  A  U  I  F  H  D  E  G  Z  T  A  E  H  A  K  M
S  B  Z  X  T  R  O  E  Y  S  L  A  N  G  U  O  R  N  O
E  S  L  I  O  A  P  M  R  A  O  V  I  M  F  P  A  I  D
H  B  U  B  B  L  E  S  E  E  E  N  J  O  Y  Z  K  S  K
V  J  Z  J  B  T  N  E  C  S  Z  I  N  L  U  X  U  R  Y
```

Saturday Night Politics

ARGUE	FALLACY	MARX	RADICAL	SOLVE
AUGUSTINE	FREEDOM	PLATO	RANT	SPINOZA
BEER	GOVERNMENT	POINT	REACTIONARY	SUBTLE
BICKER	GUIDE	POLITICS	REHASH	SYSTEM
CANT	HOBBES	POSITION	REMARK	TEASE
CONTROL	HOGARTH	PRETZELS	REPUBLIC	TERMS
DISCUSS	HOT AIR	PROBLEM	RULE	THEORY
DISPROVE	KANT	PROVE	SIDES	TRUTH
FACT	LIBERAL	PURPOSE	SOCRATES	WORLD

```
H P G K H O T A I R R S E B B O H M J
O T O C M E T S Y S U P R E T Z E L S
T N E S R E M A R K L R A Y E N X J R
E A V D I S P R O V E C A V R R A E U
A C O M H T O X R A E X L D A O A K E
S T R U T H I E Z S E O E M I C E S Q
E C P B R K H O O L S U T D T C I H H
O B I L S A C P N A A N G I I D A T T
T I F T S E R Y U R E R O R E U R L P
A C L H I U T G C M K N E S A A G M R
Z K A O P L U A N A A S V B G N S O O
O E S F R S O R R R L T U O I S T D B
N R I M T T E P Y C N L H B U L L E L
I R G I R V N D X I O K A C T R R E E
P E N R O E A O O R M S S F O L L R M
S E X G Q O T P C V V I W Y C E F I
Z B R E P U B L I C D P L A T O L X V
```

Decisions on the Wrestling Mat

BOUT	COACH	GRIP	POINTS	TRICK
BRACE	COMPETE	HOLD	REFEREE	TUG
CIRCLE	DODGE	HOOK	RULES	TUSSLE
CLAMP	DOWN	LEVERAGE	SEIZE	VISE
CLASP	FALL	MAT	STRAIN	WEIGHT
CLENCH	FEINT	MUSCLE	STRENGTH	WHISTLE
CLINCH	FOUL	OPENING	STRUGGLE	WRAP
CLING	GRAB	PERSIST	SWEAT	WRESTLE
CLUTCH	GRAPPLE	PIN	TAKE	WRING

```
D E K A T R X I L Z H L D C L E N C H
B R A C E Q V H O O K S T N I O P G E
I F O N J A V V E L C S U M O F O U L
O A A R U L E S E E T E E T M P F U T
B E E R E F E R M L G H L T N E F W S
R K G O L D C P G N G A G C E I D X E
K C U F K L T S G D I G R I R P E L R
V I T C U U B A C R O A U E E I M F W
V R W T S H O L W G A D R R V W C O U
I T C S C H N C Q N T P G T T E N D C
S H L T O T H C N I L C P E S S L O Q
E E M A A G G P I N H B C L A M P W A
Y Z A E C N N G G E D E Z I E S A N K
A O T W H E I N R P L T S I S R E P C
O H T S D R R I I O O Y W H I S T L E
M T U O B T W L P I H F A G R A B R Y
D F A L L S H C T F Z W R A P O A T N
```

157

Working with Rope

BEND	HITCH	REEVE
BIGHT	HOCKLE	RIGGING
BOWLINE	JOIN	ROPE
BRAID	KINK	SPLICE
CABLE	KNOT	STRENGTH
CLEAT	LANYARD	SURGE
COIL	LASH	TACKLE
CORD	LAY	TANGLE
ENTWINE	LINE	TAPER
FIBER	LOOP	TENSION
FID	MALLET	TIE
HALYARD	MARL	TIGHTEN
HANK	MARLINE	TWINE
HAWSER	PLAIT	WHIP
HEMP	REEF	YARN

```
G E F E E R K E V E E R O F L Z K M T
W N B R I G G I N G S Y I I E E T I G
T T U Y T O N K P E D O N N O G B Y
A W E A M J N M L G M C I I I H V E G
N I L G A V A I R T Y L W R T I L P X
G N L P R R C U H F W T E E M B M I F
L E A O L E S T I O W P N D A E N A L
E H M O I C G B B J A F I C H T J A R
P J I L N N E O T T O A D P I G N D P
D H T T E R E N H W R I L E D Y X F T
R J S R C N K A H B N A N N A Z Z E E
A B T A I H W I L V I G E R P E L O P
Y S K L L S P T R T Y B D Z L K D Y O
L W N P E T E N S I O N Q K C K R Y R
A Y A R B I G H T L L O C O T I O Q L
H P H Q W Y A R N G X A H C K N C W Y
P N F C C L E A T H T Z V D B K C Y D
```

159

Kick Up a RuCKus

BOCK	KNOCK	ROCK
BRICK	LICK	RUCKUS
CHICK	LOCK	SICK
CHOCK	LOCKET	SICKLE
CROCK	LUCK	SLICK
DOCK	MOCK	SNICKER
DUCK	PACKET	SOCKET
FICKLE	PICK	STOCK
FLICK	PICKET	TACKLE
GRACKLE	PICKLE	THICK
HICK	POCKED	TICKLE
HOCK	PUCKER	TRUCK
JOCK	PUCKISH	WHICKER
KICK	QUICK	WICK
KNICKERS	RICK	WICKED

```
R I S E X H O C K E Z A K C I R B J B
F M I R I C K J Q D F M O C K C U D K
L R C D K C O N K I X G L I C K A S B
I G K E Y D U T C R E K C I H W R X R
C B K K F K K E K C I H G R E X E T
K G G C C Z L C R K C O L T K W L E Y
G J R I O E B U O Y C P U C A K K Y W
L K A W B H C H I R I A I R C C V M I
S C C Z M K C V S C C N P I O R K K C
L I K K U K Z Z K I K N S L E C C L K
I H L S C C R E C V K Z T K E O K N E
C T E D K O T E O H Q C C E T K C H D
K M L T V D J T K C I I U S K K C E R
Q H K C J H E R C C N C U P C C K I Z
L U C K T P F U I S U M K I O C O G P
L T I C K L E C U K X P K V O Y G S Z
A A P G I H C K Q G Z J R P W Q M D Y
```

At Work

AUCTION	FOREST	SHOP
BREWERY	FOUNDRY	SILO
BUS	FURNACE	SITE
CAFE	HOME	SMITHY
CAMP	HOSPITAL	STABLE
CANNERY	JOB	STORE
CAR LOT	KENNEL	STUDIO
CELLAR	LAB	SURGERY
COUNTER	LAUNDRY	TAXI
CRANE	LIBRARY	TRACTOR
CUBBY	LOOKOUT	TRAILER
FACTORY	MILL	TRUCK
FARM	OFFICE	VAN
FEED LOT	PLANE	WINERY
FIELD	PLANT	WORK

```
Y P K C U R T V O J O I D U T S E O B
R L Y O R O Q F D Y R E N N A C M T T
E A B E V L F R B X K T N A L P O R Y
N Q B V H I U A M N B P M A C P H E E
I L U Y C S L L F A O S D A D L S T R
W O C E R F O L L O I I R P E A U N O
L O S C Y E A E X T U L T N I N B U T
A K K H A R W C E C O N A C O E C O S
U O B K O T A E T T F R D F U A X C J
N U Y L R P O R R O C U E R F A B J K
D T H A E O D L B B R L R E Y L S R E
R R T T O W L D I P Y I N L T E J N
Y A I I I X A T E E L L O I A L D K N
Q C M P N F N M E I E M M B I C Z Y E
N T S S K Z M R A F F F L A P O E Q L
F O H O S U R G E R Y E R A G J O B O
L R O H H G F O R E S T U O K A N A V
```

A Drive in the Carriage

AXLE	CART	DROSKY	LANDAU	SURREY
BERLIN	CHAISE	FELLOE	PERCH	TALLYHO
BIT	CHARIOT	GIG	PHAETON	TONGUE
BOOT	COACH	HACKNEY	POLE	TRACES
BOX	COLLAR	HALTER	REIN	TRAP
BRITZKA	COUPE	HAME	SEATS	TROIKA
BROUGHAM	CURRICLE	HANSOM	SHAFTS	VICTORIA
BUGGY	DRAG	HITCH	SOCIABLE	WAGON
CABRIOLET	DRAY	HUB	SULKY	WHEEL

```
H C A O C B G F T N S E O I O M E R C
J C A S U R R E Y O J R E L O P R Z N
Y Q H R K C N D C H Q I F S M Z N O E
A H A W T T O I R A H C N A X O T N U
R Y C C H V A Z X E M A H D G E G L G
D K K K U B I L G Q H G R A A M B L N
V S N K L R E C T I U A W H T U J X O
H O E E K L R E T O G R P U G F U K T
I R Y I E B L I R O A M O G E D A E U
T D P E C O E B C L R T Y L I K P A R
C C H T I S S R L L A I L L Z U D H E
H W H R T U H O L L E O A T O N P C T
H U B A L R C A L I E R I C A T S R L
P A N K I Z A Y F O N R D L O B E E A
C X Y I E S H C Z T B I B O W O A P H
R T R A P O E K E B S G B I I X T C W
N A K I O R T G C S R E I N T K S O Y
```

Describe a Horse

BAY	CROUP	FORELOCK	MANE	POLL
BELLY	DAPPLE	GELDING	MARE	RIBS
BLAZE	EAR	GRAY	MOUTH	SHOULDER
BREAST	ELBOW	HAUNCH	NECK	STALLION
BUTTOCK	FACE	HOCK	NOSE	STIFLE
CANNON	FETLOCK	HOOF	NOSTRIL	TAIL
CHEEK	FLANK	JAW	PALOMINO	THIGH
CHESTNUT	FOREARM	KNEE	PASTERN	THROAT
CORONET	FOREHEAD	LOIN	PINTO	WITHERS

```
N O S E B N M A N E D K X F K A K T Q
L J V S V Y O P I N T O H O O U P B T
L A S H K Q G N I A T H S R B L A Z E
L W R O K L C O N M N T P E L M L Y L
O Q E U C G L H Y A A J U L F L O C I
P H H L O W E A E L C T O O N R M T R
A N T D H E B L L E C V R C E T I H T
K F I E A Y C I D L K E C K C S N I S
L L W R A P O A F I H H T F K A O G O
I A E R B N P O F E N M U O N E S H N
A N G E E W R L A M U G N O F R T O C
T K L L R E E D E O K H T H E B I D O
E L B I A K C O T T U B S Z T H F H M
Y O B R J Z H A U N C H E E L A L T A
W S M T A O R H T E U E H E O U E U R
T E N O R O C Y U M V A C N C V Y O E
Q U B P A S T E R N G R F K K E T M N
```

A Serious Case of Spring Fever

ATTENTION DIAGRAM ITCH PROF TEACHER
BECKON DOODLE LAWN REASON TEMPT
BEES DRONE LAZY REFER TEXT
BOOK ENTICE LECTURE RESTLESS TREES
CHALK FACT LONGING SESSION WANDER
CITE FEVER LURE SPRING WIGGLE
CLASS FIDGET MENTION STARE WINDOW
DATE GREENERY NOTES SUNNY YEARN
DESK INFORM OUTSIDE TALK YEN

```
E F T R P I Q N O I T N E M X F C R R
J R X E K N D I A G R A M Z W U T H Q
Z E E H S K H Y Q C R H C H A L K Q S
R D T C E V L T L E R S P R I N G U F
E N M A D M E A V G S E T O N F N F W
A A V E E M S E T R L O N G I N G I E
S W E T P S F O Y E T Y E G Y V G Y C
O V D T N O I T N E T T A V G G Z N I
N S I W N P T E G N N E R U L A E O T
T Y S G W R E D P E B Y E E L E C K E
R E T E A O I N K R O E L T R R I C M
E T U L L F S W O Y O A D C E U T E R
E A O S L T P T R R K R O A F T N B O
S D G J E F S E A A D N O F E C E U F
L D I A V E D E A R O M D M R E P M N
X A I T C H B G R E E Y P O T L Y W I
W O D N I W L W A S E S S I O N B E L
```

High School Remembered

BMOC	COACH	GYM	MATH	SQUAD
CAFETERIA	COUNSELOR	HALLS	PAPER	STUDY
CAMPUS	CROWD	HISTORY	PRINCIPAL	SWEATER
CAR	DATE	HOMEROOM	RALLY	TEACHER
CHOIR	DRAMA	HONORS	READ	TEAM
CLASS	DRILL	LANGUAGE	REPORT	TEST
CLIQUE	ELECTIVE	LETTER	SMOKE	TRACK
CLUB	FOOTBALL	LIBRARY	SPELL	VARSITY
CO-ED	FRIENDS	LOCKER	SPORTS	WRITE

```
X H L M S D N E I R F D R D R A M A P
A A X S S A L C B Q A E T V A Y U R T
N L Z B L L I R D U T S E U L Y I R Q
T L K E C L T B Q A E U L L T N E A N
E S C E O O R S E T Q L A I C L L C C
E C A L U C O W M I A R S I E T L C A
E O R E N K S Y L B D R P C E Y E A F
M M T T S E G C T W A A T A U F P M E
O B D T E R E O O V L I M L J H S P T
O V D E L O O R H Z V R A I E I R U E
R S A R O F C C U E E W K B G S O S R
E H T E R C P C P H R R S R A T N W I
M C E R V C H A C W E I T A U O O M A
O A Y P O O L A P K P T U R G R H A J
H O E V I P E U O E O E D Y N Y H T U
N C X R V T S M B O R R Y T A X J H C
D A E R F T S Q Q A T J B K L C Y I O
```

Outcasts of Eden

ADAM	ENTICE	HUNGER	NATURE	SHAME
ANGEL	EVE	INNOCENT	OUTCAST	SNAKE
ANIMALS	FIG	KNOWLEDGE	PROMISE	STONES
APPLE	FLAMING	LAWS	RELENT	SWORD
BLAME	FORBID	LEAF	RIB	TASK
COZEN	FORGIVE	LIE	SACRIFICE	TEMPT
DELIGHT	FRUIT	LIFE	SCALY	THORNS
EAT	GARDEN	LORD	SEPARATE	TREE
EDEN	HIDE	NAMES	SETH	UNDERSTAND

```
F S L A M I N A H T E S L E F R U I T
Z B H I D E T S N T T G C E V E C N F
V M T N E L E R E R A U D T G O V A Z
K N O W L E D G E N N E R A N N E M G
T L E J T K F E T D O A O R I L A E F
N O R V N A V I E E L T W A M M Z S P
E R U E D N F R L P V J S P A P M N G
C D T I U S S T Q R V I M E L J I X R
O I A L B T T R T O P E G S F S W A L
N B N I A H S N H M X C U R C Z T X N
N R R N G U A E O I E I V Y O E E E K
I O D I U N C Z R S N F G E M F D S T
M F L A Y G T O N E T I M P D R H E A
N E D L Q E U C S E I R T N A A F M S
D A A X N R O V W D C C Q G M U I A K
M C G Z Y Y U K R E E A Y E J C G L Q
S L M A E L P P A N T S I K U Z E B J
```

The First Tender Shoots

BED	FEED	MOIST	ROOTLET	SUN
BUD	FERTILE	NURSE	SEEDLING	TAMP
BURGEON	FINE	PEAT	SHOOTS	TAP ROOT
BURY	FLOWER	PLANT	SOIL	TEND
CARE	GERMINATE	POLLEN	SOW	TENDER
CLOCHE	GROW	PROTECT	SPRINKLE	TENDRIL
COAX	INFANT	PUSH	SPROUT	WAIT
DAMP	LEAFLET	RAIN	STALK	WATER
ENRICH	MATURE	RAKE	STRETCH	YOUNG

```
Z  N  I  A  R  R  E  K  A  R  P  M  A  T  D  Z  D  H  E
Y  H  E  J  F  F  Y  W  R  R  M  A  T  U  R  E  L  P  D
S  T  R  E  T  C  H  P  E  R  D  I  V  I  C  B  E  F  N
L  I  O  S  R  E  T  A  W  L  E  Z  S  U  N  F  A  F  E
W  A  I  T  E  C  A  R  E  T  I  D  R  C  Z  Y  F  P  T
H  S  U  P  T  S  I  O  M  T  E  T  N  O  D  D  L  Y  L
Z  C  E  N  R  I  C  H  K  W  S  N  R  E  O  Z  E  U  L
V  G  E  R  M  I  N  A  T  E  P  S  D  E  T  T  T  B  K
T  U  O  R  P  S  L  I  Q  P  R  E  X  R  F  I  L  I  Z
C  N  O  E  G  R  U  B  N  D  I  E  T  P  I  Y  P  E  M
E  E  F  S  T  O  O  H  S  U  N  D  O  P  U  L  R  K  T
T  H  W  S  T  A  L  K  E  B  K  L  O  E  D  K  E  Y  G
O  C  G  T  O  O  R  P  A  T  L  I  F  A  A  E  W  O  S
R  O  R  I  N  F  A  N  T  E  E  N  G  T  S  X  O  U  D
P  L  O  H  I  G  O  E  N  I  F  G  J  R  T  U  L  N  A
F  C  W  B  B  U  R  Y  V  V  Y  M  A  U  L  X  B  F  G  M
Q  C  L  X  P  L  A  N  T  I  A  N  Y  C  O  A  X  J  P
```

The Royal Effect

ARCHES	FEAR	LOFTY	PALACE	SUBLIME
AUGUST	GILT	LUSTER	PEDESTALS	SUMPTUOUS
AWE	GLORY	MAJESTY	POMP	SUPREME
BEAUTY	GRAND	MARBLE	REGAL	THRONE
CARVED	GREAT	MASSIVE	RESPECT	TILE
COLUMNS	HALLS	MIGHTY	SILK	TOWERING
DAIS	IMMENSE	MURAL	SPLENDOR	URN
DIGNITY	IMPOSING	NOBLE	STAIRS	VAST
ENORMOUS	LACKEYS	OPULENT	STATELY	VELVET

```
C L N J U L T G A S E H C R A T N P T
E A E R Q M L T T R K S P C Z A T J E
L G F O U O N E S L L I M M E N S E V
B E E R R E M U I A Y G I A O H A M L
R R A Y L E M S T L T Z N M J P V I E
A L R U R P T S L O U R L I V E W G V
M D P P T A E D U F A O Y P R R S H Z
D O U U T D E W S T E D S T G E L T C
A S O E E Z N B T Y B N A N I R W Y Y
I U L P P A O R E N M E G D M N A O A
S Y G E A U R E R O A L N E W U G N T
Y H S T L G M S G B S P I V I G L I D
E A R H A U O P I L S S S R C R G O D
K L I R C S U E L E I E O A F E X B C
C L A O E T S C T H V W P C V A O G G
A S T N F T X T E K E A M W M T C J J
L A S E Y E M I L B U S I T I L E L V
```

The Sleeping Beauty

ARMOR	DECEIVE	HIDDEN	PRINCESS	SWOON
BATTLE	DRAGON	HORSE	RESCUE	SWORD
BRIARS	ENCHANT	KINGDOM	ROSES	THORNS
CAPTIVE	EVIL	KISS	SAVE	TOWER
CASTLE	FAIRY	LEGEND	SECRET	TRAP
CHALLENGE	FINGER	MAGIC	SLEEP	TRICK
CHANGE	FOIL	OUTWIT	SPELL	WAKE
CHARGER	GNOME	PRICE	SPINDLE	WISH
COURT	HERO	PRICK	STORY	WITCH

```
I  J  V  X  W  I  T  C  H  G  Y  N  E  W  G  Y  L  H  E
A  Y  P  R  I  C  E  N  N  S  A  E  V  A  R  M  O  R  E
D  S  T  O  R  Y  Z  O  Z  R  E  G  I  J  O  T  R  L  T
F  I  N  G  E  R  M  P  Q  A  U  N  L  R  R  S  T  H  I
C  H  A  L  L  E  N  G  E  I  C  A  E  U  P  S  S  X  W
R  L  L  E  P  S  Z  B  H  R  S  H  O  I  A  I  K  E  T
C  Z  B  W  S  S  C  R  E  B  E  C  N  C  W  C  S  N  U
Y  L  Y  T  E  M  E  P  E  B  R  D  B  O  I  C  S  C  O
R  K  D  H  C  L  V  S  R  G  L  I  H  R  O  Z  I  H  S
I  N  D  O  R  H  G  S  O  E  R  O  T  E  L  W  K  A  W
A  O  E  R  E  O  I  T  S  R  W  A  I  D  W  I  S  N  O
F  G  C  N  T  R  P  D  S  E  E  O  H  P  N  A  O  T  R
K  A  E  S  R  S  B  R  D  L  C  L  T  C  A  E  K  F  D
A  R  I  N  W  E  K  U  I  E  E  N  T  R  I  R  G  E  I
G  D  V  M  A  G  I  C  B  C  N  E  I  T  A  E  T  E  R
X  U  E  E  V  I  T  P  A  C  K  X  P  R  A  T  Q  V  L
R  R  K  I  N  G  D  O  M  P  S  A  V  E  P  B  P  O  C
```

The Shell Collector's List

ABALONE	FLAT	SAND
AUGER	HARP	SHALLOW
BEAUTIFUL	HELMET	SHELL
BUBBLE	LARGE	SNAIL
CHANK	LIMPET	SPECIMEN
CHITON	MARINE	SPIRAL
COAST	MITER	TEGULA
COCKLE	MOLLUSK	TELLIN
COLOR	MUREX	TIBIA
CONCH	NACRE	TINY
CONE	NAUTILAS	TRITON
CORAL	OLIVE	TURBAN
COWRIE	OYSTER	VENUS
DEEP WATER	PATTERNED	VOLUTE
DELICATE	PEARLY	WHELK

```
Z O W I A I H D Z L A R G E Y I Y Y O
U E N O S B P E A R L Y R V E N U S L
M C I N L A A T R E G U A C O N E P I
N I F R A L L L E C O R A L W T N E V
O L D K W L A I O N O Y S T E R R C E
T D F E N O U H T N I P X P E B H I X
I C L M E A C G S U E R M T D E R M F
R H A U R P H U E Z A I A N L A E E S
T I T R O J W C Q T L N A M O U T N H
V T D E L I C A T E X S E B K T I V E
H O B X O Q E S T W T T I S C I M A L
Y N I T C H T N C E Z E U O D F T N L
A I B I T P U A T H R L N H H U I N P
S P I R A L L I I C L C A T E L L I N
C O C K L E O L A O H R L X T S A O C
K L E H W T V N M O P T U R B A N W Y
N O G D E L B B U B P A T T E R N E D
```

Combating Cabin Fever

AROMA	DRY	RAIN
BAKE	FORCE	READ
BLANKET	GUTTERS	ROAST
BOOK	HEAVY	SAUCE
CHILL	HISS	SHOWERS
CLOUDY	INSIDE	SIMMER
COLD	KITCHEN	SLANT
COOKIES	LAMP	SPLASH
COZY	LEAFLESS	STORM
CURL UP	LOWERING	WARM
DARK	PANE	WEATHER
DREAR	PATTER	WET
DRIP	PITTER	WIND
DRIVEN	POUR	WINDOW
DROP	PUDDLE	WINTER

```
Q E H X W I N D O W E V Y Y F R R D K
M N E V I R D L I N K V A P C G E A L
J B H R A E R D B E A A N M H H T V S
B B D R O P R K C E B H P A I P T P S
S P L A S H B F H F K T F L L U A I I
K N I A R O P U L R U C D Z L J P R H
P S U U O E D I S N I W I N T E R D T
T G H K K P Y V C O L D R E M M I S E
N N E O R R A M O R A R C P O U R G W
A I H U W R A T E K N A L B Y R D A P
L R S R C E F D I P U D D L E R P X W
S E T E L H R E A D W F E C R O F Y H
P W O T O T S S D F R O A S T Y Z O C
U O R T U A A S S E L F A E L D N I W
K L M I D E U M B I T C O O K I E S G
C O Z P Y W C W E G U T T E R S M U Z
Y P A N E Q E Y E L Y A K I T C H E N
```

Basketball!

BACKBOARD   CROWD   HALF   PASS   SLAM

BASKET   DRIBBLE   HOOP   POINT   SPIRIT

BATTLE   DUNK   INTERCEPT   PRO   STEAL

BLOCK   FOUL   JUMP   QUARTER   SWEAT

BOUNDS   FREE THROW   LEAP   REBOUND   SWISH

CENTER   GAME   NBA   ROAR   TEAM

CHEER   GLADIATORS   NCAA   ROOTERS   TOWEL

COACH   GOAL   NET   RUN   VARSITY

COURT   GUARD   OUT   SINK   WHISTLE

```
R B R A X R P P V G T L B T O W E L H
P Q E O A Q X L E A P R A D A J R V T
R P E J A B R A O R O H T R T V E D D
O S H X J O S D W O R C T I N A T K R
I R C E F U K T T J I W L B I R N A A
N O S T O N M E E G A M E B O S E B U
E T W D U D R P M A L S L L P I C Q G
T A I W L S N B A E L R Q E G T O D P
Q I S T W O R H T E E R F Q T Y R P N
T D H P H Y K N I S R M C I H A C R F
E A T E K N U D U R F E R P O C Z U L
K L U C W H I S T L E I T B A T A T A
S G O R H O O P G H P B K R R S R O H
A I D E K T A E W S V C O U A L S Q C
B T D T E M A E T R A T O U N U A P Q
F A Q N B L O C K B O C Q N N U Q O C
I B A I C V E A R A A C N G Q D R A G
```

176

The Coach's Harangue

BLAST	CONTEST	FOCUS	OFFENSE	STORM
BROIL	COUNSEL	FRAY	OPPONENT	STRATEGY
BUCK UP	CRUSH	GIVE	OVERCOME	TEAM
CAPTAIN	DEFENCE	GLORY	PLAN	TOGETHER
CARRY	DEPEND	HONOR	RALLY	TRICKS
CATCH	DIGNITY	LINE	RATS	TRIUMPH
COMBAT	DOGS	MEN	SCHOOL	WAR
CONCENTRATE	FAITH	MICE	SCORCH	WIN
CONFIDENCE	FIGHT	NAME	SMASH	WORK

```
A C N A K U T L T O A X C A R R Y N R
B F R A Y R I O F G D U L Y V V A P Y
R J J W I O G F G E M A E T E M K G G
A P U C R E E C F C A T C H E Y R L E
L Z K B T N R E J H E M O C R E V O T
L S D H S U N C O N F I D E N C E T A
Y X E E S C C G G K U F O C U S J H R
W R D H E N A L P D D I G N I T Y G T
D H P M U I R T N S M A S H T D B I S
N P C O N C E N T R A T E Z T S W F E
E U S C H O O L U R Y B C A P T A I N
P K T E N I L N O P P O N E N T H L N
E C O D O W O R K T S E T N O C T M B
D U R C O U N S E L O W A R J O I I M
L B M P H O N O R K B Y R O L G A C Q
Y E H C R O C S Q C O M B A T C F E O
N R A T S W D O G S F G I V E I B U K
```

139

Who?

ALGER	EARHART	IBSEN	LINCOLN	NEWTON
ARNOLD	ELIOT	IREDALE	LINDBERGH	NIMITZ
BALDWIN	FAISAL	JONES	MADISON	SABATINI
BARCLAY	FRANCO	JOYCE	MAHLER	SEARS
BARLOW	GAGARIN	KNOX	MORTON	TEASDALE
CADILLAC	GARBO	KRUGER	MOSES	TERRY
CARUSO	GILLETTE	LARDNER	MUNRO	VOLTA
DARROW	HAYES	LEHAR	NAST	WELLES
DEGAS	HEPBURN	LEWIS	NERUDA	WOLFE

```
R E V G D E G A S F X N T E R R Y O Y
E F L O W C J T A D U R E N I Q R O B
K D L O N R A I O X K R A J O N E S A
R O N Y L S N L A I E V S B U L J O L
U X Z E E I M C L G L I D M X O N K D
G J H A T D A G L I W E A R H A R T W
E A R A B E H A X E D N L I B S E N I
R S B T V T L G L A H A E O I J N N N
U A D E S T E A K L G S C W O O R K R
S D O N E E R R C A R T F Y T U P E B
V A F I L L O I A R E N C R B I L Q A
O R A M L L B N R D B E O P A A P S R
L R I I E I R W U N D M E S D N E E L
T O S T W G A N S E N H D E I Y C S O
A W A Z M C G M O R I U R V A D Q O W
H D L N L O C N I L L I N H L J A M L
N E W T O N B A R C L A Y Z F C Q M K
```

Where in the World...?

APIA	CITA	IBB	MURMANSK	RECIFE
AVARUA	CONAKRY	KABUL	NAGPUR	ROSARIO
BANDUNG	DACCA	KIKWIT	NIMES	SAPPORO
BELEM	DALIAN	MALMO	OMSK	SKOPJE
BILBAO	DARWIN	MANAUS	PERTH	SOFIA
BURSA	ELAT	MEDAN	PORTO	SUCRE
CAIRNS	FRUNZE	MEKNES	POZNAN	SUVA
CALI	HOBART	MORONI	PRAIA	TBILISI
CEBU	HOLGUIN	MOSUL	QOM	TORINO

```
A K Y A C C A D U B E C G U Z F Y X I
I S D A R W I N A V U S V B X T H W Y
F M C N T O S N R I A C I B N I M L S
O O B A R O S A R I O N D I B W E U E
S T S I L L G Q F N O E U N I K D B N
F T E L V I E R C R R G G K L I A A K
I R M A U G U O O C L N S O B K N K E
S A I D W N N M U O U N R B A R Z H M
I B N W Z A Y S H D A O T E O Y Q B D
L O Y E K A V I N M P R E C I F E I P
I H A R P N A A R P S L M A N A U S R
B R Y I A V B U A R A K T O R I N O A
T V A G A Q M S A T K B O W B N B J I
W P P R H O N M A L M O U P A J E M A
E U U L Y M M O S U L Q G R J Y L U Z
R A L N A N Z O P E A T I C S E E H V
N W F P O R T O W P E R T H K A M D K
```

Summer in the British Empire

BUNGALOW	DRIPPING	LOUNGE	REST	SWEAT
CHAISE	ENERVATING	MOIST	SAHIB	THUNDER
CLOUDY	FAN	MONGOOSE	SCREENS	TIGER
COBRA	FEVER	MONSOON	SEPOY	TONIC
DAMP	FLIES	MOSQUITO	SHELTER	TRICKLE
DARK	HOT	OPPRESSIVE	SIP	TROPICS
DEGREES	HUMID	OUTPOST	STICKY	VERANDA
DRAINED	JUNGLE	PUNKAH	STIFLING	VILLAGE
DRINK	LIZARD	RAINY	SUMMER	WATER

```
Z R W O L A G N U B T D A L O U N G E
G E C B K S T H U N D E R S K W N J T
M V I I R E Y N I A R N T S I P R U S
R E N H A E K K T A Q I S C M E D N O
K F O A D R R S S O F A E X T R M G P
N A T S S G N Z E L H R R L I V O L T
I O P P R E S S I V E D E P Z H N E U
R U X X E D P N L B Y H P C Y A G A O
D R T R H Z G O F M S I M O K K O E I
X Q C R E G I T Y Y N R A B C N O H B
E S I A H C V B T G B W D R I U S Y A
M E N E R V A T I N G C U A T P E D D
B D I M U H J N O O S N O M S H O U N
M O I S T L P G O T I U Q S O M B O A
T A E W S T R O P I C S W A T E R L R
O Q L I Z A R D N C T R I C K L E C E
F A N K R E M M U S O V I L L A G E V
```

Teatime

AFTERNOON
BRITISH
BUTLER
CAKES
CEREMONY
CHAT
CHINA
COMFORT
CREAMER

CRESS
CUCUMBER
CUP
EASE
ESTATE
GARDEN
GAZEBO
GLOVES
HIGH TEA

IDLE
LADY
LEAVES
MAID
PARASOL
POLITE
POUR
PROPER
QUIET

REFINED
REFRESH
RITE
SAUCER
SHRUBBERY
SILVER
SOCIETY
STEAM
STRAINER

SUGAR
TARTS
TEA SET
TEAPOT
TOAST
TRAY
VICAR
VICTORIAN
VISIT

```
P I H N I T Y N O M E R E C C Y D A L
L O T H O T R E S A U C E R B W F F R
F E L A I P S O I O Y M A E T S T T E
X H A I H R U A F V Q R H N F T I E V
T T S V T C E C O M C J E A S E S R L
P E R E E E J M N T O U O B X Q I N I
A E A A R S I R A V A C C B B F V O S
N L C P Y F E U I E I R G U E U G O C
I D I U O N E R Q M R C T S M Z R N R
H I V V I T X R E I H C T S U B A H E
C R B A I W P J P F B S T O H G E G S
F I R Z S E K A C T I U I E R B A R S
R T H I G H T E A G B N T T A I J R V
S E G H J N E D R A G G E L I S A O M
Q R V N I T P A R A S O L D E R E N A
L E S T A T E Y T E I C O S R R B T I
A O G L O V E S V P R O P E R U O P D
```

Riffling Through the History Book

AGE	ERA	PAGAN
ALLIANCE	FALL	PEACE
ANCIENT	FEUDAL	PLAGUE
ARABIA	FLOOD	POPE
ARMADA	FRANCE	PYRAMID
AZTEC	GREEK	QUEEN
BABYLONIA	HUNS	RISE
COLONY	IRON AGE	ROME
CULTURE	ITALY	SPAIN
DEVELOP	KING	SYSTEM
DYNASTY	LATIN	TREACHERY
EGYPT	LEVANT	TREATY
EMPEROR	MODERN	TSAR
EMPIRE	MYTH	VOLCANO
EPOCH	NAPOLEON	WAR

```
R L A L L I A N C E C A E P D E J Y D
I A Z E O P M N L E V A N T J E R U E
T G T B N Y P Y C C E M P E R O R A E
A E E T A R O C T I D P A G A N I W C
L H C N C A P U R H E J Y G B B S P F
Y C U X L M E L E S S N E I A R P W R
R O P E O I G T A Y I Y T R B A A E A
N P L F V D A U C S R T A M Y W I G N
L E R E L B N R H T G S G O L E N Y C
Q X A U L I O E E E R A N D O M Y P E
U T D D A T R I R M E N O E N P U T F
E S A A F N I C Y J E Y E R I I W R G
E N M L Y N O L O C K D L N A R N O H
N U R Y T A E R T M F G O R V E W M C
K H A L A T I N K P T X P L A G U E N
P O L E V E D A C L D R A S T G N I K
V Z N A I D O O L F T A N V E R A G X
```

Uncovering Ancient History

ANCIENT	FLINT	RUIN
ARTIFACT	GOLD	RUNE
BARROW	IMPLEMENT	SCRIPT
BRONZE	IRISH	SCROLL
BURIAL	IRON	SHIELD
CAIRN	KNIFE	STONE
CHALICE	MIDDEN	TABLET
CLASSIFY	MINOAN	TARA
CODEX	MOUND	TEL
COPPER	OBELISK	TEMPLE
CROWN	OGHAM	TOMB
CUNEIFORM	ORIGIN	TOTEM
DIG	POTTERY	TUMULI
DOLMEN	RINGS	VASE
DWELLING	ROSETTA	VIKING

```
R T M V A T T P I R C S B K N I F E U
Q C S I T N E V S C R O L L B R M J I
N A H K E I V L E C I L A H C E Y G R
E F I I M G A D B M A H G O T Y F O I
M I E N P I H D R A V N J O M R I L S
L T L G L R X O K A T E T C B E S D H
O R D D E O F T S R T D T O B T S A U
D A U U Z I V E I A N D E D T T A P B
I R O N E W C D L T E I Z E N O L T M
E D T N E O O W E R I M N X E P C N O
Z A U Z I R P E B O C P O X M X K I T
B C M U J R P L O S N L R D E M N L X
C R U K F A E L R E A C B G L I I F B
R I L U H B R I M T B A D J P N U U T
O N I P M O U N D T T I I V M O R B L
W G K H A U C G O A E R G H I A P M N
N S Q B U R I A L B L N S T O N E T P
```

A Life of Napoleon

ABDICATE	ELBA	MARRY
ARMY	EMPIRE	MOSCOW
ARREST	ESCAPE	OUTLAWED
BANISH	FAMILY	PARIS
BATTLE	FRANCE	PEACE
BEE	IMPERIAL	POWER
BELGIUM	JAFFA	PRISON
CAMPAIGN	JOSEPHINE	RHINE
COMMAND	KING	RISE
CONSUL	LEIPZIG	ST. HELENA
CORSICA	LEVIES	TRAFALGAR
COUP	LIGNY	TREATY
DEFEAT	MADRID	VIENNA
DIVORCE	MARCHED	WAR
EGYPT	MARENGO	WATERLOO

```
A R E W O P E Z Y R R A M U I G L E B
P B D A A L F R W L J K Y C S O E E I
H O L R B R E O I O I D I E W E S R Y
F Q I E A D C I S P N G I V B I A E E
A S R N T S I E P A M V N W R Y R P D
M A C D O A P C M Z E E D Y E A R A C
I E C M I H E M A L I E U C N X E C M
L C I I R O F I T W G R E M U S S A
Y G R N S C D M E A E O L A P N T E R
D E E A P R P A L D V E R R G J D A E
E G R H G E O T M I H C I I A C N Y N
E Y C S R L U C D T H S A F O N T J G
C P F I W O A G S E O P F U E A M G O
A T A N T F N F D N M A P I E Y M R A
E L R A W I W L A A A E V R R H I N E
P X U B K D Z L C R P H T C O N S U L
V U B A T T L E W A T E R L O O E P V
```

Frenchmen

ACHILLE	CHARLES	GABRIEL	JULES	MICHEL
ANATOLE	CLAUDE	GASTON	LEON	PAUL
ANDRE	DENIS	GEORGES	LOUIS	PIERRE
ANTOINE	EDOUARD	GUILLAUME	MARC	RAOUL
ARMAND	EMILE	GUY	MARCEL	RENAUD
BAPTISTE	ERNEST	HENRI	MARIE	RENE
BERNARD	ETIENNE	HONORE	MARION	SIMEON
CAMILLE	FELIX	JACQUES	MAURICE	VICTOR
CASIMIR	FRANCOIS	JEAN	MICHAUD	VIDAL

```
V O P X D R A N R E B E M A R C E L E
U F E E P E R R E I P L I G U Y G R V
P T H I K N O I R A M I C R B U O C B
G O V R E L L I M A C M H E I N S H D
P S M A R C E M I F U E E L O I E A U
D J I M B A P T I S T E L H N J L R A
G U A O N O E L I B L A X O R E U L H
G C A C C E I Z D E U U T M N W J E C
A E H N Q N D I A M N S A I S L T S I
F R O D E U A U E N A N O P I R S I M
V A M R R E R A G A T E E M L E N V
I O N A G A E S F L N T L H E E N E V
C U R D N E U N Z A C L O E O I R D I
T L H G R D S O E V I J L L N R E J D
O E P N A E J B D H E N R I E B L F A
R R I M I S A C C E F E L I X A L Z L
S I U O L F V A M A U R I C E G M R D
```

Men of Germany

ADOLPH	ERNST	HERMANN	LEOPOLD	RICHARD
ALBRECHT	FRANZ	HUGO	LUDWIG	RUDOLF
ALFRED	FRITZ	IGNAZ	MARIA	THEODOR
ARNOLD	GERHARD	JAKOB	MARTIN	ULRICH
AUGUST	GOTTLIEB	JOHANN	MAX	VIKTOR
BERNHARD	GUSTAV	JULIUS	OSKAR	WALDEMAR
BERTHOLD	HANS	KARL	OTHO	WILHELM
CHRISTIAN	HEINRICH	KASPAR	OTTO	WOLFGANG
CONRAD	HERBERT	KOLMAR	REINHARD	XAVER

```
X B H E J O B I B D F R I T Z M U P G
H N L R A K K E K E R E V A X L H D I
P N L N D L O N R A R Z Q U T E A A W
M A E S F K D A W T C N L T R H N R D
W M O T A E P O H H H R H H E L S N U
I R P Q R S L C R U I O F A B I F O L
A E O F A F E I G C W V L E R W L C O
U H L K G R S O H H A A I D E D O H R
G A D A B T F S V T P L L A H L D O O
U H N L I R U I S B T L R D I I U W D
S G A A A I K U O T H O O I E R R R O
T W N N L T G J O H A N N D C M A Z E
U E Z U O A J G Y B O K A J A H A M H
D J J R H C I R N I E H X Y N X A R T
L O S K A R A M L O K A A I B B F R D
G A M A R T I N V B M P E O T T O H D
R D R A H R E G W U P R Z A N G I J L
```

148

Operatic Stories

ACTION
ALTO
ARIA
BARITONE
BASS
BRUNHILDE
CHORUS
COMIC
COMPANY

COSTUME
DANCE
DEATH
DELUDE
DISGUISE
DUET
ELIXIR
ELOPE
FIGARO

FLIRT
FRENCH
GERMAN
GRAND
HERO
ITALIAN
LOUD
LOVE
MARRIAGE

MUSIC
OPERA
PITY
POPULAR
POTION
PRINCE
PRISON
PURITY
SAPPY

SOLO
SONG
SOPRANO
STAGE
TEARS
TENOR
TRAGEDY
TRICK
TRUTH

```
D U E T S T A G E J E E F R R O N E T
A R I A E I N A I L A T I I K J Y I O
H W P Y P V S Q C F U K G X D V A K E
G N O S N S O H W Y R J D I U Z F S C
N K P E A A O L D J D E C L O X O E N
A W U B D R P E H E Y R N E L L V P I
M O L M U U G M A O N T C C O G Z O R
R P A S G A L T O C N O I J H D M L P
E E R H R R H E I C S A E R I K I E Z
G R S T O M A M D T P N R S U W E Z H
P A A N N R O N U L O I G P T P G X T
R O P M O C A M D T I U T R O T A C U
I A P O I I E G I H I H I Y E S I T R
S L Y F T C T R I S E L N A W S R R T
O T D N C O A O E F F R R U U O R I K
N O N A A B X O P I M S O M R X A C J
P A P D A N C E Y G I O B C E B M K C
```

190

It Was a Dark and Stormy Night

BITE BLOOD CANDLE CARPATHIAN CASTLE CLOAK COACH COFFIN COURTYARD

CRAG DARK DAYLIGHT DEAD DRIVEN EVIL FEAR FIREPLACE GLOOMY

HOST ISOLATED LEGEND LIGHTNING LONELY LOST MOUNTAINS MOVIE NECK

NIGHT NOISE PLAGUE RATS ROMANIA SLAM SLEEP SPOOKY STORM

STORY SUPPER TALE TEETH TERROR THUNDER UNEASE VAMPIRE VICTIM

```
Q M I T C I V I J D H T F R J W H A T
H O S T A F F Q Y A M I E E D K W M R
M A L S V C I K D R B P S A A N N R O
H T E E T A O R T K P E Y O A R I O M
E X L V U O M S E U M L Z I L M G T A
B S G O P G O P S P I A H N E A H S N
C C A S N L A U I G L T W O L S T G I
M L C E A E K L H R A A R I D T P E A
E O I H N C L T P P E T C S N A W E D
L A D G E U O Y R B I T E E A R P T R
T K A N H D R A Y T R U O C C E X E H
S R A Y E T C S L E E P D Z I I D X B
A O E M V G N C R A G G I V M N R H L
C R D O I G E I N I F F O C U H I C O
C R A O L N L L N C P M V H E W V A O
P E E L Y R O T S G G I T T Y W E O D
A T D G E S N I A T N U O M O G N C P
```

191

Shirley Temple of Sunnybrook Farm

ADVENTURES	CHICK	FLOCK	JOYFUL	PURE
APPLES	CHILD	GINGHAM	LAMB	SAFE
ARRIVE	CLEAN	GIRL	LOVING	SIMPLE
ARTLESS	DIMPLE	GUILELESS	MEADOW	SMALL
BARN	DISCOVERY	HEART	NAIVE	SPUNKY
BRIGHT	EAGER	HELPFUL	NEWBORN	SWEET
BUGGY	FARM	HONEST	NOVEL	VILLAGE
CALF	FENCE	HORSE	ORCHARD	WIDE-EYED
CHEERY	FIELD	INNOCENT	ORPHAN	YOUNG

```
I K C O L F N Y K N U P S G N U O Y H
J I F N E Y K Y I C L E A N A I V E E
E Y E R F H K N H U D E Y E E D I W A
S T N O A D N I F G U I L E L E S S R
R E C B S O C P F S A L C A Y H D I T
O E E W C K L A I D U O R A O Y I P K
H W D E H E R M V F J R R N L J M F B
S S N N H M P E Y B I H E C Y F P B G
S T N O O L N O Z V B S M R H Y L O E
E W E G E T J G E M T R E E G A E K C
L Q A O U E G A L L I V I G A M R H Z
T O G R B G J Y L A O O U G A D I D H
R K E P M N G X R C P B E H H L O V F
A S R H A I D I S E O P G W D T U W I
W I U A L V G I R H E N L L E V O N E
X W P N C O D D V L I H I E B A R N L
X C P T L L A M S G Y W C K S B K O D
```

Voices from the Menagerie

ARF	CAW	GROWL	MEOW	SQUAWK
BAA	CHATTER	GRUNT	MOO	TRILL
BARK	CHEEP	HARUMPH	NEIGH	TRUMPET
BELLOW	CHIRP	HEEHAW	OINK	TWEET
BLEAT	CLICK	HISS	PEEP	WHISTLE
BRAY	CLUCK	HONK	QUACK	WHOOP
BUZZ	CUCKOO	HOOT	ROAR	YAP
CACKLE	DRONE	HOWL	SCREECH	YELP
CATERWAUL	GOBBLE	HUM	SNARL	YOWL

```
E  W  V  E  C  Y  A  H  B  M  S  K  N  O  H  K  M  C  Z
O  I  O  M  A  O  I  Y  O  C  J  N  W  Q  P  O  A  V  J
J  L  F  P  W  S  E  B  A  R  K  Z  A  E  O  E  V  A  L
D  Y  R  T  S  L  A  J  Y  O  P  Z  A  R  T  A  E  L  B
W  O  A  C  P  C  A  C  K  L  E  U  F  W  L  X  O  H  I
H  W  K  C  A  U  Q  J  D  H  C  B  A  K  W  J  O  C  C
E  L  B  B  O  G  D  Y  P  L  N  H  N  C  A  K  K  E  W
B  A  M  X  N  G  A  M  U  L  E  P  O  I  C  W  C  E  H
B  E  X  P  R  R  U  C  U  E  R  E  I  L  K  A  U  R  O
T  C  L  O  B  R  K  A  H  O  R  E  N  C  T  U  C  C  O
W  M  W  L  A  E  W  F  A  E  N  P  K  W  R  Q  H  S  P
E  L  I  H  O  R  L  R  T  O  A  D  E  N  U  S  T  K  H
E  N  Y  W  E  W  W  T  R  N  E  I  G  H  M  W  R  F  U
T  H  P  T  Z  G  A  D  S  T  N  U  R  G  P  U  I  W  M
B  A  A  U  P  H  G  D  V  I  Z  J  L  X  E  U  L  O  H
P  C  D  D  C  T  L  W  O  H  H  M  F  Q  T  B  L  E  N
C  H  I  R  P  X  E  H  O  O  T  W  B  V  Z  B  Y  M  D
```

Adventure on Television

BANACEK	DRAGNET	KHAN	MEDIC	SHANE
BOONE	FLIPPER	KOJAK	NAKIA	SHOGUN
BRANDED	GRIFF	KUNG FU	NICKOLS	SIERRA
BRONK	GUN SHY	LANCER	PRIMUS	SKY KING
CODE R	HAGEN	LAREDO	QUINCY	STARLOST
COMBAT	HONDO	LASSIE	RAWHIDE	T.H.E. CAT
CONVOY	HUNTER	LEGMEN	RIN TIN TIN	THE D.A.
DECOY	IRONSIDE	MANNIX	RIPCORD	THE REBEL
DESTRY	IVANHOE	MAVERICK	SHAFT	TOMA

```
T S B O O N E D F W S E R X N E G A H
O H O M K I D C E K D T E E I A U V C
D O E P O C E W R C C E A N T N A P I
E G D D J K S B T E O I D R E N N A D
R U N E A O T R A T P Y R N L M U A E
A N O I K L R O C B F P Z E A O G H M
L D L R T S Y N E I V A I Y V R S E E
C R Y E N N R K H G E W H L Q A B T L
O A O D S U I H T D T S Q S F E M O T
M W V O X I O T I N N S K Y K I N G O
B H N C E N E S N U A P L A S S I E M
A I O S D O N R G I R K Q U I N C Y A
T D C O H O V R R I R F I L A N C E R
T E C N R A I W M A I D R A G N E T N
F V A I G F N U O X K U N G F U Z A Q
R V N Y F R S E L E B E R E H T H Z K
I D R O C P I R K E C A N A B K E E C
```

Tonight on the News

AFFAIRS	FACT	ITEM	POLITICS	STATE
ANCHOR	FALLACY	LAW	PUBLIC	STORY
CAMERA	FAMINE	LOCAL	QUIP	TAPE
CHANNEL	FILM	LOOKS	REPORT	TEAM
CONGRESS	FIRES	MAKE-UP	RUMOR	TELEVISION
COURTS	FLOOD	NATIONAL	SHOW	TELL
DATELINE	HEARSAY	NETWORK	SINCERE	TRUTH
DESK	HUMOR	NEWS	SLANT	WAR
DISASTER	IMPART	PESTILENCE	SPORTS	WEATHER

```
L T C A F K U S Q M E T I S T A T E X
L T G P S Y L M D D I S A S T E R N W
E F R E U A C O L A O W M A E T V O G
T I D A N E O A H I E W P N S J P I H
L R L T P L K T L A F C I F W N J S J
O E L E F M U A T L I M A O E N J I X
O S N I N R I H M L A N L P N E F V S
K L D R T N E Z B F C F E L B T E E C
S U A O E R A U H H W S A X S W P L I
Y L T W R P P H O E T C S R H O A E T
S A E T E G O R C I O O I E C R T T I
T N L S C M R R L L S A R A R K D D L
R O I T N E N E T T F O M H U G S A O
U I N O I T N P R F M E K Y M H N X P
O T E R S C I O A U R Q G L O K H O E
C A U Y E U P A H A P D I W R F O F C
G N A C Q S B D Y A S R A E H R A W J
```

Looking for Laughs?

ALICE	FLO	MARGIE
ANGIE	F TROOP	MAUDE
ARNIE	GET SMART	MISTER ED
BEULAH	GIDGET	NANCY
BEWITCHED	GLYNIS	NORBY
BILLY	GRADY	PHYLLIS
BLONDIE	GRINDL	POPI
CHEERS	HANK	QUARK
CLAUDIA	HAZEL	RANGO
CONDO	HENNESY	REGGIE
DIANA	JAMIE	RHODA
DOC	JULIA	SALLY
DOROTHY	M*A*S*H*	SALTY
FAY	MAGGIE	SOAP
FISH	MAMA	TOPPER

```
K S I N Y L G Q O T O P P E R E A C F
T N R H O D A J N B E U L A H O Y O Y
E A A Z L Y L D N I R G H L R G H N B
G A I H O A O G N A R R A P E C T F R
D M B L O N D I E K X I H T D G O J O
I A B G R E G G I E L Y S A R S R I N
G M Z E Y T L A S U L M H K R A O Q V
S P V E W R A A J L A S E E L O D D A
A H O G I I H O I R A E E I B H E W O
L A I O D G T S T M E H C I G R S D X
L Z T U R E N C F E C E L P E R N I Q
Y E A Q I T K A H M I L E T N O A Q F
A L G N U G F T P E Y G S D C A F M C
C J R S O A P P C O D I G P I L N C T
T A A O R E I M A J M X Y A O A L C D
H T D H E N N E S Y E D U A M P N Y Y
J D Y A Y D Q P Q U A R K B F J I A Q
```

155

Television Detectives

ACTION	FILM	SEGMENT
AMBUSH	FIST	SERIES
BEAUTY	HANDSOME	SET
CAMEO	HERO	SKID
CAMERA	LIGHTING	SPEED
CAPTURE	LINES	STAR
CARS	LOCATION	SURPRISE
CASTING	OUTWIT	TAKE
CROOKS	PRODUCTION	TALL
DETECTIVE	REHEARSE	TANNED
DIRECTOR	RETAKE	TIMING
ENDING	ROLE	TITLE
EPISODE	ROMANCE	VIDEO
EXPLOSION	SCENE	WALK-ON
FIGHT	SCRIPT	WARDROBE

```
E G S E N I L R A T S N E N D I N G H
K I X E X P L O S I O N F I L M I U P
A O E M A C D D D N E S R A E H E R O
T T U P W T A E E R O M A N C E P H Y
E P G L D I U D E T N K T A L L N D T
R I S G P M N O P V E T L E Y O L I U
S R E N C I O S S G I C S A I B P K A
E C I I A N I I F T N I T T W O X S E
T S R T M G T P L R R I C I E R W E B
I F E H E T C E Q P R U T D V I A G F
W G S G R L A E R O D U I S A E R M I
T M J I A D R U T O K V E S A U D E G
U C M L E U S C R O O K S C T C R N H
O Y I N T R E P F I S T W E A M O T T
X G N P A R X H S U B M A N K U B W Z
I A A C I H A N D S O M E E E I E U T
T C Y D Q E L O R V L O C A T I O N W
```

All Around Australia

AGNEW
AYR
BIRDUM
BROOME
BURRA
CAIRNS
CLARE
COLONA
COOK

DARWIN
DONGARA
ELLIOT
EYRE
FINKE
FORBES
FOSTER
GYMPIE
KAJABBI

KEITH
KIMBA
LORNE
LOUTH
LOXTON
MOONTA
MOORA
MOREE
MURGON

ONSLOW
OOLDEA
PENOLA
SYDNEY
TALGOO
TANAMI
TEA TREE
TILPA
TULLY

UAROO
WAGIN
WALLAROO
WEIPA
WILUNA
WINTON
YARRAM
YORK
YOUNG

```
A  K  C  F  J  F  T  A  N  A  M  I  T  V  M  O  R  E  E
V  W  E  N  G  A  E  E  Q  D  O  N  S  L  O  W  Z  D  J
M  Q  T  A  K  E  J  M  N  K  L  C  O  A  N  U  L  I  W
L  N  F  O  B  T  I  O  O  Y  A  O  B  U  R  R  A  T  W
O  F  O  A  O  M  G  P  I  O  R  J  E  W  T  C  F  H  I
R  C  O  I  R  R  I  F  M  A  R  A  A  R  J  H  O  T  N
N  H  L  R  U  O  I  K  L  Y  T  B  M  B  Y  A  S  U  T
E  L  D  M  B  N  O  L  K  N  G  V  Z  B  B  E  T  O  O
E  O  E  L  K  E  A  M  O  M  U  D  R  I  B  I  E  L  N
N  O  A  E  E  W  S  O  E  E  R  T  A  E  T  N  R  B  Y
I  G  K  B  Q  T  M  N  A  H  Y  U  C  S  A  R  Y  A  O
G  L  Z  R  I  Z  I  S  T  O  E  L  O  Y  R  P  R  Y  R
A  A  Y  L  N  W  N  I  U  R  I  L  L  D  A  U  I  V  K
W  T  P  I  R  R  E  N  A  M  B  Y  O  N  G  A  X  E  G
B  A  H  A  I  K  G  L  O  X  T  O  N  E  N  R  Z  B  W
R  Z  D  A  F  X  C  P  E  N  O  L  A  Y  O  O  E  L  W
C  N  C  U  C  I  L  M  A  R  R  A  Y  R  D  O  Q  V  A
```

Study the Map

BARRANCA	COUNTY	ICE CAP	PENINSULA	RIVER
BASIN	CREEK	ISLAND	PLAIN	SEA
BAY	DEGREE	ISTHMUS	PLAT	STATE
CANAL	DESERT	LAKE	PLATEAU	STRAIT
CHAIN	ELEVATION	LAND	POLDER	SWAMP
CHART	GEYSER	LATITUDE	PORT	TOWN
CITY	GLACIER	LONGITUDE	RANGE	TROPIC
CONTINENT	GULF	MEGALOPOLIS	REEF	WADI
COUNTRY	HAMLET	OCEAN	REGION	WASH

```
F I K U T M L C O U N T Y I L E N U P
I Z E P E L E V A T I O N E C P I F H
S T R O P I C G X N A E C O Q A S V I
T O E P M A W S A D E S E R T C A N L
H U I L Y T I C W L L G Y H A E B Q G
M V C T N E N I T N O C X N L C R R B
U I A Y M W W P A X R P I O P I Y E A
S S L J E A P Y E L C A O E U R G D R
F L G Q S K H L A N L A D L T U O L R
E A C H K A A T A P I U N N I G C O A
E N Z H M C I L R T T N U A U S D P N
R D F L A T H E R I E O S R L E W X C
T F E Y U R G A G E C A E U G G P I A
X T L D U I T N I Y S V U R L N D M G
M H E U O D O S A N I Y E V L A N D C
T O W N G L E B D R I E E B W R U Y T
E T A T S A T I A R T S N G K E E R C
```

Postcards from the Jet Set

ACCRA
ALGIERS
ATHENS
BELIZE
BERLIN
BOGOTA
BREMEN
CAIRO
CARACAS

CAYENNE
CORK
COZUMEL
DELHI
DENMARK
DJIBOUTI
GOA
HELSINKI
IBIZA

ICELAND
JUNEAU
KABUL
KARACHI
LAGOS
LA PAZ
LYON
MADRAS
MALMO

MILAN
MONTREAL
NASSAU
OSLO
PARIS
QUITO
RIO
RIYADH
ROME

SANTIAGO
SHIRAZ
SINGAPORE
STANLEY
TROMSO
TUNIS
VIENNA
WARSAW
ZAGREB

```
S B S R K X B M M K B U U M I L A N B
T E R I Q J A R A D N A L E C I A O G
A R I T N L H R E B L O H O S M O R T
N L Y H M G A Z O M S U L E M U Z O C
L I A O E C A G A L E V M I P D P N D
E N D I H D O P O R H N S T A O C H E
Y L H I N T S B O L I O J U R T E T L
A E X M A L I E C R G H Z O I L O C H
M U A S S A N L Y A E O S B S A G W I
T O Z N L P U I L R R C G I N Z A A A
W F N A Z A T Z U I T A N J O I I T N
U A U T G Z V E A O M K C D Y B T H N
P E R A R R F C O T I U Q A L I N E E
D M D S E E E K R A M N E D S X A N I
Y O M L A N A B E N N E Y A C O S S V
A R C C A W U L U F L S R E I G L A B
L U B A K P I J V M A D R A S K R O C
```

Hitch a Ride!

BI-PLANE   CONVOY   GONDOLA   LIMO   SAIL

BIKE   COUPE   HACKNEY   LLAMA   SEDAN

BUS   CRUISE   HANSOM   MOTOR   STEAM

CAB   DHOW   HELICOPTER   MULE   TAXI

CAMEL   DOG SLED   JALOPY   PALANQUIN   TRAIN

CANOE   ELEPHANT   JET   PLANE   TRAVEL

CAR   FIACRE   JITNEY   PULLMAN   TROLLEY

CARAVAN   FREIGHTER   JOURNEY   RICKSHAW   VAN

CARRIAGE   GOCART   JUNKET   SAFARI   YAK

```
N I A R T O W K B A C W O H D X P M C
E R I J N A D E S C R U I S E V U N X
L B D R R G I X A T N A H P E L E I X
J E Y E A E T T R O L L E Y E B K S W
V P M E L F T X L C A R R I A G E T N
M L A A N S A P L A N E S U B D D E A
A O T L C T G S O K Y E N R U O J A V
O H S R A B I O E C E R C A I F F M A
C O A N A N I J D H I A C O U P E L R
A L L C A V Q P N A M L L U P H O E A
N P K I K H E U L E Y V E S Z D R Y C
O N Z W M N R L I A A J A H N T O P P
E M N D G O E P K N N I E O L R T O G
Y Y O V N O C Y T O L E G T L A O L R
E E K I B D T E K N U J C O A C M A F
A Q H R I C K S H A W H A A M O I J R
U K A Y F R E I G H T E R Q A G E Z W
```

Geometrically Speaking

ANGLE	ELEMENT	LOCUS	POINT	SPACE
AREA	ELLIPSE	MASS	POLES	SPHERE
CIRCLE	EQUATION	MATH	POLYGON	SPIRAL
CO-ORDINATE	FRUSTUM	NOTATION	RANGE	SQUARE
CONE	GEODESY	ORDER	RATIO	STRAIGHT
CUBE	GRAPH	PARABOLA	RECTANGLE	SURFACE
CURVE	HYPERBOLA	PARALLEL	RULER	THEOREM
CYLINDER	INFINITY	PENCILS	SEGMENT	TRIANGLE
DUAL	LINE	PLANE	SHAPE	VOLUME

```
D J P O I N T R I A N G L E A N G L E
A I S L I C N E P D O P L A N E Q D X
L P O L Y G O N X U N E V R U C P B B
O M Q V Z A E R A Y M U T S U R F D R
B S H A P E Q U A T I O N C U B E E E
R G E O D E S Y I N F I N I T Y C M L
E C O N E S G R A P H E D R I T U E C
P S H J P T L E N J R O T K A L C H R
Y D P I B O A O L E P S O N O A T P I
H U R A C R T N H L Q O G V F A H A C
B A L U C A A P I U I L L R M T E R A
L L S M T E S N A D E P U E N R O A F
C Y L I N D E R G X R S S E S I R B R
I R O H D J E H V E B O M E T W E O E
E N I L E L L A R A P G O A W C M L L
H L Z E L E M E N T E O R C X U N A U
Y R E D R O R M A S S T R A I G H T R
```

Physics: The Transfer of Heat

ABSORB	ELECTRO-	FIRE	LAWS	RISE
BTU	ELECTRON	FLOW	LOSS	SOLID
CELSIUS	EMIT	GAIN	MAGNETIC	SPEED
COLD	ENERGY	GAS	MASS	THERMAL
CONDUCT	EQUATION	GRADIENT	MATERIAL	TRANSFER
COOL	EXCHANGE	HEAT	MOLECULE	UNIT
CURRENT	FACTOR	ICE	RADIATE	VIBRATE
DEGREE	FARENHEIT	INSULATE	RATE	WARMTH
DENSITY	FIGURE	KELVIN	RESISTANCE	WAVES

```
V I R E N E R G Y E T A I D A R L T E
T U W A V E S T R A N S F E R D I L C
N I V L E K R H A S S O L P L M E E T
V X I Q I I C E X C H A N G E C L V E
G I K L E L U C E L O M X U T S N Q R
F T B B R O S B A Z M T T R I I U V A
D H F R T E T A R A E B O U A A L E W
E E L O A V M F G T E N S G T F C F A
N R O E C T A N I L R K T I L N C I R
S M W O F C E N E C G I O A A O D G M
I A O I T T S C T T E N I T N I H U T
T L R O I U T N A H D R S D L C C R H
Y E R C L R E E N C E I U O S B V E T
T O E A O R H E O T S C S T S L A W S
Q S T S R W R L A E T I N U A M T W P
V E A U I A D M R S P E E D M B G O G
H E C G F R O T N E I D A R G U W K F
```

Double Vowels

AARE	CREEL	FREED	LOONY	SPEED
BEE	DEEP	GLEE	MOO	SWEEP
BLOOPER	DOOR	GOON	MOON	SWOON
BOOK	DROOL	GOOP	PEEK	TOOTH
BREEZE	DROOP	HEEL	RACCOON	TROOP
BURGOO	EQUUS	HOOT	REEL	VACUUM
COOL	EXCEED	KNEE	SEEP	WEE
COOP	FEED	LOO	SKIING	WHOOP
CREEK	FEES	LOOM	SOOTHE	ZOO

```
M S Z K Q M M C G P Q I R E E L G O M
F W X O R U R O M X J F C R E E K F M
U E C O B G H E O J D E R D N O O W S
N E O U N C Z T P L O R B E B E E B K
X P F I S L S O O O U A E O E E C D T
F N I G V P P E O O O A O E Z D E E F
F K L N M K E L E E T L D B L M O E R
S B C N O M E E L F H R B F G G O C M
P T X E U O K E D O O T E Y L Y G X A
E W R U I Y M O P O O E O E Q T R E L
E H C O K C O O P N N R Z O Q D U C O
D A Y N O R X N G K N P D E S U B L O
V B G N A P R A C C O O N L E A U I C
F W O R O E O V B I H O E K E R S S N
J C M O L O P O O G E H E G Q E B N O
H O O T K A L Q M E E W W U E D R K O
N N R O C U P J X H L H R P Z V D C G
```

R You Ready?

RAGE	RECKLESS	RIBALD	RIPE	ROW
RAIL	REFER	RIBBON	RISE	RUBBER
RAJAH	REIVER	RICK	RITARD	RUCHE
RAMMED	REQUIRE	RIDDLE	RIVEN	RUE
RAPID	RET	RIFE	ROGHT	RULE
RATE	RETURN	RIGOR	ROLL	RUNE
RATTY	RHEUMY	RILED	ROPES	RUSE
RAZE	RHYME	RIME	ROSY	RUT
REASON	RHYS	RIND	ROVER	RUTHLESS

```
N J S G N Q N L I A R E V O R L L I M
D D S R U B B E R E M I R X N W C P L
R E E P I S E P O R Y T T A R K E J E
A M L E E U R A J A H A Q F R H J W E
T M H T E S U R R R E U R O C B Z U R
I A T A X A I R E E X Z W U R P D B I
R R U R D G O Q V L T D R E F E T R P
C I R R O T U R M D T U F D L D H G E
R S N R E I V C R D Z E R I J N G B H
U E S E R A O R O I R M R N Y I O K L
L A R E G H S F H R I E M Y H R R P F
E M N I L A Y O X E P G K R N E N U R
D C R R B K R S N Y U C A O N Y X A G
I D E O R A C O G L I M B S E R Z Y Q
P J M I L C L E X R N B Y Y V E E Y P
A P F G V L R D R N I Y I J I N F T J
R E R E I V E R B R J N V J R Y Q C M
```

164

Folk Festival!

AMPLIFIER	EMCEE	MUSIC
APPLAUSE	FAIR	PERFORMANCE
ART	FESTIVAL	PLAY
BANDS	FIDDLE	POPCORN
BANJO	FOLK	QUEUE
BANNER	FOOD	REST
BASS	FUN	SHOW
BOOTH	GROUNDS	SKIT
CANDY	GUITAR	SNACKS
CONCESSION	HAWKER	SOUVENIR
COUNTRY	ICE CREAM	STAGE
CRAFTS	LOOK	TENT
CROWDS	MANDOLIN	TUNE
DANCE	MIKE	WANDER
DISPLAY	MIME	WORKSHOP

```
T B R I N E V U O S M A N D O L I N M
N L A Y B W O R K S H O P S H O W I Q
A U O N U T P P H T O O B J W P K C S
P S F O N L S A P P L A U S E E I A K
E E D R K E N E C A L A V I T S E F C
P O R N E J R O R F O D I S P L A Y A
R I A F A D S K I A M P L I F I E R N
T Z V X O B N S F S X B S T F A R C S
H S D W O R C A A J S Z H Q U E U E O
Y D N A C S M A W B N E I G U I T A R
E E C N A D D A M A E R C E C I F T U
E G A T S U U N N T I K S N F M O E F
P N R O C P O P U C A R T O O Z L N Q
V L Q O J N A B E O E Q O Q J C K T J
V P A E F I D D L E R D C O U N T R Y
B O P Y Y E M I M O M G M U S I C L G
X E E C M E H A W K E R J E N U T Y O
```

Put a Quarter in the Jukebox

BEATLES	NRBQ	SEEGER
CAFE	NUGENT	SELECTION
CASH	NUMBER	SHA NA NA
CHOICE	PARTON	SHIRELLES
COODER	PERSUASIONS	SIDE
COUNTRY	POP	SIMON
EAGLES	PRESLEY	STAR
FACES	QUARTER	STONES
FLOYD	RECORD	SWING
JUKEBOX	RESTAURANT	WEAVERS
KINKS	RITTER	WINWOOD
KISS	ROCK	WONDER
LETTER	ROXY	WYNETTE
MUSIC	RUNDGREN	YES
NAME	SCAGGS	YOUNG

```
Y O G N U O Y D O O W N I W B C A F E
Q L E T N E G U N V J T S P I G D K C
J E A T E P E M A N F H R S Y S C A O
G T G Z C S O Z L L I U E X R O S Q O
X T L T I I D P O R W L O E R H B G D
S E E C O M B Y E O E R V J P R B O E
C R S S H O D L N C Y A U E N I E N R
A K R T C N L D T S E K R T T A W G
G S A O S E E I E W E S P N K T T Y A
G H T N S R O E J B U A Q A P E L N G
S A S E I N G V O A R U R R S R E E Y
E N C S K E G X S T A E E U E S S T R
D A I K R D J I O R C S F A C E Z T T
I N S N M P O N T O L C N T A Y Q E N
S A U I A N R E R E V H B S F C T Z U
Y F M K S F R D Y N U M B E R W V Q O
F S W I N G W J R U N D G R E N B C C
```

Mind the Thorns

APPLE	HOLLY	RUGOSA
ASH	HOOK	SAGUARO
BARB	LOCUST	SHARP
BARREL	MANROOT	SLOE
BRAMBLE	NEEDLE	SPIKE
BRIAR	NETTLE	SPINY
BRISTLE	NOPALE	SPRUCE
BURR	OCOTILLO	SPUR
CACTUS	PEAR	STICKER
CALTROP	PIKE	STING
CHOLLA	POINT	TEASEL
CLAW	PRICKLY	THISTLE
DEWBERRY	PRONG	THORN
FANG	QUILL	TINE
HAWTHORN	ROSE	YAQUI

```
N I Z D T E A S E L O K V R Y L L O H
R E S O R I E P O I N T D Y A Q U I A
O J G H D E S N O G C E R A E P G T R
H Y O A L L R B A R W C A C T U S R A
T O I L O O O M R B T P E K I P B O I
K B I E H A A R E I R L L O N N C R R
Y U Y T V N C R A A S O A E V O U Y B
Q X W H R H R S H U C T E C T P N E Y
I A M O O Y O S K U G D L I S I L F E
H T O L P G M T S B L A L E P B A U L
N T L Z U G H T N E L L S S M N P E A
K A Y R N I G E R C O H F A G H E K P
C Q Q O S N T R L I S U R H E T B I O
X O R T I T U A A A M B R N L I R P N
Z P L T L B W O Y L K C I R P N A S A
R E S E F U S T I C K E R D P E B A X
E C U R P S B A R R E L Z H A O Y Y P
```

Low Plants in the Background

ANEMONE	CRESS	IVESIA	MONTIA	SANICLE
ARNICA	DRABA	LAYIA	MOSS	SEDUM
AVENS	DUDLEYA	LEWISIA	NAMA	SORREL
BISTORT	ELMERA	LICHEN	PHACELIA	SPURRY
BUCKBEAN	FERN	LOTUS	PHLOX	TRILLIUM
CALICO	GENTIAN	LOVAGE	PINE-DROP	VERBENA
CENTAURY	GILIA	MINT	PINK	VINCA
CHIA	GINGER	MITELLA	PUCCOON	VIOLET
CLOVER	HENBIT	MONESES	RUE	YAMPAH

```
V J T R I L L I U M O Y G B P N Y G T
P Y R R U P S O O B K A N H M U D E S
C J U E P V C U S R I N A Z S N E V A
E E N H N I J A T T E C G E N T I A N
O L L A L O N C N O E V L I C H E N I
P O M A E I M O E L L A O N L N A R A
X I C E C B M E I N R L Y L R B X E B
Z Y N L R M K A N N T H E E C E W G A
H A E E I A S C I A M A K W L I F N R
U M M N D O H C U P E V U T I D B I D
L P T O R R A E U B C W E R T S U G A
O A I R N E O C N R D L C R Y K I D M
V H E V S E C P E B O H O V B M N A A
A L V S E O S S Y I I T E C I E I I N
G Y O D O S S E V A S T H B X N N C P
E M R N H J I O S I A G I L I A C A G
H W L A Y I A A B N Q M I T E L L A F
```

168

Tall Timber Around the World

ALDER	CAROB	ELM	MADRONE	POPLAR
ASH	CEDAR	FIR	MAHOGANY	QUEBRACHO
ASPEN	CHESTNUT	GINGKO	MAPLE	REDWOOD
BANYAN	CHICLE	GUM	MONKEY	SILK
BASSWOOD	CORK	HEMLOCK	OAK	SPRUCE
BEECH	COTTONWOOD	HICKORY	PADAUK	TEAK
BIRCH	CYPRESS	LAUREL	PALM	WALNUT
BUCKEYE	DEODAR	LINDEN	PINE	WILLOW
CAMPHOR	EBONY	LOCUST	PLANE	YEW

```
E I C Y N A G O H A M C X K L I S V O
N Q Y D C V X H Z B H B K M A P L E V
A S P E N Y I H A I E O A I C Z Y M E
T W Z E E C C S C V X R E C N R T N M
D A L W K R S L W D W A T B E U E Y U
X M N O I W E Q O A C C L D N D L N G
M L R B O G D O U O N O L T N W W O P
A Y R O F E W H T E C A S I K A B B W
D A D H O D N T K U B E L A O L N E O
R W S D E A O C S U H R O K G N I G L
O A A R Y N O T C C P B A A T U F F L
N R X N W L G K V O B E E C H T Q A I
E V A O M P E S P R U C E O H W C W W
M B O E I Y Q L S S E R P Y C O I A K
L D H N E L A U R E L G P L A N E E R
A C E D A R P A D A U K M O N K E Y O
P Z R I F M C A M P H O R Y Q T V V C
```

215

Better and Better

ADVANCE
AGE
AID
ALTER
AMEND
ASSIST
BENEFIT
BETTER
CHANGE

CORRECT
DEVELOP
DOCTOR
EDIT
EMEND
ENHANCE
ENRICH
FORWARD
FOSTER

FURTHER
HEAL
HELP
IMPROVE
INNOVATE
LIFT
MELLOW
MEND
MODIFY

MODULATE
POLISH
PROFIT
PROGRESS
PROMOTE
PURIFY
RAISE
RECLAIM
RECOVER

RECTIFY
REFINE
REFORM
RELIEVE
REPAIR
RESOLVE
REVISE
UPLIFT
VARY

```
B K M O D I F Y A I D R F H A L T E R
M R G U E B E T T E R O D E I J T O W
I G E N R I C H T E E T N A T F E T D
A E T A V O N N I V S C E L I N W C U
L E S I V E R Y T O O O M L I O M J P
C W M E S I A R S R L D P F L R O P O
E E N H A N C E I P V U E L T E D R L
R T E G N A H C S M E R E K R H U O E
E T O M O R P U S I V M A E K T L G V
F B E N E F I T A B E D V Y D R A R E
P T I C O R R E C T V O F R P U T E D
O B R E P A I R C A C I A E R F E S D
L F O S T E R V N E R W Y L O T F S N
I M R O F E R C R U R Z T I F W P V E
S P E D I T E N P O A A Z E I A W A M
H E G A N D V T F I L C M V T X R R A
H E L P R E C T I F Y E M E N D H Y Z
```

170

An Inventor's Outlook

ADD	CONTRIVE	ESSAY	IDEA	REJECT
ADJUST	CREATE	EXAMINE	INVENT	RESULT
ANALYZE	CRITERIA	EXPERIMENT	MAKE	RETRY
ANGLE	DESIGN	FASHION	MEASURE	SCRAP
ATTEMPT	DEVISE	FIGURE	MOLD	SUBTRACT
BUILD	DIAGRAM	FORGE	MOVE	TEST
CHECK	DISCARD	FORM	OUTLINE	TRIAL
CONCEIVE	EFFORT	FRAME	PLAN	TRY
CONCOCT	ENDEAVOR	HAMMER	REFIGURE	WORK

```
L E K A M T N E V N I L N G I S E D U
E T E S T C R I T E R I A F V X I K Q
R A S U B T R A C T L M Z H P N J T W
U E E U Z A E N I M A X E E R E T R Y
S B M D J G D D I E E T R L E V O M C
A E Y M I D I D V G Q I E Z Y L A N A
E S D D A S A I R C M B C E R E V E W
M I B I C H E O R E N H R W T V I R O
A V E A A C F E N L E E O V R I A U R
N E R N N G F T R C F L V C I R H G K
G D T O I I R E K F R F A O A T T I E
L E C P G L J A O J E A E N L N W F T
E P F U M E T R M M S S D C F O M D A
F S R R C E T U O E U H N O N C L N E
O E S T A A T L O F L I E C W I A O R
R V I A R M D T R Y T O D T U L R N C
M V U O Y G E C A O V N N B P A R C S
```

217

171

The Astaire Touch

ACT
BALLROOM
CHA-CHA
CHIFFON
CHOREOGRAPH
CONGA
COSTUME
DANCER
FLING

FOX TROT
FRED
GAVOTTE
GINGER
GRACE
JIG
JITTERBUG
LINDY
MAMBO

MASTER
MAXIXE
MINUET
MOVIES
PARTNER
PARTS
PAVANE
POLISHED
POLKA

POLONAISE
PRACTICE
PROLIFIC
REEL
REHEARSE
ROLE
RUMBA
SAMBA
SEQUENCE

STAGE
STAR
STEPS
STUDIO
TANGO
TAP
TUXEDO
TWO-STEP
WALTZ

```
A U E C N E U Q E S T A G E S P F A R
R D N E D S Q C P Y P Z A R E T P A O
E E Q T E T Y M H A M K T T A A A V T
T M C T S R Z A T O L Y S L V C A R E
S U H O R A O X G O R O D A A H E G U
A T I V A P I I P N W E N N C W F N N
M S F A E R D X E T O E O A I A R I I
X O F G H A U E A J A C H G S L E L M
T C O R E C T F I B J C P A R A D F R
P O N E R T S G M M O V I E S A M K K
D R X E E I G U B R E T T I J U P B M
A A O L G C R A B A L L R O O M Q H A
N T U L N E K A F O X T R O T J P Q M
C P A C I M A D E H S I L O P M L L B
E J C N G F E B B C H P A R T N E R O
R D T K G Z I E S I A N O L O P K A P
S T E P S O I C R O L E R O D E X U T
```

Cinderella

BALLROOM	FIND	KNELL	PRETTY	SLAVE
BRIDE	FINERY	LOSE	PRINCE	SLIPPER
CLOCK	FLEE	MAGIC	RATS	SMALL
COACH	FOOTMEN	MAID	RESCUE	STEPMOTHER
DANCE	GLASS	MARRY	SCRUB	TIME
DAUGHTER	GODMOTHER	MIDNIGHT	SEARCH	TWELVE
DRESS	GOWN	MISTREAT	SEEK	WAND
ENCHANT	HANDSOME	MYSTERY	SERVANT	WEAR
FAIRY	HORSES	POOR	SISTERS	WINSOME

```
S M A I D Z S T E P M O T H E R E H O
C M N F D L G R R D N A W E S S M C P
R R L O I O B T E L V M S V O E O R R
U A L I W N N D L P O O E L L S S A E
B E A N X A D E A O P U E E G R N E T
B W M Y V M N T R U R I K W L O I S T
Q A S R R K I L H F G D L T A H W K Y
P C E R D E L S Z G O H R S S W H Q K
L S E E E A N S T E I O T E S T A A C
X R N H B M C I L R C N T E S R N E O
B E C T X D I Y F A E N D M R S D J L
M T H O O G G T R F V A I I E M S Q C
M S A M F Y A K E L E E T R M N O R A
A I N D E L M Y S T E R Y I P E M O L
R S T O W Q E L C T C O A C H P E O T
R O D G U J F E U U D A N C E Y O P E
Y Y C E D I R B E R A T S F A I R Y G
```

It's Down There Somewhere

BARREL	COBWEB	HEAP	MOVE	SHELF
BASEMENT	CRATE	HEAVE	ON TOP	SHIFT
BEETLE	DAMP	HEFT	OPEN	SORT
BEHIND	DARK	HUNT	PACKED	SPIDER
BESIDE	DIG	INSIDE	PEER	STACK
BOX	DIM	LIFT	PILE	STORAGE
CABINET	DOWNSTAIRS	LOOK	PILLAR	UNCOVER
CELLAR	DUST	MOLD	ROOT	UNDER
CEMENT	FOUNDATION	MOUSE	SEARCH	WEIGH

```
J Q D X K B P P F I H E G A R O T S M
V T N F H E E U K E F E T P T O O R O
D F I Z E E S T O T Y V P O O G R L
E I H R C D F A I F O N I O C T F E D
K H E J I K R T R D M L E E M L N V O
C S B S V C C Y Y J E H M M E N T O H
A W N E D H E A V E U E N H E Y J C C
P I J H Y Q L Y X N N M S Z N S J N R
B E W B O C L Q T T T S U D J L A U A
T X C A O F A O U Q E L T E E B I B E
D R A B M S R I A T S N W O D Z F F S
O E B P O M R C F O U N D A T I O N T
Y D I G W X A E D A D A R K H E A P T
J N N W E N L Z I S O R T D A M P K Q
Z U E K I E L H M C L E R R A B A A P
L P T J G P I S P I D E R B S T A C K
G O R W H O P B Y E N B M O U S E N K
```

Fabric at Work

AFGHAN	CURTAIN	PARACHUTE	SACK	SKIRT
BLANKET	DOILY	PARASOL	SAIL	SLIP
BLIND	DRAPE	PILLOW	SARI	SPREAD
BLOUSE	FABRIC	PLACEMAT	SCARF	TABLECLOTH
CLOTH	JACKET	POLYESTER	SERAPE	TOWEL
COAT	LAMPSHADE	PONCHO	SHAWL	TURBAN
COTTON	LINEN	QUILT	SHEET	UMBRELLA
COVER	MAT	RUG	SHIRT	WASHRAG
COZY	NAPKIN	RUNNER	SILK	WOOL

```
J P O L Y E S T E R N V D F D B N T H
N S I L K M A T N A P K I N J A E S X
O S E E O S H I R T T I C G B K K R D
T L P P E T U H C A R A P R N I U E O
T I A A C W K U B W L T U A R F L V I
O P R R H C M L A W A T L T S R D O L
C P A D A B E S A O O B Z X N A L C Y
M N S S R C H H C S H E E T I T I Q Q
H A O E L R S U O S J U P J A A H L C
H P L O A E D A H S P M A L T M T E O
W L T G F A B R I C U R R P R E O S Z
A H R R U G F F R A C S E G U C L U Y
D V E W O L L I P J W U S A C A C O Q
N P N L I R A S N A H G F A D L F L G
I O N O J A C K E T T O W E L P O B W
L Y U O W Q L Q U I L T H R F E U C J
B H R W P P O N C H O B D L I N E N X
```

Straight from Hollywood

ASYLUM	G-MEN	RAMONA
BATMAN	GEORDIE	RASCAL
BLOWOUT	GOLDIE	SIMBA
CAPRICE	GORGO	SUNNY
CARNIVAL	GREASE	SUZY
CASBAH	GUNN	TENSION
COMA	HARLOW	THE OMEN
DEAD END	LADDIE	TOP HAT
DUCK SOUP	LILIOM	TOPPER
ESCAPE	MAD LOVE	TREASON
EXODUS	MALAYA	VERTIGO
FEDORA	MIRANDA	WHIPSAW
FLUFFY	NANA	WICHITA
FRAMED	PAISA	WILSON
FURY	PSYCHO	ZAZA

```
L A J H S U D O X E C V G O L D I E Z
H W B D Y R U F T H E O M E N B U N L
Y E J M U N D C O M A R E P P O T O O
P O I W I C H I T A T A R O D E F S D
D C T D Y S K Y P Z M A L A Y A Z L E
Q E F A D N W S Z A N O I S N E T I P
Z P A R H A N H O U I E E A H B H W A
Z E H D A P L U I U S S I C N I I C C
G R B A E M O T S P P V A D I O A P S
R A A L B N E T R E S B E D R R M O E
E S T I O S D D V E A A Z R N O P A B
A C M L G X A O G S A H W I T A E A R
S A A I A M L C Y U A S V N I I R G C
E L N O Z D E L P R N A O G R O G I V
L P J M A U U N L T L N N N A N A O M
N L E M Z M P O J G F L U F F Y C I Z
P S Y C H O W T U O W O L B K Z G C M
```

Time Alone

ALONE	JOG	RESPITE
BREAK	KNIT	REST
BUILD	LULL	RETIRE
CALM	MEND	RETREAT
CHERISH	MUSE	RUN
CREATE	PAINT	SECLUDED
DRAW	PAUSE	SIESTA
DREAM	PEACE	SLEEP
DRIFT	PONDER	SOLITUDE
EASE	QUIET	SPIRIT
FREE	READ	STILL
HAVEN	REFRESH	STUDY
HOBBY	REJUVENATE	THINK
IDLE	RELAX	WALK
INTERVAL	REPOSE	WRITE

```
M  B  R  E  A  D  N  U  R  D  K  N  I  H  T  Y  L  F  R
Z  I  M  O  G  E  D  W  E  E  D  U  T  I  L  O  S  T  M
E  Q  F  W  E  R  L  D  O  Y  D  P  Z  E  Q  Z  K  Z  E
L  R  C  E  I  C  U  D  R  K  A  E  R  B  T  L  W  J  N
I  B  E  F  T  L  A  E  I  N  E  P  P  Q  A  A  A  X  D
A  W  T  F  C  I  S  E  H  I  G  T  A  W  F  R  E  E  E
T  M  L  E  R  A  R  S  P  T  X  E  I  U  D  C  M  R  I
E  M  S  A  E  E  I  W  A  G  T  P  H  P  S  R  A  N  C
I  E  A  D  V  R  S  I  V  A  C  R  A  A  S  E  A  L  H
U  S  Y  E  E  R  U  H  N  I  P  T  E  I  V  E  V  W  M
Q  O  W  H  R  S  E  E  H  E  A  S  I  T  N  E  R  K  N
K  P  C  M  I  D  V  T  E  O  M  L  T  R  R  T  N  B  D
P  E  V  E  F  U  J  L  N  H  B  U  O  U  I  E  I  H  L
I  R  S  Z  J  Y  S  Y  B  I  P  B  S  N  D  P  A  G  I
U  T  B  E  Z  S  T  I  L  L  M  E  Y  E  E  Y  S  T  U
A  Z  R  Z  C  T  S  E  R  L  U  L  L  A  C  G  O  J  B
X  D  T  B  X  A  L  E  R  I  T  E  R  R  E  D  N  O  P
```

This 'n That

THAMES	THERE	THILLER	THIS	THREW
THAN	THESE	THIMBLE	THOLE	THRIP
THANE	THESIS	THIN	THOMAS	THROUGH
THANK	THEWS	THINE	THONG	THUD
THATCH	THEY	THING	THOR	THUG
THAW	THIAMINE	THINK	THORN	THULE
THEN	THICK	THIRD	THORP	THUNK
THEOLOGY	THICKET	THIRST	THOSE	THUSLY
THERAPY	THIGH	THIRTY	THOU	THY

```
U Q B K D R I H T Q T H U L E K T Y T
Y J O X K C I H T U Z T H U D J H I H
C Y F G S V Y T H O R N X Y G R I K I
N L W W A U V H G U O R H T H O S E R
A S L P M E L B M I H T K N A H T D T
H U N K O D L S H Y P A R E H T Z R Y
T H I W H J I C Y H T H E S E N E H T
N T H D T S T T G T H I G H G F E Z
F J T Q E A F J H H O H T G Y K P L Z
B D W H H T T N I A I L I H N E U O Q
T T T T Q H V T L T M A O N O O H H I
A H H B R R H H L G H E M E E R H T Q
D E A I O E Y A E M K U S I H Z P T K
I W P W R W W N R T L Z N H N T F V N
X S C E D S V E H P B L W K G E H B I
C U X A F D T O T H I N G Q X X N P H
D A G U H T U B W E M T H I C K E T T
```

A Hullabaloo of H's

HABIT	HALO	HAUTEUR	HEDGE	HESSIAN
HACK	HALTER	HAVE	HEIR	HOT
HAD	HAMMER	HEAR	HELIX	HOUND
HAG	HAMSTER	HEART	HELLO	HOUR
HAGGIS	HAND	HEATH	HELP	HOUSE
HAGGLE	HANSOM	HEAVEN	HERE	HOVEL
HAIKU	HARM	HEAVY	HERMIT	HOWE
HAIL	HARNESS	HECKLE	HERO	HOWL
HAIR	HAUL	HECTOR	HERON	HYDRANT

```
T E T N H X K H A U L E T T E S U O H
C N V O D O H C F R X Y I P G H L H H
Y B H A D N W E A H I F B L J X A O O
U K I A H B A L D H T E A E J G L K V
H E C K L E Z H M G Z A H H G L S R E
N A X K M O S N A H E M E I E S A K L
T H R O T C E H Z P H R S H E E R H R
H E R N O F E V G B D A I N H U O E T
E A I Y H H E R M I T H R I O U L H H
S V A E L G G A H U B A K H N I E Y N
S Y H H A M S T E R H R E D A A D H Q
I F L E R E H F H L T R U H V R H O K
A F M R E T L A H E O T P E A U A W M
N Q G J P T J V Y N L Y N N T O G E H
H E R O G D H E A R T I T B L U D N J
U R P G Q N R E M M A H X A W T A T L
E F T M E N I K R N N R H B Y J C H G
```

At Work in the Library

ART	COLLECTION	LAW	PERUSE	RETURN
AUTHOR	DESK	LEND	POPULAR	SCAN
BINDING	FACTS	LIBRARY	READ	SECTION
BIOGRAPHY	FEE	LIST	RECORD	SHELF
BOOK	FICTION	LITERATURE	REFERENCE	STACKS
BORROW	FILM	LOAN	REGISTER	STORY
CARD	FINE	MAGAZINE	RELIGION	SUBJECT
CATALOG	HISTORY	NOVEL	RESEARCH	TEXT
CHECK-OUT	JUVENILE	PERIODICAL	RESERVE	TOME

```
E P E R U S E Q G O L A T A C E X B H
B N O I T C I F V H C Q S R L R O N W
H C R A E S E R A R T T E I A R A T N
D N J U V E N I L E C T T L R C C P R
A H L I S T W A L A S E U O S E E G U
E N B M D N E L F I R P W D J R M N T
R H O I C A R D G A O R R B I I O I E
R A A I O F W E T P J O U O M H T D R
M K U D T G R U W M C S D F A I R N B
P Z O T T C R K S E D I I C G S S I C
U T L O H E E A R B C L S H A T E B T
Y E W X B O S L P A M E H E Z O C Y E
E N I F I Y R T L H A V E C I R T R X
N O I G I L E R A O Y O L K N Y I O T
R E F E R E N C E C C N F O E C O T A
O Z T L I B R A R Y K F E U A M N S C
C E V R E S E R G O B S E T F N L G J
```

Urban Surroundings

ALLEY	CLINIC	HOSPITAL	OFFICE	STORE
ANTIQUES	CURBS	HYDRANT	PARK	STREET
APARTMENT	DENTIST	KIOSK	PETS	TAILOR
BAKERY	FERN BAR	LAUNDRY	PIZZA	TAVERN
BUILDINGS	FIRE	LIBRARY	POLES	TAXI
BUS STOP	FLORIST	LIGHTS	POLICE	TOYS
CAFE	GROCERY	MAILBOX	REPAIR	TRAFFIC
CANDY	GYM	NEWSSTAND	SCHOOL	WINDOWS
CHURCH	HARDWARE	NURSERY	SHOPS	WIRES

```
P D R E P A I R B G V X O F F I C E Y
G T S I R O L F Y U D K S O I K T S F
S N E U B D A M F K I E Y S C A E C Y
E Z C C U K Z Y E R G L N C Y U E I E
R Z I I S I Z R R A Q H D T Q O R F L
I Y L N S X I D N P P X Y I I A T F L
W R O D T A P N B M R A T D N S S A A
L E P W O T N U A G A N R P R G T R T
H K H C P U O A R R A I K T O A S T Y
E A J O R H C L S O H C L Z M L N D D
R B R S S L V W N C W X U B H E E T N
I S E D I P O L E E F A C R O L N S A
F R H N W D I O N R E V A T B X N T C
Y G I O N A B T H Y D N A T S S W E N
L C U I P L R I A C L I G H T S R P T
U I W N P S E E P L S N K R O L I A T
E R O T S O C H U R C H Y R A R B I L
```

They'll Get It, One Way or the Other

ADJURE	CADGE	EXAMINE	OFFER	SOLICIT
APPEAL	CAJOLE	FLATTER	PETITION	SPONGE
APPLY	COAX	HOUND	PLEAD	SUE
ASK	COMMAND	IMPLORE	PRAY	SUPPLICATE
BARTER	CRAVE	IMPORTUNE	PROBE	TEST
BEG	CRY	INQUIRE	PROPOSE	TRADE
BESEECH	DEMAND	INTERROGATE	PRY	URGE
BESET	DUN	INVOKE	REQUEST	WHEEDLE
BID	ENTREAT	MOOCH	SEARCH	WHINE

```
X X U P E C A A O D I F L A T T E R X
A H R M F U T I P M H O N S E A R C H
O X G C O I S D P T F L O I N V O K E
C B E T C T N O V F B E S E E C H P L
B D S I E A R A E V H R E T R A B R D
F E L S M T P R E O D M N E Z M Q O E
T O E M U P X L U R O A R U E E L P E
S B O N E F O N R O S O E T D X D O H
A C E A T J D P C E L P A L U A E S W
P S L I A V U H U P Q G O Y P M M E E
N Y K C E B C L M A O U A N Z I A V N
W R H W R E W I D R E R E V G N N A I
P P Y C T G I J R B P G C S J E D R H
P B L A N D U E T R A D E H T M E C W
V I P D E R T F C E T A C I L P P U S
K D P G E N E B O R P P E T I T I O N
D U A E I J A O A Q Y I N Q U I R E K
```

Up, Up, and Away

AIRLINE	COMPANY	FLY	NUMBER	STAND BY
ALTITUDE	CONCOURSE	GATE	PASS	TAKEOFF
ANNOUNCE	CONFIRM	GREET	PLANE	TICKET
ARRIVE	CREW	GROUND	REDCAP	TIME
BOARD	CRUISE	JET	RESERVE	TRAVEL
CAPTAIN	DEPART	LANDING	SAFETY	UNIFORMS
CHECK-IN	DIRECT	LATE	SEAT	WAIT
COMFORT	EARLY	LUGGAGE	SECURITY	WINGS
COMMUTE	FLIGHT	NONSTOP	SMOKING	X-RAY

```
O V Y A R X A C O N C O U R S E R D E
Y D N X W A I R L I N E I U J W E E Y
E G A G G U L W C Y W I N G S E S P L
T H L N I A T P A C T A K J C R E A R
U T P A S S G R E E T J I C U C R R A
M R R D G T A I F L I G H T E Z V T E
M O E N N A T N O N S T O P O H E U U
O F B U I N E M D I R E C T C Z C D N
C M M O D D B C R S Y U N I F O R M S
O O U R N B O C N I E E C P L A N E Q
K C N G A Y A S O U F C D T R A V E L
E P M Y L F R T M M O N U U G F S G P
V R W P A C D E R O P N O R T X E U E
I T A K E O F F T L K A N C I I A A T
R U P T I C K E T A J I N A T T T T C
R Z Y T E F A S W Y L D N Y E B Y L Y
A T I E S I U R C T I M E G J Q V E A
```

For Me and My Gal

AISLE	GOWN	OFFICE
ALTAR	GROOM	PASTOR
BEST MAN	GUEST	PEW
BLESS	HALL	PRIEST
BOUQUET	HONEYMOON	PROMISE
BRIDE	HOTEL	RECEPTION
CAKE	JUDGE	RING
CEREMONY	KNEEL	RITE
CHAPEL	LACE	TOAST
CHURCH	LIMOUSINE	TUXEDO
DATE	MAID	UNION
DRESS	MARRY	USHER
FAMILY	MINISTER	VEIL
FATHER	MOTHER	VOW
FLOWERS	NUPTIALS	WEDDING

```
G M F L O W E R S B L E S S G G B J S
U A G L Y W Y Z E F M A R R Y N E O S
E I R Q E Y N C H A P E L W Z I S J E
S D O P X B O F G N I D D E W R I A R
T R O Y R P M X U C A K E H J E M L D
E I M I Y D E N I S U O M I L T O T X
I T D L I C R J T F A T H E R S R A N
B E P J I L E T O H H O N J L I P R R
E G D U J E C A L V B O D O L N V D E
Z N O I N U V L B B O O M E W I B A C
B K P R I E S T E M P W U O X M H T E
T U S H E R H S Y L L A X Q T U P E P
T O A S T C T E C X S L S K U H T X T
Q Y Z D R M N Z B D P I A T N E E O I
D A B U A O F A M I L Y A H O E T R O
M O H N H E V O F F I C E H P R E A N
P C C N W O G I S L A I T P U N N L G
```

And the Answer Is...

ADS	FUN	RULES
ANNOUNCE	GAME	SEQUIN
ANSWER	GLITTER	SHRIEK
APPLAUSE	GOODS	SMILES
AUDIENCE	GUESS	STAGE
AWARD	HANDSOME	STAR
BELL	HOST	STATION
BUZZER	MONEY	STUDIO
CAMERA	MUSIC	SUAVE
CELEBRITY	PANEL	TELEVISION
CHEER	PARTNER	TENSION
CLOCK	PRANK	THEME
CONTEST	PRIZE	TIMER
EXCITEMENT	PRODUCT	TRIVIA
FACTS	QUESTION	WIN

```
E  T  S  O  H  A  R  E  M  A  C  T  C  U  D  O  R  P  Q
X  X  G  L  I  T  T  E  R  F  S  E  Q  U  I  N  L  K  B
J  S  C  X  K  G  Q  E  F  P  S  H  R  I  E  K  R  N  E
K  T  T  I  P  C  N  A  N  N  O  U  N  C  E  V  O  A  L
N  A  W  Z  T  T  O  U  O  C  D  C  E  V  A  U  S  R  L
O  T  K  G  R  E  Y  L  I  F  A  E  S  U  A  L  P  P  A
I  I  M  A  C  B  M  S  C  U  S  M  I  L  E  S  N  I  X
T  O  P  O  O  H  U  E  D  N  R  O  T  T  K  O  G  R  T
S  N  A  C  N  M  E  I  N  A  Q  H  E  R  I  O  M  Y  Z
E  P  N  G  O  E  E  E  T  T  E  N  E  S  O  O  T  A  S
U  A  S  P  A  N  Y  S  R  M  S  M  I  D  R  I  I  X  T
Q  N  W  A  C  M  T  W  E  I  I  V  S  E  R  V  N  X  U
M  E  E  E  D  U  E  E  O  T  E  X  Z  B  I  R  I  F  D
D  L  R  Y  J  S  R  N  S  L  F  Z  E  R  O  P  W  Z  I
L  H  A  N  D  S  O  M  E  T  U  L  T  S  T  C  A  F  O
A  S  E  L  U  R  B  T  E  B  E  Z  D  P  R  I  Z  E  Y
K  K  A  W  A  R  D  Z  O  C  G  U  E  S  S  T  A  G  E
```

235

On the Sunny Side of the Street

ACCOMPLISH	FLUSH	OVERCOME
AFFLUENCE	FORTUNE	PALMY
AVAIL	GAIN	PILE
BASK	GATHER	PREVAIL
BENEFIT	GIFT	PROFIT
BLOSSOM	GLOWER	PROSPER
BONANZA	GODSEND	REAP
BURGEON	GOLDEN	RICHES
CHARMED	GROW	ROSES
CONTRIVE	HALCYON	SCORE
EASE	HARVEST	SUCCESS
EXCESS	LUCK	SUNNY
FATTEN	MANNA	THRIVE
FAVOR	MONEY	TRIUMPH
FLOURISH	MULTIPLY	WINDFALL

```
M G R A C C O M P L I S H W R B P M R
T C R G T S E V R A H V B E A R W O E
Y Y H O P R O V A F W A V F E A S X I
M P F E W N O Y C L A H F V Z E C K T
L R A N N O E G R U B L A N S E S F W
A O T U H F G P M P U I A O S A I I R
P F T T P L A O O E L N V S B G N Q D
I I E R M O T B N G O E Q C P D S T N
G T N O U U H C E B R M H R F U I E E
L M C F I R E H Y C U A O A C F V R S
O A O E R I R M O L R S L C E I E I D
W A M S T S W M T M P L E N R A J C O
E N G W S H E I E E G S E T P O Y H G
R N V A S O P D R W S B N G O L D E N
X A P U I L L E S A E O A Y N N U S Z
W M L O Y N Q B Q S C O R E L I P W H
Y F A V A I L L U C K E V I R H T B G
```

Time Marches On

AGE	CUSTOM	FLOW	MORES	RECENT
ANNIVERSARY	DATE	GRADUAL	NEW	REMINDER
ANTIQUE	DEATH	HISTORY	PAST	SEASON
ARTIFACT	DECADE	INTERIM	PEACE	SPAN
BATTLE	DISTANT	MARCH	PERIOD	SUDDEN
BIRTH	DURATION	MEMORY	PERSON	THINGS
CENTURY	EPOCH	MIGRATION	PLACE	TIME
CHANGE	ERA	MILLENNIUM	PLAGUE	WAR
COURSE	EVENT	MONUMENT	PROGRESS	YEAR

```
Z H R W R E C A L P J P B I R T H W G
U S A A T Y T I G A C D I A H W I H D
T E G R S R N W E N I M E G N A H C X
M A E A A O E D H S M N O I T A R U D
I S B N P M M E T C V G O D A T E Y A
L O A T T E U A G H R Y R S F F R R F
L N T I C M N T F A P A R P R A H A A
E L T Q A T O H D E R R M U S E P E C
N Y L U F P M U P O E O O R T E P Y U
N H E E I B A O U D D C E G R N F P S
I I V C T L C T S E N V O I R P E T T
U S E E R H H U C T I F O U E E N C O
M T N R A I D A I N M D L A R E S E M
S O T A N D D M N J E P C O C S C S X
P R M G E E E A H A R E H E W L E G D
A Y S N O I T A R G I M R E U G A L P
N W P I N T E R I M Q M O R E S Q C K
```

187

What's in a Name?

ABBOT	CARTER	GOLDEN	PAINE	SCOTT
ADAMS	CARVER	GREEN	POLLARD	SKINNER
BENCHLEY	CHANDLER	HILL	PORTER	SMITH
BERRY	CHAPMAN	HOUSE	POTTER	TANNER
BLACK	CHESTER	JONES	PRICE	TAYLOR
BROOK	COOPER	KING	RIVERS	WELLS
BROWN	FARMER	MERRICK	RUMLEY	WHIPPLE
BUSH	FIELDS	MILLER	SADLER	WOODS
BUTLER	FISHER	NOBLE	SARGENT	WRIGHT

```
S M I T H R S A R X Y E L H C N E B D
E N Q N H E A D S D O O W R I G H T D
L A R R I L R A I W H I P P L E L W R
B M E C L L G M M E R R I C K E U X
O P N H L I E S T O B B A A O A M W S
N A I E S M N A U L H C R T V L T E K
B H A S C P T Z B Y H T M G E A N P R
U C P T O I O L R A E C O Y N O R E B
S R E E T B A R N R S L A N J D W U Y
H I F R T C G D T P D K E R R E T J J
R V K A K B L K R E B R I A V L Y S F
E E I Q R E Y I N Y R H L N E E R A I
H R K U R M C N S D R L O R N E R D E
S S Y N L E E G L Z O R K U T E U L L
I K O O R B J R L P P V E T S V R E D
F T A Y L O R N E E R G O B O E P R S
G C O O P E R E W V Z P R Y B R O W N
```

239

Parties According to Emily Post

BALL
BARBECUE
BONFIRE
BRUNCH
BUFFET
BUTTER
CANDLES
COCKTAIL
COMFORT

CORDON BLEU
CRYSTAL
DANCE
DINNER
EASE
ENTERTAIN
ETIQUETTE
FLOWERS
FOOD

FORMAL
GRACIOUS
GUEST
HOSPITALITY
HOSTESS
HOT DOG
INFORMAL
INVITE
KEG

LINEN
LUNCHEON
MANNERS
MENU
PARTY
PICNIC
RECEPTION
RELAXED
SERVANT

SERVINGS
SETTING
SILVER
SOCIAL
SUPPER
TABLE
TAILGATE
TEA
WARMTH

```
T R O F M O C Y S O C I A L R F O O D
E A S E T A G L I A T H I L E Z Q U W
E E M L C T H O T D O G N G N M J O T
L C E E N O E H C N U L F B N A S T C
B N N Q T B C U A V Z L O U I N G E A
A A U I R T O K E Q C I R T D N N F N
T D R D H E E N T L F N M T E E I F D
E O S B A O C U F A B E A E X R V U L
F N L U E T S E Q I I N L R A S R B E
O B T L O C N P P I R L O I L B E S S
R F B E A I U A I T T E W D E F S S E
M E L R R T C E V T I E S A R B C E T
A A B O U T S A L R A O Y I R O V T T
L G E K W N A Y R L E L N T L M C S I
G U E S T E C I R G A S I A R V T O N
P I C N I C R H N C K B X T A A E H G
D S U P P E R S I N V I T E Y J P R R
```

Dressed for a Night on the Town

BLACK	DIAMOND	LONG	PLEAT	SLINKY
BOW	DRESSED	LOW-CUT	PLUMES	SLIPPER
BROCADE	EMERALD	MONOCLE	RINGS	SPARKLE
CANE	GLOVES	NATTY	SAPPHIRE	SPATS
CHIFFON	GOLD	NECKLACE	SASH	TAFFETA
COIFFURE	HEELS	ORCHID	SEQUIN	TIARA
CORSAGE	JEWEL	PEACOCK	SHIRRED	TIE PIN
CUMMERBUND	LACE	PEARL	SILK	TUXEDO
DECOLLETE	LAME	PENDANT	SILVER	VELVET

```
K I S R I N G S P T Q O S L E E H W L
E X L E C E E L D A N T I E P I N U O
M X I V N M E A N N B A G L O V E S N
E M P L K A D E T D O T D N G E P E G
R O P I T L C N M A H M A N D O R Z D
A N E S U K D C U X F T A A E U L K H
L O R A L I D H V B T F C I F P J D K
D C Z A H S Y I E Y R O E F D D E N C
E L C C W H S F L R R E I T R L W I O
O E R E O I A F V B C O M E A A E U C
D O A L B R P O E O C O S M X C L Q A
E U R K L R P N T O L S R S U E P E E
X P A R A E H S A S E R I S L C L S P
U A I A C D I Y G D P W A L A I W H U
T B T P K X R P L U M E S E K G N T W
H A Z S T D E C O L L E T E P I E K A
N Z A S T A P S H G T U C W O L T L Y
```

Swelling the Mississippi's Flow

APPLE	CROW WING	GRANT	OPEN	SALT
ARKANSAS	CUIVRE	GREEN	PIERRE	SKUNK
BEAR	DES MOINES	HATCHIE	PLATTE	SPUNK
BIG	EAU CLAIRE	ILLINOIS	RED	ST. FRANCIS
BLACK	EDWARDS	IOWA	RICE	SWAN
BUFFALO	ELK	MAYFIELD	ROCK	VOLGA
CANNON	FABIUS	MISSOURI	ROOT	WOLF
CASTOR	FOX	OBION	RUM	YELLOW
CROW	GALENA	OHIO	RUSH	ZUMBRO

```
O W L G M I S S O U R I N N B G H I E
G N V R A W O I E R K A N A L F X E T
R D O A H L I L O M G N C W A O S F T
E M Y N O Y P O U L M N U S C X E V A
E F E T N P T R O A U B I K K Q N Q L
N L L W A A Z V Y S I C V G S E I S P
D O L F E U C F A T N R R U R E O D R
B W O A M M I L E A O C E R X C M R A
I V W B Z E T I R T R X E P C I S A E
G C R J L L H F S O W I L G X R E W B
R O R D Y C T A C N P O I H O K D D J
U S E O T S C K A E A U C L A I R E Y
S R U A W T C N U A R K A N S A S N N
H Z H I H W E R I L L I N O I S U O O
K F Q R B L I G O V N X K N U P S P I
D Z D U A A N N L W U Y O Y K L E E B
D J E G F N F O G O L A F F U B N N O
```

Eastern U.S. Rivers

ALTAMAHA   FALL   LITTLE   PARKER   SAVANNAH

BASS   FISHING   MAD   PECONIC   SEEKONK

BOUQUET   FLAT   MILL   POCHUCK   STILL

CEDAR   FORKED   MOUSAN   PRINCE   STONY

CONCORD   GREEN   MULLICA   RANCOCAS   SWIFT

CONNECTICUT   HARLEM   NASSAU   RANOKE   TAR

COOPER   HOOSIC   NEUSE   RARITAN   THAMES

DELAWARE   HUDSON   OSWEGO   SANTEE   TOMS

ELLIS   IPSWICH   OTTER   SATILLA   WHITE

```
D R J C I S O O H F H C C I N O C E P
L T N X C F Y A F O R K E D T O M S H
L H Y A A E L G A E I N R E K R A P U
I A C L T L E H S E I M U L L I C A O
T M L I I I A T K A R E T T O V S E V
S E Y T W M R O N F C Y N O T S C T H
J S A T A S N A L A P O G B A O S A O
C S B T N A P A R O S H C N N I N A P
X O L E R E T I C M A M M N I N W F B
E A N O S D U H P R A O E T A H P V O
L X Q C L Z U S L D U C E V H R S S V
T I S E O C L E E S T U A P I C W I R
T G W L K R M B A I Q S L N E E H Z F
I R I L U A D N C U B L C D G F I U F
L E F I E T C U O C I E A O F O T F F
W E T S O O T B G M C R K N O K E E S
N N X Q D E L A W A R E P O O C L A R
```

Shopping in the Wish Book

BANJO	CHAIR	GROCERY	PERFUME	SHIPPING
BARB WIRE	CLOTHES	HAMMER	PIANO	SHOES
BARROW	COMPASS	HARDWARE	PIPE	SKATES
BOOK	CORSET	HARROW	RAZOR	SLED
BRACES	COSMETIC	MAIL	REMEDY	STOVE
C.O.D.	CUTLERY	MATCHES	SALVE	TABLE
CABINET	FABRIC	MUSIC	SAW	TOOL
CAPE	FREIGHT	ORDER	SCALE	TRUNK
CATALOG	GAMES	PAINT	SHAWL	WASHERS

```
W I W A S H E R S E L A C S G G C B F
N V B A R R O W F X E G R L P R K I R
B M A T C H E S L P O N B E E O O E E
Q G F H H C H A I R P I H D S C O V I
H D H I A A U P H E A P C C E E B L G
C A L R T M C T R N H P A A O R H A H
M Y R R E O M F L E J I T B H Y S S T
I A U D D U E R E J H A I S C E H X
G N I X W M R I R P R S L N S I H T R
K A I L E A W O C A S Y O E E T T O F
R C M J W B R C S I K D G T C E O O A
O M H E R A O E S N A E M W A M L L B
Z S P A S R H Y A T T M U O R S C O R
A A B I S K B S P A E E S R B O C J I
R W W E A D W C M B S R I R P C A N C
H L T M B N W K O L R K C A C O P A A
C E V O T S O J C E J X J H E I E B Y
```

A Chocolate Lover's List

BAKING	CAKE	ENROBED	MELT	SHAVED
BAR	CANDY	ENTICE	MEXICAN	SMOOTH
BEAN	CHIP	FRENCH	MILK	SUGAR
BELGIUM	CHUNK	GIFT	MOUSSE	SWEET
BITTER	COCOA	GOBBLE	NIBBLE	SWISS
BLOCK	COOKIE	GRATED	POD	TASTE
BON-BON	DARK	ICE CREAM	POWDER	TEMPT
BUTTER	DELICIOUS	LECITHIN	SAMPLE	TREAT
CAFFEINE	DUTCH	LURE	SEMI-	WHITE

```
U N D T E E W S V E F I M E S U X N Z
X Q D E B O R N E D O P L C U J E A C
B B D Z R E R U L G T N A S B T N E R
Z G U I A J S W I S S F A D I O D B R
B O T C G I F T G K F M E H B N R E D
E B C E U D G N L E P L W N I E T E E
L B H C S E B I I L I E O H D T V R G
G L I R K T M N E C C B T W I A P G Z
I E B E N A E Z I I D I O B H M O T C
U T U A U R T O T A C P U S R G P A F
M R T M H G U N R E C E K A C M N R Z
I E T S C S E K L B L O C K E D E T Q
D A E M C B A K I N G B O T Y N V A Y
L T R O J P V M O U S S E K C J O S Y
A T Q O E L B B I N Y Q R H I C E T F
U I Y T W M E X I C A N A C O E K E W
P U R H A J Z T P I H C B C I M E L T
```

Frozen Treats

ALMOND	FROZEN	SCOOP
BANANA	FUDGE	SHAKE
BERRY	HAZELNUT	SHERBET
BUTTER	ICE	SODA
CHERRY	JIMMIES	SPLIT
CHIP	MAPLE	SPRINKLES
CHOCOLATE	MINT	SPUMONI
COCONUT	MOCHA	SUNDAE
COFFEE	ORANGE	SWIRL
CONE	PEACH	SYRUP
CREAM	PISTACHIO	TIN ROOF
CRUNCH	PRALINE	TOFFEE
CUP	RAISIN	VANILLA
EGG	RIBBON	WALNUT
FLOAT	RUM	YOGURT

```
D G V J J U K A E N O C R N E Z O R F
E Y H I W A L N U T B A I C R V T E U
A T N I M M P M P T R L B K U N E T H
D S V B O E R R I P E L B T M A B T T
N Y X N A A A N I A L I O U C N R U A
U R D C I L R H Y D P N N N R A E B O
S U H S I O C E N O A A A O U N H P L
W P I N O M U P S S M V V C N A S P F
T N E F Z I N O R A N G E O C B M Y A
U K S E I M M I J Z C Z C C H A L O S
N E E F F O C Q T E C I L H E I C G C
L A L R I W S Y R R E B A R E F U U O
E S E L K N I R P S F R C H W R P R O
Z Z I C H O C O L A T E D I C Y R T P
A I Z T I L P S N F U D G E P O Y Y T
H E E F F O T P I S T A C H I O M E Z
E E K E I O Q C E G G D I E K A H S C
```

It's All Downhill from Here

AGILE	GLOVES	SKI
BIBS	GOGGLES	SKIM
BOOTS	GRACE	SLIDE
COAST	HILL	SLIP
COLD	JUMP	SLOPES
CONTROL	KINETIC	SMOOTH
COURSE	LIFT	SNOW
CURVE	MOGUL	SPEED
DODGE	MOTION	STEEP
DOWN	NIMBLE	SWIFT
FAST	POLE	TRAIL
FLIT	POWDER	TURN
FLOW	RACE	VELOCITY
FLYING	RUN	WEAVE
GLIDE	SCHUSS	ZIP

```
N U R W B S T E E P G C B C C R Q C T
N S C H U S S J S L I D E T O T Z G I
D F T D E S S U C I T E N I K A E O U
L Q B K E E S M I T F I L X P V S D M
O J C P L E G P E M O G U L I Z E T Z
C O O G V L R V C E G D O D Z E T L O
E L G O E O A E A B O O T S P S L V K
S O L V N R C V R M Z R S S A A E O L
G G A I R T E E E L O W G F W G D E P
U E K F E N C F P L I T E V C I I R F
W S I L D O T Y L F O R I L Z L L W T
T I T Y W C R T T I N C C O B E G O M
Y N U I O G A M B P T W I U N M D L O
B P R N P H I L L D Y R V T R W I F C
E I N G A O L H T O O M S L Y V O N R
K L B E S R U O C D H J D O W N E N G
O S E S M G R K I E W O X R S K I M S
```

Vines and Creepers

AJUGA
AKEBIA
ARABIS
BABY TEARS
BINDWEED
BROOM
CLEMATIS
CLOVER
COTULA

CREEPER
CRESS
DIANTHUS
DICHONDRA
FRAGARIA
GINGER
GRAPE
HEDERA
HELXINE

IVY
JASMINE
LANTANA
LEADWORT
LIRIOPE
LOTUS
MAZUS
MEDICK
MINT

MYRTLE
PALMETTO
PEA
PERIWINKLE
REPENS
ROSE
SAGINA
SEDUM
SPREAD

SPURGE
THYME
TREFOIL
VETCH
VINCA
VINE
VIRGINIA
WOODRUFF
YAMPON

```
D C H Y F S E N O P M A Y M Y R T L E
S G C W F V I N E T R E F O I L M M N
E S T A U H K B H E A I N I G R I V G
D A E R R I D Y A R N G R A P E W C O
U G V E D D M Y E R P I A A K E B I A
M I E D O E N P L L A F M J C R E S S
B N P E O C E O A P P M A S U M I N T
I A O H W N T N H E A A I R A G A R F
N L I L S U T J R C P L I V Y J A A O
D U R U S A G I L R I W M M E D I C K
W T I O N I W E S O R D H E L X I N E
E O L A N I A C L O V E R B T J Q I M
E C T G N D S U H T N A I D K T B V Y
D Z E K W F W S P R E A D G M O O R B
H R L O O T G Q B A B Y T E A R S M C
Z E R S P U R G E Z R E P E E R C D N
D T O A C L E M A T I S V C M A Z U S
```

The Deserted Homestead

AJAR	COBWEB	LEAK	OVERGROWN	TRASH
BARN	CORRAL	LEAVES	RATS	UNDERMINED
BEES	CRUMBLED	LISTING	ROOF	UNMOWN
BROKEN	DESERTED	LOGS	ROTTEN	UNPRUNED
BURROW	DOOR	LONELY	RUST	UNRAKED
CABIN	DUSTY	MICE	SAGGING	VINES
CELLAR	FALLEN	MOSS	SHED	WEEDY
CHIMNEY	GARDEN	NESTS	SHINGLE	WELL
CHOKED	GRASSY	ORCHARD	SPRING	WINDOWS

```
L S S O M T Y L E N O L U F X J T L V
N E K O R B X Y J R L I S T I N G U A
G K D E H S H I N G L E D F G D N G H
L C H I M N E Y B E E S J N E P N S R
L O G S H O R C H A R D I S R E A A X
E U D S E N I V I W F G E U L R J F R
W J O E D S P R I N G R N L T A I O D
X U Y V N E E V T A T E A N E T T O R
S D N S E I L A S E D F R M I C E R W
W K D R S R M B D T V N I B A C Y Q E
O C U B A A G R M D A G A R D E N N U
D H S E W K R R E U O R L S U M R W J
N O T H O Y E G O D R X E E R I A O Y
I K Y B R W T D D W N C A V O R L M D
W E B O R S T S E N N U K A O U L N E
T D I C U C O R R A L M N E D S E U E
A G M H B D V B A R N U Z L W T C T W
```

More about Minerals

ALBITE	CLEAVAGE	GALENA	MICA	SILICA
ASTERISM	COLOR	GEM	MISPICKEL	SLATE
AUGITE	CRYSTAL	GRAIN	OPAL	SPECIMEN
AZURITE	DEPOSIT	GYPSUM	ORE	STRATA
BORATE	DUCTILE	HACKLY	OXIDE	SULFATE
BORNITE	FELDSPAR	LODE	POLISH	SULFIDE
BRITTLE	FIBROUS	MALLEABLE	PREHNITE	TALC
CALCITE	FLAKES	MARBLE	PYRITE	VEIN
CARBON	FRACTURE	MERCURY	RADIAL	VESICLE

```
N I E V E T I B L A O R E Y B E G P O
D U C T I L E E T I R Y P R A L I L Z
Y Y U F I B R O U S N C O U M C M O Y
F R A C T U R E T E L E L C A I M D V
N E D I X O N R T E A T I R R S U E S
M J E C B O A I A E S A S E B E S S E
T A L C B T C V F L T R H M L V P U K
I R L R A L A E A D E O B L E M Y L A
A G A L A G L T O E R B O A E G G F L
Z C A C E D E O P P I R R T T N K I F
U M J L S A H V A O S O N S I E A D R
R U I P E A B U L S M L I Y N M C E A
I P A C C N G L P I Z O T R H I I Y D
T R D K A I A E E T W C E C E C L P I
E B L B T M I S P I C K E L R E I I A
E Y P E E L T T I R B Q M B P P S H L
G R A I N C P E T A F L U S N S J G Q
```

A Rocky Landscape

BEDROCK   CLIFF   FLINT   MASONRY   RUBBLE
BOULDER   COBBLE   GRANITE   MENHIR   SAND
BROKEN   CRACK   GRAVEL   MOSS   SLAB
BROWNSTONE   CRUSHED   JAGGED   PEBBLE   SMOOTHED
CAVE   DIKE   LAVA   PETRIFIED   STONE
CHALK   DORNICK   LEDGE   QUARRY   TUMBLED
CHIP   ERODED   LICHEN   QUOIN   UPLIFT
CHUNK   FLAG   LITHIC   RIPRAP   WALL
CINDER   FLAKE   LUMP   ROCK   WORN

```
K U H N E K O R B S S O M P A R P I R
L N P E E A P D L L A W D E G G A J I
W S U E Y N Q T E G R A V E L K T U H
C H L H Q R O E K I D M R E D N I C N
H R C A C F N T W T G R A N I T E O E
A E L B B E P O S I D Z K O M P G K M
L S T T O E H C S N C E U C E C D I B
K M C U K K L L B A W Q D T O T E E W
C O R M C A I I B O M O R O D R L Z N
O O A B I L C F Z C U I R E R B D U B
R T C L N F H F H B F L H B B E A E D
M H K E R Y E X V I C S D O R G F N B
A E X D O R N M E A U T C E E P A L E
V D T Q D R P D V R L G Y A R S M N G
A N R O W A O E C C I H T I L G O U A
L C H I P U T F I L P U C Q F T N Y L
T N I L F Q Y U R U B B L E S B U G F
```

A Is for Alice

ABLE	ADROIT	ALLEGED	APPLE	ASTIR
ABLUTION	AEOLIAN	ALLERGY	APROPOS	ATILT
ACCURATE	AFTER	AMBIENT	AQUILINE	AVENUE
ACHE	AGGREGATE	AMBLE	ARC	AVID
ACTIVE	AGILE	AMIABLE	ARCHAIC	AWE
ADAGE	AIM	AMNESTY	ARCHES	AWNING
ADDLED	ALCOHOL	ANKLE	ARGUE	AXES
ADDRESS	ALKALI	ANT	ART	AYE
ADJUDGE	ALL	ANTHRAX	ASHES	AZURE

```
J A U X L A D A G E K A X E S E H S A
Y M K A E R U Z A F M D I V A D E L M
E B G R P E L I G A Y G R E L L A B Q
H L N H C C A U E N C K X D C M N A
C E I T T P D A A O A Q U I L I N E V
A L N N T D C L I A L L O H O C L A
E P W A R T L T E T A R U C C A E H H
X P A E I E U R E E L B A I M A Y E L
A A S V G L A H Q T A L A M B I E N T
R S E E B R B K U W A D X E A A E W P
C B D A C V D W E A D G G J P S Y D M
H X H H T L I T A L V D E R J T T J I
A P E N A I L O E A U E O R S E A I A
I S D Z F H K D T J C P N E G N L X R
C R E T F A A X D R O R N U K G A B A
Z T I O R D A A O S A M A L E Q A N A
E U G R A L K A L I A W E Q Q P T Y R
```

An Emphasis on M

MACE	MAVEN	MICE	MINT	MOTEL
MANTLE	MAW	MIDDLE	MITT	MOVE
MAP	MAX	MIDGET	MIX	MOWN
MAPLE	MEAGER	MIGGSY	MOB	MUG
MARBLE	MEAN	MILK	MODERN	MUMBLE
MARK	MERMAID	MILL	MOGGY	MURKY
MARKET	MERRY	MIMOSA	MOIL	MUSE
MARVEL	MEW	MIND	MOMMY	MUTE
MAUVE	MEWT	MINK	MOPE	MYSTIQUE

```
J C M V I M X T M T A M E R R Y X I M
X V A Y C G Y K W N A T N I M K C P L
I A J Y P U M E D C M U R K Y R E N I
J C N S V M M F E Q V I M L M A V W O
T K V G P U O K D M E I T E E M O O M
E F X G Q J M H O C M O R L D R M M E
K N I I K E W G I O N M B N N Y G E V
R E E M L L G M S T A M I T S N Z T U
A V K P E Y M A V I U M H T A Q E T A
M A A V L Y X I D M J V I E K G Y I M
C M R V M I L K L C V Q M E D U O M J
F A U X T M A W R L U N L I H I G E N
M M F M U T E X N E P B M M V B X A R
Y M B K M A N T L E R M I D D L E G E
M O T E L E S U M A Z Q W B U I W E D
V P O M G D C W M Q E V X Q O E K R O
U E I M M I N K X A M Z A U M M P A M
```

Ready for Dinner

AROMA	CRUSTY	GRAVY	PERFECT	SOFT
BECKON	DELICATE	GREEN	PUFFY	SPICY
BROTH	DELICIOUS	HEARTY	PUNGENT	STEAMING
BROWNED	DRIPPING	HOT	RELISH	SUCCULENT
BUTTERY	ENTICE	JUICY	RICH	SWEET
COLORFUL	FAT	MELLOW	ROAST	TART
CRISPY	FRESH	MELTING	SAUCE	TASTY
CRUMBLY	GARNISH	MOIST	SAVORY	TENDER
CRUNCHY	GOLDEN	PEPPERY	SMELLS	ZESTY

```
B H R G R E E N L W E U N F R E S H N
Y X T S A O R O K C R I S P Y I W E P
C J I I Y T S U R C X A M O R A O U U
I D U G N I P P I R D C R U M B L Y F
P W E I G T D F A T P Z E S T Y H X F
S C O L C A S E H H S T E A M I N G Y
Q A O L I Y R U N T R E L I S H Q M Q
E C L L L C P N O W N M E L T I N G Y
S N R T O E A E I I O E G O L D E N T
B M T U E R M T R S C R L N D B T Y R
R P E I N N F P E F H I B U U B R E A
O I U L C C D U E Q E M L T C E A Z E
T Y C N L E H E L P O C T E C C T P H
H X F H G S T Y R I P E T U D K U Q V
R S O F T E L O S H R E A L J O D S Z
Y R O V A S N T H Y G S R P Y N I B O
E T E E W S X T T A S T Y Y Y V A R G
```

256

A Slender State of Mind

ACTIVE	DRINK	JOG	REWARD	TOFU
ALLOW	EAT	LIGHT	RICE	TRIM
BREAD	ENERGY	LIQUIDS	SLENDER	TURKEY
BREAKFAST	EXERCISE	LUNCH	SNACK	VEGETABLE
BUSY	FISH	MEAL	STIR-FRY	VIGOR
CARROT	FITNESS	NIBBLE	STRENGTH	WALK
CELERY	FRUIT	NUTRITION	SUCCESS	WATER
DESIRE	HABIT	POTATO	SWEAT	WELL-BEING
DINNER	HEALTH	PROGRESS	THIN	ZEAL

```
R Y E E X B R E A K F A S T N I H T R
P V K R L Y S B S H W G L I G H T W G
E B S A I D P F S T O V G R H C N U L
A D E S I S B L E L L Y K R V K F R U
T M R U E U E R C A L E S I C R E X E
I R Q A S R G D C E A N G V L N Q Q M
L I U Y W O G F U H U O U F N I T I I
L T F E J E I O S T R P I I L A E Z R
Y V O N V S R O R Y G T D I F R U I T
B S T T H I T I R P N N T E N E R G Y
H N E L B A T E G E V Y I O K W A L K
A A Z W T I L C S L D R T E R E T A W
B C O O O E R S A C R F A M B R W Q B
I K P N C X R I C E I R E G Q L A C O
T H T G N E R T S C N I W O E B L C K
L Z S L E N D E R J K T S T U R K E Y
V A P E L B B I N V B S Q B R E A D W
```

Shipbuilder's Plans

BARK	DECK	MAIN
BEAM	DRAFT	MAST
BELOW	FIGUREHEAD	MIZZEN
BIRTH	FORE	MONKEY
BOOM	FRIGATE	ORLOP
BOWSPRIT	GAFF	PACKET
BRIG	GALLANT	RAIL
BUGEYE	GALLEY	ROYAL
BULWARK	GUNWALE	SCHOONER
BUNK	HATCH	SCUPPER
CABIN	HEAD	SHROUD
CLIPPER	HOLD	SPANKER
COAMING	HULL	SPAR
CROSS JACK	JIB	STERN
CUTTER	KEEL	YARDARM

```
M R A D R A Y A B O W S P R I T F D K
B R I G D N I D U K R R A P S S R B P
V E E O L G T B U N K E U M C K I I A
N C N K O S P A N K E R P H J N G R C
F G L K H B V N R E T S O P E V A T K
T I A I C C A B I N U O M Z U F T H E
F S G L P A U R V B N C Z A W C E J T
W A A U L P J T K E U I O S E M S I B
O L Q M R E E S R M M L C A H B A B O
L I V D B E Y R S G A R W U M R C H O
E A H A T C H C G O A I O A T I O I M
B R L E E K V E J Q R L N Y R T N U N
X E Y E G U B N A D R C L D A K E G D
Y P W H E A D H T D X M U A E L A R Q
M O N K E Y O D R A F T I T N C C E X
G E R O F V T O R L O P Y M J T K H J
Y M F F A G U N W A L E O H U L L W V
```

205

An Ocean Population

ALBACORE	GROUPER	PUFFER
ANCHOVY	GRUNION	RAY
BURRFISH	HAKE	REMORA
CHINOOK	HALIBUT	SALMON
CHUB	HERRING	SCULPIN
COBIA	KELP BASS	SHAD
COD	KINGFISH	SKATE
COHO	MANTA	SNAPPER
COWFISH	MENHADEN	SNOOK
CROAKER	MOJARRA	SOLE
CUNNER	MORAY	SURFPERCH
DOLPHIN	OPALEYE	TARPON
DRUM	PINFISH	TAUTOG
DURGON	POLLACK	TOMCOD
FLOUNDER	PORGY	WRASSE

```
Z P S U R E P P A N S P U F F E R V S
N O H H E L O S H S I F W O C G Y P N
E L S X A D B U R R F I S H K N A S O
D L I O R D X H A K E K J N T I R C O
A A F R E K A O R C E C O D H R W U K
H C N A N M D U A L E P S A S R J L D
N K I V A U G N P L R C A R I E B P O
E A P N R R C B D A O S L R F H U I L
M B T G U H A R T B C U M A G C H N P
A A O N O S U R I E A R O J N O C I H
K N I V S M O A M Y B F N O I H Y U I
M O Y R E N N U C E L P Z M K O U J N
N R E D N U O L F L A E E S S A R W W
H A L I B U T N D A P R J H Y G R O P
V O G O T U A T W P Z C H I N O O K Y
Q A R O M E R T Z O A H T T O M C O D
H E T A K S Y A R O M I R E P U O R G
```

A Positive Outlook

ACTIVE	ELAN	PROJECT
ALACRITY	ENERGY	PUNCH
ARDENT	ENTERPRISE	PURPOSE
AVID	FERVENT	SPIRIT
BANG	FERVID	SPUNK
BRISK	FIRE	STAMINA
BUSY	FOCUS	VERVE
CAMPAIGN	FREELY	VIBRANT
CAUSE	GAME	VIGOR
CHEERFUL	GIVING	VIM
CRUSADE	GLAD	VITALITY
DASH	INITIATIVE	WILLING
EAGER	LIVELY	WORK
EARNEST	NERVY	ZEAL
EFFORT	PEP	ZIP

```
C Z Q I N I T I A T I V E A C R B P K
T V R O Y R O Y T S T A M I N A O E S
I I E C G O P U N C H A A N A L E P I
K T G S R G G W A G L P R O J E C T R
E A A U E I O M N A X F Z T D Z I P B
D L E C N V P A C W E B S U P W Z B E
A I R O E A B R I R V E N D O V K N E
S T I F I N I L V I N I Y R P G T F S
U Y F G E T L E L R L L K U I E T T U
R Y N R Y I N I A F E L R V R F I L A
C S V A N T V E E E L P I P J R U W C
D Y P G R E P R R A O N R D I F T F A
R A M U L D V F E S G I A P R B R A V
T D S Y N I E Z E N S L S E M U O K I
H V G H D K R N E E G A E I A S F F D
T N A R B I V W T I F H V Z Q Y F K U
A C T I V E E M E O C L G A M E E B X
```

Is It Alive?

APATHETIC   FLAT   LANGUOR   NARCOSE   STAGNANT

BOVINE   HEAVY   LASSITUDE   NUMB   STALE

DAZED   IDLE   LAZY   PASSIVE   STATIC

DIM   INANIMATE   LEADEN   POKY   STUPID

DORMANT   INERT   LEISURELY   SLACK   STUPOR

DROOPY   INSIPID   LETHARGIC   SLEEPY   SUPINE

DROWSY   JEJUNE   LISTLESS   SLOTHFUL   TARDY

DULL   LAGGING   LOGY   SLOW   TORPID

FALLOW   LANGUID   LULL   SLUGGISH   VACUOUS

```
M I D B O V I N E N F A L L O W O R Y
P L E A D E N D U L L W D R O W S Y B
L U B M U N S S E L T S I L Y D D Y G
Y T A L F U D E Z A D G F L I I K N T
P L U F H T O L S K X Q G P P O I E A
O B C L E T A M I N A N I U P G V S R
O S T I B L E T R K T S T G G I L L D
R L J L T E A D O O N S C A S A O A Y
D U S N Y E F Z U I U I L S C G C N S
C G T A V L H D Y T G G A K Y T V G U
E G A R A W E T O R I P N W U O J U O
N I T C E S Y R A R S S X A P R E I U
I S I O H P L H U P M T S A L P N D C
P H C S E U T O F S A A U A R I U Q A
U A T E L E A Q W P I L N P L D J Q V
S H L L L I D L E I N E R T O X E W A
M S T N A N G A T S H C L X R R J X Q
```

Follow That Car!

ACCELERATE	FAST	HURTLE	REACH	SPEED
AVOID	FLEET	LEAP	RUSH	SPRING
CHASE	FLY	LUNGE	SCENT	STALK
CLUE	GRAB	OUTFOX	SHADOW	TAIL
DODGE	HASTE	OUTSMART	SHIFT	TEAR
DOG	HIDE	OUTWIT	SIDE-STEP	TRACE
ELUDE	HOUND	PARRY	SKIP	TRAIL
ESCAPE	HUNT	PLAN	SLIP	TRICK
EVADE	HURRY	PURSUE	SNEAK	VELOCITY

```
G E G N U L O E V A D E E T U N C F Y
L E A S I D E S T E P U B Y L P A Y U
Y L K C W X A H D K L C A R A I W L Q
L U A M M O F P N C Z E R R D S A E P
F D E E A P D R U I J L G U I T M R Q
H E N H C C U A O R C T X H O A X G T
P A S R N A C R H T M R O E V L L P A
T I S O I Y R E S S J U F R A K H I I
R N L T T B T T L U P H T B E I H G L
A A Z S E E T I L E E D U S D A N Q P
M L M B E I E G C D R E O E A I C A H
S K I P W S R L E O S A P G R F R H U
T T T T X A C E F A L J T P C R N E N
U X U N E J P A H F R E S E Y Y G A T
O O P T E S Z C P U Q K V Z B D A D B
G F K F J C X N S E P G Y V O D Q Q M
X L E A P L S H S H I F T D Y Q Q L P
```

Macbeth

ACT DAGGER GUILT PLOT SOLILOQUY

AMBUSH DEATH HEATH PROPHESY SPELL

ARMY DOOM INHERIT QUEEN STAGE

BANQUO DUNCAN KING ROLE STORM

CASTLE FEAST MACBETH SCENE SWORD

CAULDRON FIGHT MACDUFF SCOTLAND THANE

CAWDOR GHOST MADNESS SHAKESPEARE TREACHERY

CHARACTER GLAMIS MURDER SIEGE WIFE

COSTUME GUARD PLAY SLEEP WITCHES

```
X  S  C  E  N  E  R  K  R  O  D  W  A  C  Q  G  I  N  X
G  U  A  R  D  D  R  O  W  S  C  F  S  P  E  L  L  E  O
O  I  S  G  S  P  R  O  V  H  M  R  B  E  G  E  I  S  A
J  D  Y  H  K  I  U  N  A  U  E  C  A  S  T  L  E  B  Y
D  N  A  N  A  Q  M  R  Q  G  N  O  R  D  L  U  A  C  A
E  A  L  W  N  K  A  A  G  S  O  L  I  L  O  Q  U  Y  M
A  C  P  A  T  C  E  A  L  E  Y  M  T  D  O  O  M  U  B
T  N  B  P  T  R  D  S  G  G  A  F  P  S  E  P  D  F  U
H  U  F  E  W  H  E  A  P  C  S  Q  L  Y  O  C  N  H  S
T  D  R  M  C  I  T  A  D  E  U  C  S  G  T  H  S  F  H
E  K  J  I  O  S  T  U  C  E  A  E  O  I  U  S  G  E  G
B  I  G  S  S  Z  F  C  E  H  H  R  R  T  E  I  F  A  G
C  N  T  P  T  F  H  N  H  P  E  E  N  L  I  L  S  H
A  G  H  L  U  O  H  W  O  E  H  R  D  R  G  A  Y  T  E
M  F  A  O  M  L  R  R  I  N  S  A  Y  H  O  M  N  I  A
T  T  N  T  E  T  P  M  I  F  M  N  T  Y  R  L  I  D  T
S  L  E  E  P  E  M  U  R  D  E  R  M  A  E  I  E  I  H
```

Something Rotten in Denmark

ANGER	ENTRAP	HIDDEN	PLAYERS	STAB
CHALLENGE	FATHER	HORATIO	POISON	SWEAR
CLAUDIUS	FEIGN	HOUSEHOLD	POLONIUS	THRONE
COURTIERS	GERTRUDE	INTRIGUE	RAPIERS	TRAGEDY
CRIME	GLOOMY	LAERTES	REVENGE	TREASON
CROWN	GRAVE	LOVE	ROYAL	UNCLE
DENMARK	GUARDS	MAD	SECRECY	WITS
DISCOVER	GUILT	MARRIAGE	SERVANT	WOUND
DROWN	HAMLET	OPHELIA	SKULL	YORICK

```
E  G  R  A  V  E  G  E  G  A  I  R  R  A  M  H  C  N  A
T  U  E  N  O  R  H  T  S  G  D  M  H  N  E  S  P  T  N
E  T  G  A  N  W  O  R  D  U  H  E  W  I  E  M  N  N  G
L  R  O  I  T  A  R  O  H  Z  I  O  N  C  D  A  I  L  E
M  E  F  U  R  F  E  I  G  N  R  D  R  M  V  D  A  R  R
A  A  L  H  S  T  I  W  Y  C  D  E  U  R  A  Y  E  E  C
H  S  R  O  E  D  N  U  O  W  C  D  E  A  O  R  T  N  Y
P  O  U  U  V  G  X  I  E  Y  Z  S  J  R  L  F  K  K  O
L  N  I  S  G  E  N  S  R  E  I  T  R  U  O  C  O  O  R
A  T  U  E  E  S  R  E  I  P  A  R  O  D  S  L  Y  P  I
Y  F  P  H  R  G  P  O  L  O  N  I  U  S  W  D  U  H  C
E  A  O  O  T  L  L  G  S  L  C  R  E  V  E  N  G  E  K
R  T  I  L  R  O  L  U  D  B  A  T  S  G  A  M  U  L  U
S  H  S  D  U  O  U  I  R  D  X  H  A  T  R  A  Q  I  N
V  E  O  Q  D  M  K  L  A  D  M  R  C  C  U  D  U  A  C
A  R  N  H  E  Y  S  T  U  T  T  L  A  E  R  T  E  S  L
E  N  T  R  A  P  O  Z  G  D  I  S  C  O  V  E  R  L  E
```

Modern Poets

AIKEN	DAVIES	JARRELL	MACLEISH	SANDBURG
AMIS	DICKEY	JEFFERS	MILLAY	SITWELL
AUDEN	DICKINSON	JOYCE	MUIR	SNYDER
BECKETT	ELIOT	KIPLING	NASH	STEIN
BOGAN	FROST	LAWRENCE	OWEN	WALEY
BROOKE	GRAVES	LEAR	PLATH	WARREN
CARROLL	HARDY	LEWIS	POUND	WHITMAN
CRANE	HOPKINS	LINDSAY	RANSOM	WYLIE
CUMMINGS	HOUSMAN	LOWELL	ROETHKE	YEATS

```
F N A G O B H N E W O K I P L I N G D
N H J R Z L L O R R A C O N E R R A W
P R M U B E T T P A U D E N S I W E L
L O Y B E C S Y P K G J A R R E L L R
A E E D C Y O E G A I Y Z L H S A N A
T T L N K O R N C D S N S T E I N Z N
H H A A E J F A F N I R S C R A N E S
R K W S T F S M N T E C E K O O R B O
E E Q U T E S T H A T R K F E D N W M
D W Y L I E L I Y P M L W I F L E A R
Y Z G V V W O H M Y O S I A N E K M O
N W A A B A W W A J P U U N L S J I D
S D R H S I E L C A M M N O D L O S N
R G G Z X G L Y E A T S O D H S D N E
D N Z M D I L W C U M M I N G S A G K
R I U M M L L E W T I S H A R D Y Y I
Y F E L I O T D I C K E Y J K C T G A
```

212

Poetic and Melodramatic

ALACK
AROSE
BETWIXT
BEWARE
BILLOWS
BLENT
CELL
CLAMOR
DESOLATE

DOTH
E'EN
ERE
EXPIRE
FLEECY
GAMBOL
GLOW
IVY
LISP

LOCKS
LONELY
LYRE
MURMUR
NE'ER
NESTLING
OPE
RANKLING
RIOTOUS

RUIN
SHADES
SHUN
SILVERY
SPLENDOR
STILLY
STRANGE
SUBLIME
THINE

THOU
TWAS
WANTON
WEARY
WEEP
WHEATEN
WITHAL
WITHIN
YEA

```
R W M B B T N E L B U O N T E A N A W
T E X L R E R K C L A M O R M T E D H
H A N G I E T Y B T W E C I M K G K
O R N A O L V A R X L W N E L C N N C
U Y E M T A Y R L E I M I L B I E L A
O O E B O H N V A O V W H L U L T A L
P Z R O U T O L I N S L T R S R A E A
E A S L S I T M Y N K E I E C F E R I
C R W E P W N B U R E L D S B H H I R
M O O Y E K A C E R E S I N P T W P O
T S L I L G W L S W M G T N Q O R X D
O E L F M L N I O K A U L L G D V E N
P L I E E N I A T N C R R O I Y E A E
E V B G S A W T R H E O E S W N Q T L
E T Y C E E L F S T I L L Q H L G O P
W G R A Q S H A D E S N Y E C U W D S
E R E H D C N I L X C N K E A V N O W
```

Bonny Scotland

ABERDEEN	CRIEFF	GLASGOW	LOCKERBIE	PORTREE
ALLOA	CUPAR	GOLSPIE	MACDUFF	STRANRAER
ANNAN	DORNIE	HAWICK	MOFFAT	TAIN
AYR	DUNDEE	INVERNESS	NAIRN	TARBERT
BANFF	DUNS	IRVINE	OBAN	THORNHILL
BRAEMAR	ELGIN	KEITH	PAISLEY	THURSO
BRODICK	FALKIRK	KINROSS	PEEBLES	TONGUE
BRORA	FORRES	LANARK	PERTH	UIG
BUCKIE	GIRVAN	LARGS	PITLOCHRY	WIGTOWN

```
U I G Z Y E L S I A P K E I T H I L Z
K N I A T S G R A L J V B F N N W A K
F E E N P I T L O C H R Y U V M S N T
D K R I K L A F A J K D A E C E L A K
E E R F O R R E S S M N R L L K F R E
I N K F F U D C A M G N A B L F I K R
N I C C E U G N O T E O E B O O T E S
R V K C I W A H B S T E W M O N A K T
O R E B U D K M S V P H Z G F R R N R
D I A I R P O W W I G T O W N I B I A
Z Y X B B A A R E U B R O R A A E G N
R D U N S R E R B B A N F F N N R L R
H T R E P Y E M E I P S L O G H T E A
K I N R O S S K A T M A N N A N I O E
J T N F F E I R C R P O R T R E E L R
J D U N D E E Z U O G I R V A N F G L
B G N E E D R E B A L T H U R S O L Z
```

The Hieland Dialect

AIN	BURN	FULE	HIRPLE	MERK
AWA'	CALLANT	GANG	HOWK	MICKLE
AWFU'	CARLIN	GEY	KEN	MIRK
BAIRN	CAULD	GIE	KIRK	MUCKLE
BANNOCK	CHIELD	GILLIE	KNOWE	PUIR
BIGGING	CLEUGH	GLOAMIN	LANG	SNECK
BINNA	DIRK	GUDE	MAEN	SYNE
BIRSE	DOWIE	GULLY	MAIR	THREEP
BRAW	DWAM	HINNY	MAUNNA	WADNA'

```
R A G Z E C E M K R I K M X I Q C B L
X N C N Y A L I F M A G M A R P E R G
K E N L A R K R G W N H L D U I U N R
Z A L M E L C K F I I I L L W N E I M
U U M A N I I U G R E E A O A A N E R
G V G I Y N M G P K I W D B M D X A H
C D L R S Y I L C H A D P I L J A Y O
X W O H M B E E C R O A E R K H X A W
K C A G A N N A N D A W E S R P Y N K
J E M U W S J Y B K C D R E E Z E N R
W O I E D G N R I A B F H D M R D I I
I I N L F U L E L E N G T U E C D B D
E W Z C L X Z L Y L U N E G W A G F Q
A A J J I I A N N K W M O Y O U N I G
I R X R R N G R N C M F D C N L A C L
N B V R T T U P I U P V T R K D G Q F
P L C L N B U E H M G M J I R A Q A R
```

Tennis, Anyone?

ACE	EVERT	NET
AMATEUR	FOREHAND	OPEN
ASHE	GAME	OUT
BACKHAND	GOOLAGONG	PRO
BALL	GRAFF	RACQUET
BECKER	GRAND SLAM	RETURN
BORG	JUDGE	SERVE
BOUNDS	KING	SET
CASALS	LAVER	SINGLES
CASH	LENDL	SWING
CIRCUIT	LINE	TITLE
CONNORS	MATCH	TOURNEY
COURT	MCENROE	WIMBLEDON
DOUBLES	MEN'S	WOMEN'S
EDBERG	NAVRATILOVA	WRIST

```
M C A S H U S L A S A C T I T L E G B
C O U R T N E T B A T U O T E W R W P
N C S R O R P C Y I P K G O A O T K B
L X N Q R U E T A M A A R U B E F L E
G R E B D E S J D G A D A R B O E D C
H G M H P E Z N O V O N F N R R A N K
Y E O X R I A O O U O O F E I N U E E
T H W V E H L L B D U M H Y S E R L R
I S E M K A I L E C X A X G I C E J W
U A A C G T E L O L N L B T N M V T O
C G A O A S B N I D B S O E G V A R E
R B N R S M N N T N A D U U L E L E M
I G V N I O E E P H L N N Q E R L V R
C A E W R A S J C W L A D C S W A E T
N M R S N R U T E R R R S A L Z R C W
W R E V V U A O P E N G N R J U D G E
E G N I K M J J W R I S T F G N I W S
```

Kentucky Derby Winners

AFFIRMED	HALMA	PINK STAR
AGILE	HINDOO	PONDER
ALYSHEBA	HOOP, JR.	REGRET
APOLLO	JET PILOT	RILEY
ASSAULT	KINGMAN	SHUT OUT
AZRA	LAWRIN	SIR HUON
BEN ALI	LEONATUS	SPOKANE
BUCHANAN	LOOKOUT	SWALE
CHANT	MANUEL	SWAPS
CITATION	MERIDIAN	TIM TAM
DAY STAR	MONTROSE	TOMY LEE
DECIDEDLY	MORVICH	VAGRANT
DONAU	NEEDLES	WHISKERY
ELWOOD	OMAHA	WORTH
FONSO	PENSIVE	ZEV

```
E A L Y S H E B A A M E R I D I A N N
Z T M A A P H R S J D N E D O N A U A
E O U H W O B S E D E A O V E Z R S M
L L A O O R A U O G V S Y I I L Z W G
J M I P T U I O C Y R T O S T S A A N
O E J G L U W N T H U E F R T A N L I
W R T T A L H O D O A O T N T A T E K
R O F P E P M S K Y N N A T D N R I P
P B R C I Y R O W S L H A E I H O K C
O E M T L L O A O M C D M N Y M S M N
N N V E H L O S T S O R E R S U T E O
D A E A E I I T P S I R E D T P E A R
E L M U G R N O K F K K V A I D A I M
R I N L H R K D F X S N N I L C L W Y
P A W U A A A A O I O O I E C E E D S
M J O G N H H N H O E H S P Y H F D N
T N C E W I T W T L Z H O L L O P A Y
```

Kitchen Magic

ADD	CUMIN	LEMON	SAGE	SPRINKLE
BAKE	DELICATE	NUTMEG	SALT	STEW
BASIL	DILL	OIL	SAMPLE	STIR
BASTE	FLAVOR	ONION	SAUCE	STOCK
BRAISE	GARLIC	PARSLEY	SIMMER	SUBTLE
BROTH	GENTLE	PINCH	SLOW	SUGAR
BURGOO	HERB	RAGOUT	SOUP	TASTE
CLOVE	HINT	ROAST	SOUPCON	THYME
COOK	KETTLE	ROSEMARY	SPICE	TURMERIC

```
U D H C N I P T W G A C R E J E L N Y
N F I V R E N A V D R I N H L Z X X S
N I L S P I C E D O T H K O G T X F T
L B M A H W D U S S B L V E I W T O O
H H I U V T K E A R I Q M J I N O E C
T S H F C O M L E S O T S A O R O X K
G O B N K A R H A T U R E I T O Q E V
C U R O R U X B H N A S Y W V Y E H O
Y P O Y E O O Y D G I G S B R T C J U
A C T R S O M Y O A A P A E A I E E E
X O H A G E E U R R R S M C R L V L S
D N G R L L T B L I T M I E T O T P L
I E U I S T A I N E I L M B L N U X O
L B O R A K C K W S E R U C E O T D W
L E A S E O L T U D U S U G S D L F K
X P T T V E P L R T P E E L P M A S O
K E Z W G T L E M O N S U G A R S B H
```

On the Shopping List

ANISE	CEREAL	FLOUR	MUSTARD	SALSA
APPLES	CHEESE	GINGER	NOODLES	SALT
BAGELS	CHICKEN	JELLY	OATS	SESAME
BEEF	CHIPS	JUICE	PAPRIKA	SOAP
BEER	CLEANSER	KIWI	PICKLES	SOUP
BREAD	CRAB	LETTUCE	RAISINS	SPONGE
BROCCOLI	DOUGHNUTS	LIMES	RELISH	TAHINI
CAKE	EGGPLANT	MAYO	RICE	TOMATO
CAT FOOD	EGGS	MILK	RYE	TUNA

```
C L Y B L P C A P P L E S T L U B I I
A C D A A P U O S P O N G E A N S L N
G E R O K R E M A S E S K F N E E I I
Y R S A O I C E D U D E L L U K L M H
C E W K I F R K Y R X C I O T C K E A
N A K O O S T P J R A U M U B I C S T
C L S A E J I A A A T T W R V H I N P
K H T T E R E N C P N T S J X C P O I
B S E L U E E L S M A E B U B H M O C
E R L E C N E G T X L L Q E M B G D H
C Y O I S A H M N R P K E A H A Z L I
I R U C N E A G O I G F E X L G S E P
R J E S C Y D T U B G B W G K E A S S
H M E L O O A W E O E P R I G L L X A
Q R Z K I M L E R A D J W E H S S V L
L C Y L O S R I R E S I N A A W A R T
G W G T W R H N O X C A K E E D D Y M
```

Naming the Craters of the Moon

AIRY	DAVY	KEPLER	MERCATOR	ROCCA
BACO	DELISLE	KIES	METIUS	SHARP
BILLY	ENCKE	KLEIN	NEPER	SIRSALIS
BIRT	EULER	KRAFFT	PARRY	TACITUS
BONPLAND	GRIMALDI	LEXELL	PRINZ	THEBIT
CAPELLA	HEDIN	LICETUS	REINER	VIETA
CLAVIUS	HYPATIA	MAIRAN	RHEITA	WALTER
COPERNICUS	JACOBI	MARIUS	RICCIOLI	WERNER
CUVIER	JANSSEN	MAYER	RICCIUS	ZAGUT

```
I E E O G K A R E T L A W M A Y E R T
V S L R E I N E R Y Y C U C Q Z C F R
I U S U R D J A C O B I Q O Y N U N I
D T I Y G R E N R E W V A P R T V I B
L E L V I E T A C I T U S E R R I E N
A C E S I L A S R I S O L R I H E L E
M I D S T S R D C M M U S N C E R K S
I L G U U I U A N E E U O I C I P P S
R K G M C I P I R A I O O C I T S A N
G A E C A E V C T R L L K U O A H R A
Z Y I P L I A A A E P P K S L H A R J
I U V L L T R M L Y M R N R I B R Y H
S W A A O E K A V C L M I O A X P I E
B N A R D D R I N X L L P M B F R D D
A E K C N E L L E X E L I J Z Q F W I
C X A R E P E N C S B T I B E H T T N
O U Z W H Y P A T I A R O C C A D B F
```

220

What's That in the Sky?

AIRPLANE	CAPRICORN	GEMINI	NOVA	SCORPIO
ANTARES	CLOUDY	HELICOPTER	ORION	SPUTNIK
AQUARIUS	COMET	HYDRA	PISCES	STAR
ARIES	CONDOR	KITE	PLANET	SUN
ASTEROID	CRESCENT	LEO	PLEIADES	TAURUS
BALLOON	CYGNUS	LIBRA	POLARIS	UFO
BLACK	EAGLE	METEOROID	ROCKET	VIRGO
BLUE	FALCON	MOON	SAGITTARIUS	WHITE DWARF
CANCER	GALAXY	NEBULA	SATELLITE	ZEPPELIN

```
B L U E A G L E Z B A N T A R E S U H
S E I R A A I R P L A N E F V I R G O
H Y D R A M O I S A T E L L I T E Z F
V R O C K E T U C B A L L O O N R S R
W Z M X Y X A L A G R O D N O C E O N
H P C A P R I C O R N U S S U D T F T
I D I O R E T S A F U R U A A A P U N
T H M R N S E C S I P I Q I D H O S E
E D I O R O E T E M R U E A G V C Z C
D F V B L A C K P A A L I O T O I E S
W A L U B E N O T R P N P A R C L P E
A L A D M N L T I C I L U P A Y E P R
R C I O O A I U O M A R I R L G H E C
F O O I R G S M E N U O B T E N T L L
F N R I A M E G E S K I T E O U F I U
Q O S S H T A T N C L O U D Y S X N F
R E C N A C Q R A T S P U T N I K W J
```

Quietly, Quietly

CAREFUL	OBSERVE	SLOW
CATLIKE	PEEK	SLY
CLOAKED	PEEP	SNEAK
CONCEAL	PEER	SNOOP
COVER	PRY	SPY
COVERT	QUIET	SQUINT
CREEP	SCREENED	STALK
CURTAIN	SCRUTINY	STEALTH
DISGUISE	SECRET	STIFLE
FURTIVE	SHHH	SUB ROSA
HIDDEN	SIDLE	SURPRISE
HUSH-HUSH	SILENT	TIPTOE
LURK	SKULK	VEIL
MASKED	SLIDE	WATCH
MYSTERY	SLIP	WHISPER

```
N I V E O T P I T D P C U L S L I D E
Q P E U D L U R K D T X R D P G E W P
U E I S K E S I D L E H V E N D K M O
I E L C D L K H R E C S W K E Y I N O
E P N R E L U S H E R U H A N P L I N
T P K U N U H K A H E H I O E D T A S
S R O T E F Y K S M E H S L D F A T W
L Y B I E E E L S H P S P C D T C R A
O P S N R R X S S T T U E A I S A U T
W E E Y C A E T I E I H R R H U S C C
T E R R S C N V A U C F E H T R O A H
R K V Y R E M L I O G V L N D P R D X
E I E E L X T K N T O S I E N R B P K
V N T I V H L C W C R U I P N I U W A
O A S H R A E W N A Q U Z D A S S J E
C W N W T A U A D S H V F P E E P H N
F B W S L W A S L I P M Y S T E R Y S
```

On the Seamy Side

BLINDING   DASHING   GIMCRACK   SAUCY   TASTELESS

BOLD   FLASHY   GLITTER   SHINY   TAWDRY

BRASSY   FLOURISH   GLOSSY   SHOWY   TINHORN

BRAVADO   FOPPISH   IMPUDENT   SPLASHY   TINSEL

BRAZEN   FRIPPERY   JAUNTY   SPORTY   TRUMPERY

BRIGHT   FUSSY   LOUD   STAGY   UGLY

CHEAP   GARISH   PLAID   STRUT   VAIN

COARSE   GAUDY   PRETENSE   SWAGGER   VARNISH

CRASS   GEWGAW   RAFFISH   SWANK   VAUNTING

```
T U R T S J A U N T Y H G L I T T E R
L V Y R E P M U R T Y S A G L O S S Y
L P X S S A R C V X N I I F U S S Y W
W B R A S S Y A F Y I P V A V C A S I
A I L O U D R G H F H P G A Z O U H N
G M T B B N B S S S O N G Q A C O J
W P Y O I R A S T P I F I I A R Y W T
E U L S A L E Y A O R B T M R S R Y I
G D H Z P L P E G R U R N C A E E G N
V E E S E G F R Y T O I U R F M G N H
A N M T A L D R E Y L G A A F L G I O
I T S R P A S X I T F H V C I E A D R
N A I L S W T B V P E T G K S S W N N
T S A H A Y D U A G P N U I H N S I Q
H I I N B R A V A D O E S H A I Y L U
D N K T A W D R Y K K Y R E U T U B B
G P A E H C T F L A S H Y Y U G L Y X
```

Even Seamier

ABDUCT	EVIL	KIDNAP	PINCH	SCAMP
BANDIT	FIEND	LARCENY	PIRATE	SHANGHAI
BILK	FILCH	LIE	PLUNDER	SNITCH
BUNCO	FLEECE	LIFT	QUACK	STEAL
CHARLATAN	FORGER	LOOT	RASCAL	SWINDLE
CHEAT	FRAUD	MOUNTEBANK	ROBBERY	SWIPE
COZEN	HEIST	PALM	ROGUE	THIEF
CRIB	HIJACK	PILFER	ROOK	VILLAIN
EMBEZZLE	HITMAN	PILLAGE	RUSTLE	YEGG

```
Z T A E H C H K I D N A P C R I B C K
D S T E A L I E B W T H I E F L W O C
W D U A R F T C Q S Y H H I J A C K A
A D G T O I M Q W P T A F L E E C E U
X M N R A G A I L H C T I N S U W A Q
C F G B C O N U T Y P I L F E R T S A
D E I O C D N R E M B E Z Z L E H L K
R L Z N L D K O Q W C H A R L A T A N
K E U E E J N G B A N D I T N H Q G P
N B L R L D A U P I N C H G Y E N W I
F J I R O B B E R Y Z M H N H I R V L
Z K E E G F E L J C Z A E T R S A I L
D R T T G S T T F D I C P C O T S L A
L N T A E C N S J I R A I U O L C L G
M N E R Y A U U A A L H W D K O A A E
B E V I L M O R L M Z C S B B O L I U
T Q U P F P M L I F T K H A T T O N G
```

D-licious!

DABBLE	DISK	DOZE
DAZE	DIVE	DRAB
DELECTABLE	DOBBIN	DRAG
DELIGHT	DOCTOR	DRAIN
DELIVER	DODGE	DREW
DESK	DOGGED	DRIBBLE
DEW	DOME	DRIFT
DHOW	DONE	DRINK
DICKER	DOODLE	DRIP
DIFFER	DOOR	DRIVE
DIG	DOSE	DRIZZLE
DILL	DOUBLE	DROUGHT
DINKY	DOUBT	DRUBBING
DIP	DOUR	DUMB
DIRK	DOUSE	DUNK

```
K O Z E S U O D O I Q T B K S E D I G
N Z J R U O D E E D D H K E L B U O D
I N B Q R D L G V A R G P O I M D R R
R I N E E I D G I Z I U I H C E E O E
D B P L F V O O R E B O R C L V T M T
H B H Z F E O D D W B R D E I C O U J
R O C Z I I R A X O L D C L O D B V K
E D Z I D P B J I H E T E D D M B G L
K Z T R N I A R D D A D H R U A A E P
C E M D U X M A D B E D U D R R G I D
I D L D E W F I L S M B E D D D D Y O
D A D D C G R E O C B K D L O Y R L Z
B B R G O K F D B I N U S D I E P L E
J B E K B O X X N I N P D I K G J I H
D L W E N O D G Y K N I D D D V H D H
L E R C W A N D R I F T L I R H C T K
N A Z U V E O Q D O U B T P M O W Z R
```

All with CT

ACT	ELECT	PACT
ACTION	EXACT	PICT
ADJUNCT	EXPECT	PRACTICE
ARTIFACT	FACT	REFLECT
BACTERIA	FACTION	REFRACT
CINCTURE	FRACTURE	RICTUS
CONCOCT	FRICTION	RUCTION
DEFLECT	FRUCTOSE	SANCTION
DETECT	INFLICT	SANCTUM
DICTATE	INSPECT	STRICT
DICTION	INSTINCT	SUCTION
DISTINCT	LACTOSE	TACT
DISTRACT	LECTOR	TRACT
DOCTOR	LICTOR	UNCTUOUS
DUCT	OCTOBER	VICTOR

R O T C E L J U T C E L F E D T C A T
E E N T D R H E X A C T C O C N O C Z
L T B O C I U L A I N F L I C T O R F
E A X M I A S T T C I W O C T O B E R
C T R R U T R T C C T N O I T C A F F
T C F O Z T C F I A A I T L A U A R F
E I T T T V C U E N R F O C C A U R M
D D T C I C N N R R C F I N E C G T T
I S A I A E O R A P B T W T T T C R H
C U D V Y R I D I S A R C O R N E R N
T O J L X U T K P C C C S I I A E D O
I U U A T T C S Z N T E T T R F U E I
O T N C C C I Q I T E U S Q L T P X T
N C C T I N R O C D R N S E N E S T C
G N T O P I F U Y E I T C E P S N I N
Y U Z S L C D Z U U A T T C E P X E A
P Q O E C I T C A R P N O I T C U S S

Hardly There at All

ATTENUATE	MEAGER	SVELTE
BONY	PAPERY	THIN
DILUTE	RAIL	THREADY
EMACIATE	RANGY	VAPOROUS
FILMY	REEDY	WAFER
FINE	SCRAG	WASPISH
FLIMSY	SCRAWNY	WASTED
FROTHY	SHRIVELED	WATERY
GANGLING	SKELETON	WEEDY
GOSSAMER	SKINNY	WILLOWY
GRACILE	SLIGHT	WIRY
LANK	SLIM	WISP
LATH	SPARE	WITHERED
LEAN	SPINDLY	WITHY
LEGGY	STRINGY	WIZENED

```
F H A K G F L B Z C W A S T E D O W F
E E L L A O E B B R A N Y O Y T I F
Y N R R P N N Y A E S Y D O H S H R R
N R I A Y K N G M N G C E V Q M R Y Y
O P E F P N C A L G S C R A G I E F D
T S O P I S S Y E I L G E A R L A R E
E R H K A S U L G J N L H V W F D O E
L Q S R O P E O R N A G T C L N Y T W
E T H G I L S M R E I I I O I A Y H W
K Y M K Y V T E A O E R W H G S N Y A
S W L I A R E H L C P D T T U P D K S
W O P H T A L L V I I A Y S S I E R P
Y L E T U L I D E W C A V W V N N E I
H L Q Y G N A R J D A A T Y E D E G S
T I W A T E R Y M L I F R E L L Z A H
I W J A T T E N U A T E E G T Y I E R
W T Z Q M I L S W I S P V R E Z W M M
```

Larger Than Life

AMPLE	BUXOM	GROSS	LEVIATHAN	SPACIOUS
BEAMY	CHUBBY	HEAVY	MAMMOTH	STOCKY
BEEFY	CHUNKY	HUGE	MASSIVE	STOUT
BEHEMOTH	COLOSSAL	HULKING	MIGHTY	STRAPPING
BIG	CORPULENT	HUSKY	MONSTER	TITAN
BROAD	FLESHY	IMMENSE	PLUMP	VAST
BULKY	GENEROUS	INFINITE	PORTLY	WEIGHTY
BULL	GIANT	JUMBO	ROTUND	WHALE
BURLY	GOLIATH	LARGE	SIZABLE	WHOPPER

```
W M F N H U L K I N G N P S T O C K Y
H B R O A D S C C I M M E N S E R C D
A T M O X U B U O S O L M O N S T E R
L S C H U N K Y O R S P A C I O U S R
E A L H O U O M Y R P O L R M J H V G
T V R E T R X D A T E U R U G H E Y I
W A O B V O H L M S H N L G M E A B A
H M T N E I M T I I S G E E T P V B N
O P U B G E A E O N G I I G N T Y U T
P L N J U J F T H M F H V E P T K H M
P E D B H L W Y H E M I T E W O L C T
E B H T A I L O G A B A N Y H R U I U
R E W Y L T R O P G N U M I N U B R O
L A N D S I Z A B L E O Z Z T A S N T
R M E U G N I P P A R T S J Y E T K S
Z Y Y L R U B L A S S O L O C A R I Y
W D X B I G F L E S H Y O B M U J U T
```

Further and Further

BREADTH	ENLARGE	HEIGHTS	PURSUE	SPREAD
BROAD	ETERNAL	HORIZON	RANGE	STEADY
COMPASS	EXPAND	INFINITE	REACHES	STRETCH
CROSSING	EXPANSE	JOURNEY	REMOTE	TERRITORY
DEPTHS	EXTENT	LAND	REMOVED	TRAVEL
DIAMETER	FAR	OCEAN	REVEAL	UNBROKEN
DISTANT	FIELD	OPEN	SCOPE	VIEW
EARTH	FOLLOW	OUTPOST	SPACE	WIDEN
ENDLESS	FURTHER	PLAIN	SPAN	YONDER

```
P F R X T E R R I T O R Y E P O C S E
R U R E U E T O M E R S H S T E A D Y
R R E U N E P O T D E H T X T S N A V
D T D S A P C I I A N T D T L S A N J
A H N R A F N A P Q I P A N A A E A O
E E O U Y I M G P U K E E E P C P U
R R Y P F E W T N S L D R T V M O S R
P S Z N T J H N N I V A B X E O P E N
S S I E D F O E T A S A N E R C L H E
F E R D D O R K L C T S E R H I A C Y
E L X I N L I O E S R S O G E Y I A F
X D J W A L Z R V T A E I R R T N E I
P N G E P O O B A H N Y M D C A E R E
A E Y I X W N N R G G D A O R B L P L
N H B V E V M U T I E D V I V Z N N D
S M T S O P T U O E H T R A E E T B E
E S T R E T C H M H Z L D N A L D Z M
```

Mediterranean Alphabets

ALEPH	DALETH	JIM	OMICRON	TAW
ALIF	DELTA	KAF	QAF	TETH
ALPHA	DHAL	KAPH	QOPH	THA
AYIN	EPSILON	KHA	RESH	THETA
AYN	GAMMA	LAM	SAD	WAW
BETA	GHAYN	LAMED	SADHE	YOD
BETH	GIMEL	MEM	SAMEKH	ZAY
DAD	HETH	MIM	SHIM	ZAYIN
DAL	IOTA	NUN	SIN	ZETA

```
W V I N K I D L A V V Y H I M A W Q C
H T A B P E N T A H N H H Q N I Y A L
C P T E A A Y A D O N K P J T A W A
L M O T L H H L A B A I I E A T M O H
Z A I H B K E J E H E Y D S M K E O D
C D M T O P Z W F P G A D A F A M Z L
J E F O H Q T H A J S Z B I D I S H V
H D A S H P O Q J D M I L T C Q E T H
S L N H T E L A D L A A L R W L H E K
E G Z R Q L V H H P T G O O F K D H X
R B I V N G A M M A E N H C N K A F T
W S A M L Y D O Y D H A L P H A S P E
Z P H T E I U N U N T L I X A Y N E T
J Q W I E L B D B X Q A F A A R U M H
W M I M M B Y Z E T A O L A M E D R J
P N E I H H A G Z A Z J I M O X L M F
E D E L T A Z G R I C I P W A W M Y I
```

230

Units of Measure

AMPERE   FINGER   LEAGUE   OHM   SMIDGEON
BAUD   FOOT   LIGHT YEAR   OUNCE   STERE
BIT   FURLONG   LITER   PARSEC   STONE
BLINK   GRAIN   METER   PECK   TON
BUSHEL   GRAM   MICRON   PINCH   TRICE
BYTE   HAND   MILE   POUND   UNIT
CHAIN   HOUR   MINUTE   ROD   WATT
DAY   INCH   MOLE   SCRUPLE   YARD
FATHOM   KILOMETER   MONTH   SECOND   YEAR

```
P X E E T U N I M A H M E R E T S H B
M E P T C I R E G N I F D U A B L H N
O W C F Y E M C P M E T O H M N Y B L
O L C I N B V I L F H A N D T A W V I
H D E O R E T E M O L I K F D O Z H G
U T T H D T A P S M I D G E O N C C H
C S N D S G C S A E L I M U W N N G T
H H E O U U R E G R A M Z P I A J F Y
M O A E M O B C Z U S C I L Y S T R E
O L U I D F O O T V A E E M C Y F T A
L V I R N E I N Z G P R C R I A A E R
E P E T I F Q D N G E O U I T C C R M
H A M P E R E O K T R P U H Y N R U D
E K M D I R L K E Q L A O N U W N O H
T B C O P R C M U E I M I O D I T X N
C D B E U B L I N K T O N N T L U I B
Y N O F P C C P P I N C H Y E A R H B
```

293

Old-Fashioned Portraits

ARMOR
BATTLE
BEAUTIFUL
BLUSHING
BONNET
CANVAS
CLASSICAL
DOUR
EXPRESSION

FAME
FAMILY
FIGURE
FIRM
FLOWERS
FROWN
GARDEN
GLARE
GLOVES

GRECIAN
GROUPING
HANDSOME
HORSE
INNOCENT
LOCKET
NOBLE
NOTABLE
ORNATE

PATRIARCH
PILLAR
PLAIN
PLAYFUL
PLEASANT
PORTRAIT
POSE
REGAL
SIMPLE

SIT
SMILE
SOBER
STAND
STARE
STATELY
SWORD
WEDDING
WINSOME

```
S W O R D G H G S Y L E T A T S G B T
M I P V W N E U R I W G R E C I A N E
T B P I I I L S H O M Q L A G E R E C
I A L N N H O G R A U P X A N I C D L
A T A N S S L G N O N P L O R T U R U
R T I O O U S O S I H D I E E E R A F
T L N C M L A E C H D S S N P U H G I
R E L E E B V P E K S D N O G U C S T
O S A N P O N R W E E O E I M Q R M U
P O C T L O A M R M B T T W A E A I A
P P I G Z T C P R R I R S E R S I L E
L Y S J S B X I B S B A R F M T R E B
A L S N A E F I N O B L E S O A T W J
Y I A T N A S A E L P L W O R N A T E
F M L N O T A B L E H I O B N D P T J
U A C R H F I G U R E P L E D O U R D
L F E M A F R O W N O X F R O N Z Z G
```

An Affair of Honor

AFFAIR	DELOPE	HONOR	PALE	SHOOT
AGENT	DISHONOR	IMPUGN	PINKED	SLAP
ANGER	DOCTOR	INSULT	PISTOLS	STAND
CHALLENGE	DUEL	INTEGRITY	PRIMED	SWORDS
CHILL	FACE OFF	LOADED	RAPIERS	TARGET
COURSE	FENCER	LOSE	RECANT	TEMPER
DAWN	FOILS	MARK	SABERS	TERMS
DEBT	GAUNTLET	MEET	SECOND	TOUCHY
DECIDE	GLOVE	PACES	SECRET	WIN

```
E O S T A N D F O I L S W I N G S D Q
G I L D O C T O R P O E A Y N H E X U
Y S G L O V E K C O P V H W O C Q R Z
T C E E L A P O D O L C A O I Z I O P
D E F C I S U E L E U D T D S L N N D
D M L D A R D E G O K P E R F R T O E
T I U T S P D R T N I N E Y E T E H D
Q E S E N T S I O S E B I C T B G F A
L E L H E U N R T W A L N P H E R F O
N U A M O S A O E S S E L J D D I O L
F G P D U N L G D I F N T A N R T E O
T E A L A S O N O M P E R G H E Y C S
R E T F A G O R F R G A U E M C Y A E
K N R Q F C E M A R K P R E G A K F R
O P Y M E A I N A Y M G E U Y N D H G
R Y X S S B I T T I D T L D T T A A V
T E R C E S P R I M E D C H I L L I I
```

Doing Business

ACCOUNT	BUDGET	DEBIT	GOODS	PROFIT
AMOUNT	CATALOG	DEFER	GROSS	RATE
ARREARS	CENTS	DELIVER	INTEREST	RED
BALANCE	CHARGE	DICKER	LOAN	SALARY
BARGAIN	COLLECT	DOLLAR	LOSS	SAVE
BARTER	COMMODITY	DUE	MARKET	STOCK
BENEFITS	COST	EXCHANGE	NET	TAXES
BLACK	CREDIT	FEE	PAYMENT	TRADE
BOOKS	DEAL	FINAGLE	PERCENT	WAGE

```
I  R  E  T  R  A  B  P  A  Y  M  E  N  T  U  K  Y  Z  I
B  E  C  N  A  L  A  B  X  T  I  D  E  R  C  A  A  Y  T
L  D  Z  E  V  D  M  S  T  Q  T  N  P  R  O  F  I  T  I
A  C  Y  M  B  E  E  T  D  N  T  N  U  O  C  C  A  D  B
C  L  O  S  S  U  X  F  X  O  E  C  E  N  T  S  M  O  E
K  S  O  L  D  W  D  C  E  I  O  C  E  E  S  H  S  L  D
V  S  Z  A  L  R  F  G  H  R  N  G  R  T  G  T  U  L  D
F  O  S  L  Z  E  W  B  E  A  Z  T  O  E  I  R  E  A  F
E  R  A  O  D  V  C  A  A  T  N  C  E  F  P  T  A  R  F
E  G  V  A  E  I  P  T  G  R  K  G  E  R  A  X  A  H  R
K  J  E  N  R  L  J  C  C  E  G  N  E  R  E  R  F  R  C
T  N  E  T  S  E  X  A  T  O  E  A  Y  I  R  S  H  E  D
C  O  M  M  O  D  I  T  Y  B  S  R  I  E  R  R  T  K  M
G  G  O  L  A  T  A  C  Y  O  A  T  A  N  F  Q  R  C  W
C  F  I  N  A  G  L  E  A  L  L  R  S  K  O  O  B  I  P
V  H  C  C  T  E  K  R  A  M  S  A  M  O  U  N  T  D  X
E  D  A  R  T  T  I  S  X  V  X  R  D  E  A  L  O  Y  U
```

234

Small Change Around the World

AGOROT	DINAR	KOPECK	PAISE	SATANG
ANA	DIRHAM	KURU	PARA	SEN
BANI	FEN	LEPTA	PENCE	SENE
BUQSHA	FIL	LIKUTA	PENNIA	SENGI
BUTUT	FILLER	MAKUTA	PESEWA	SENTI
CENTAVO	FRANC	MIL	PIASTER	TAMBALA
CENTESIMI	GROSCHEN	MILLIEME	PUL	
CENTIME	GROSZY	MONGO	PYAS	
CHIAO	HALALA	NGWEE	QURSH	
CHON	JUN	ORE	RIYAL	

```
I G J E R O N S A T A N G P X Z J R U
K M I L G O E V F I L L E R Y U N T C
A N O H C G F P Z Z I R M I N A Y L X
Y F P G J N O T E D M E A T G D S K E
F M A A G O R O T L I T H N V H T C E
Z I I H M M E A K I S S R E W T L E W
M L S S G J M Q F K E A I S B O U P G
A L E R I Y I H R U T I D G V I P O N
K I A U P Z T A A T N P A A N U N K J
U E L Q E S N L N A E E T H U E Q A W
T M A N N O E A C F C N H C S R S D B
A E B Q C R C L F A E V L C H Q U R N
T N M R E G D A E C I H P A S I U K Y
K E A A A W E S E P K N L A Y O A B Q
A J T N W U A F M P T I N J R I R O D
H M L I B D E N E S F A K E J A R G O
S E N D O U T U T U B J J E P W Q O N
```

297

American History in a Lump

ANNEX	GOLD	PIONEER
BUFFALO	GRANT	PURCHASE
CABIN	GROWTH	RAILROAD
CATTLE	INVENTION	RANGE
CHANGE	JACKSON	RELIANT
CITY	LAND RUSH	SETTLER
CLAIM	LAWS	SEWARD
COLONY	LEE	SHEEP
COWBOY	LINCOLN	SKIRMISH
DISCOVER	LOGGERS	SODBUSTER
EXPAND	LOUISIANA	SOURDOUGH
EXPLORE	MARCH	TOWN
FARM	MIGRATE	WAGON
FOLLY	NATIVES	WAR
FURS	OREGON	WESTWARD

```
G H A N N E X L E E L C I T Y C D K F
R L D L O G M K Y I X C N U I V I Y A
Z E A Y Q S Y A E G N P A M Y H S W R
B A L N S L K N R T N V L T F R C Y M
P L C T D O I C O C A O E O T N O O D
I A A O T R U N A L H R G N R L V B N
O W B W C E U R C J O P G E T E E W A
N S I N H H S S D O L C T I R I R O P
E E N S T D A U H O L S J O M O O C X
E W C E W S W N U W U N P E E H S N E
R A L V O H R I G B X G F O L L Y T L
P R A I R R S U D E V Y H G R A N T K
W D I T G I A O F D R A W T S E W L R
A M M A A D S N Z E S A H C R U P E A
G O I N J M A H G D A O R L I A R E W
O L A F F U B Q Q E N S K I R M I S H
N R L O G G E R S Y T N A I L E R J H
```

Just Add "Bug"

AMBUSH	GOLD	PLANT
ANT	HARLEQUIN	POTATO
ASSASSIN	HUM	RAIN
BARK	JITTER	RED
BED	JUNE	SCALE
BILL	LACE	SHIELD
CARPET	LADY	SHUTTER
CHINCH	LEAF	SOW
CLICK	LEAF-FOOTED	SPIT
COTTON	LIGHTNING	SQUASH
CROTON	LITTER	STINK
DOODLE	LOVE	TUMBLE
DUST	MEALY	VOLKSWAGON
FIRE	MILKWEED	WATER
FLOWER	PILL	WHEEL

```
R L O T A T O P Q Q Q C V F C P L R O
N J E T L Y T J I T T E R L R F Y E C
N R E A H C N I H C B M I O E T Z T T
K E C L F G T I P S C C B N T T L T O
C E E Q K F I R E D K M A O T O U I D
H A A N T U O O A N I A R G U B N L E
F H S U B M A O G O L D K A H X F U B
T L H X N M U H T J S G H W S C Q K H
A S O U D O R W G E E C Q S W S T T A
R S U V L E T E S N D L A K O H E N R
L E S D E M E T W Q I T D L S I P C L
L W T A E V P W O O U N B O E E R F E
I J H A S L T G K C L A T V O L A G Q
P Z L E W S A C E L K F S H L D C E U
E Y T Q E I I D L L I B R H G U I Z I
Q J U N E L R N Y Y B M U S T I N K N
X E L T U M B L E D B T N A L P L K X
```

Roaming in Maine

ALBION	CASCO	JACKMAN	MILO	POWNAL
AMHERST	DEBLOIS	JUDSON	MONSON	SEBEC
ANSON	DERBY	KOKADJO	MOOSEHEAD	SHIN POND
ATHENS	DICKEY	LIMERICK	MOSCOW	SOLON
AURORA	EUSTIS	LINNEUS	OLD TOWN	STARKS
BLAINE	EXETER	LISBON	ORLAND	STETSON
BROOKS	FRYE	LUBEC	ORONO	STRATTON
BYRON	GREAT POND	MACHIAS	PARKMAN	TEMPLE
CARTHAGE	HIRAM	MEDFORD	PORTAGE	WELD

```
N M A R I H L I N N E U S E L P M E T
O B T S E M O S C O W X A B Y R O N G
L U B Y H T D T L I M E R I C K D Z T
O L C W B I E A A L P M E D F O R D N
S L I S B O N X D S T R A T T O N N A
S A I H C A M P E E N R P A N A S O M
P M C X Y P E F O A B D O W U K G S K
M O Y E Q B R P M N I L O R O R E N R
O O S G B Y R K O C D T O O L B O A A
N S I A E U C E K R D M R I E A E R P
S E T H M A L E D L T B I C S A N C A
O H S T J L Y W O C S A C L P M I D S
N E U R D N O P T A E R G Y O H A O K
R A E A N S N E H T A O E E W E L R R
K D P C K N O S D U J U T P N R B O A
W K O K A D J O H N O I B L A S K N T
R W I N O S T E T S W E L D L T V O S
```

South to Florida

ALACHUA	BRATT	GASKIN	KEY WEST	SANDY
ALTHA	BRUCE	GRETNA	LAMONT	SEVILLE
ALTON	CAMPBEIL	HAVANA	LEONIA	SIRMANS
ARRAN	CAPPS	HINSON	MARTEL	TELOGIA
ATHENA	CENTURY	HOLLEY	MARY ESTHER	VERNA
BAY CITY	CHIPLEY	HOLT	OSTEEN	VERNON
BENNETT	CONCORD	IZAGORA	PAHOKEE	WAKULLA
BITHLO	DORCAS	JACOB	PERRY	WAUSAU
BONIFAY	FRINK	JEROME	REDBAY	ZELLWOOD

```
Z T G R E T N A I B C C Z V E R N O N
N P L E T R A M P B T E S A H T L A S
O E V C E N T U R Y L N I N N Y Y U P
S C E T P E R R Y L A A I X E E M E P
N U R S R R O Q W M L K O L A L H H A
I R N E E T S O R L S L P L I S E T C
H B A W H E O I U A H I T E A W E V A
A Y N Y T D S K G T H O B C D H K L A
F T D E S H A N I C N P R X O L O U R
P T W K E W N B J Y M O E L A C H E J
T E A A Y Y D A T A D L L M O C A B E
E N U R R R Y I C Z L E O N A Y P O R
L N S R A K C N B I Y N C L A D O N O
O E A A M Y H O V I T O A B J Q U I M
G B U N A O C E A B R A D K N I R F E
I E W B L A S L C D O E H A V A N A U
A U C T J I Z A G O R A B R A T T Y O
```

Places in Poetic Hawaii

AIEA	HONOKAA	KEAAU	LIHUE	PAAUILO
ANAHOLA	HONOLULU	KEANAE	MAILI	PAHALA
EWA	HONOMU	KEKAHA	MAKAHA	PAHOA
HAIKU	HOOLEHUA	KEOKEA	MAKENA	PAIA
HAKALAU	KAHUKU	KIHEI	MANA	POMOHO
HALAULA	KAILUA	KILO	MAUNAWILI	PUUIKI
HANA	KAMUELA	KOALI	NIU	WAIANAE
HAUULA	KANEOHE	LAHAINA	OLOWALU	WAILUA
HAWI	KAUPO	LAIE	PAAHAU	WAILUKU

```
K O U E W A W A H A K A M A E K O E K
I H A W U G W U A L A K A H H K A G E
H O A P A A U I L O W L K H D L I H I
E M E P K C A A F M A A O A A Y A L G
I O K O J L H K A I P O L H U U J A O
F P A A U A A U E U L U A E U P N E H
B L I A K N N A K E K P U L U A O O V
I E L E E A A E H E A I A I H M N O P
A A K O W K A U Y L Y C A X K O A A E
H B H I O N A W O W R U O H L I I K I
K E L N A W A H A H A L C U M A I L I
I I O E A J A N T I O I L U M O N O H
W H G I A N A M I W L U A H K D M E P
A A L M A K E N A A C U Y N U U U K H
H U O D I O B L G E H H K I A H H H X
A P A A H A U P A H O A N U I E L A M
X X J A G V A U L I A K L L K F A X X
```

Ambling Through Alaska

AKUTAN	COLLEGE	FLAT	MINTO	SLANA
ANGOON	CRAIG	GAKONA	NENANA	TANANA
ANIAK	DEADHORSE	HEALY	NOATAK	TETLIN
ANVIK	DOT LAKE	HOMER	NOME	TOK
BARANOF	EAGLE	JUNEAU	PALMER	UGANIK
BARROW	EEK	KAKE	PLATINUM	VALDEZ
BEAVER	EGEGIK	KIPNUK	RAMPART	VENETIE
CANTWELL	EKWOK	KIVALINA	RUBY	WALES
CHICKEN	EUREKA	LONG	SEWARD	WRANGELL

```
O R D L L E G N A R W L R U B Y R J G
U T B E I U G A N I K E G Y L A E H A
A I N E A K A T A O N J U N E A U X K
K N V I A D Q E C E G E L L O C R W E
I T A E M V H F V A S E L A W L E E R
P E L N M T E O L P N W K V Q K M P U
N T D Y E O O R R A E T J I I U O L E
U L E W P N N K N S T K W V M H A F
K I Z Z N O O G N A E B A E E N M T O
L N A K A I N A V C A L N L L E A I N
E N N P A L M E R R I E D E T L K N A
A A O T W R N A R N K R R U G O H U R
G T K U M E I O A C A E K W O K D M A
L U A V T G W W I W A N A N A T B O B
E K G I U Q Q H E G D R A M P A R T J
K A E Z W C C S L K I G E G E E K A K
X O K R J W U U S L A N A H M R K Q B
```

Touched with Gold

AGE	CHALICE	GIRL	MEAN	SMITH
BARS	DAYS	GLOVES	MINE	STAIR
BOWL	DIGGER	GLOW	NUGGET	STANDARD
BOY	EAGLE	HAIR	PIECE	SUN
BRAID	EYE	HARP	RING	THROAT
BRICK	FIELDS	HEART	ROD	TOOTH
BROWN	FISH	LEAF	RULE	TOUCH
BUG	FLEECE	LEAVES	RUSH	WINGS
CARD	GATES	LIGHT	SEAL	YEARS

```
A S F E Y E F S E V A E L M M I N E Q
X L M E N A M U S T A N D A R D R C L
C A N I U Y E A R S J D S G N I R W W
R E P F T T P I L I R Q Z E A K O Y D
F S K Y Q H V X S Q R S Q H T B C N Q
I H T O X M U U L I E E L W S A X W Q
S A R B G W N R A V C I G M G Q G O R
H R A J K L I N O D G P I G N O B R L
I P E F R G O L B H C X B A I E Y B T
E P H O I F G W T H O A E Y W D G K G
C T D D A E M S A Z R M T T O U C H E
E A F E B R L L T S X E O G N I P E D
E O L D U R I D F A G C P B R U L A A
L R J S E C A W S G I A I B O G Y Z V
F H H T E D G I U V Y R E W A S Q E Y
O T G W O C E N D I Z D C E L R M B Q
F H T O O T U V X R U L E E K B U G Q
```

Wealth from Underground

ADIT	DIG	ILMENITE	PANNING	SPHALERITE
AZURITE	DOLOMITE	JACK HAMMER	PICK	SPINEL
BACKHOE	FLUORITE	LODE	PLACER	STRIP
COAL	GALENA	METALS	REFINE	SULFUR
COPPER	GARNET	MINERAL	SHAFT	TALC
CRUSH	GEMS	MUSCOVITE	SHALE	TITANIUM
DAMP	GEO PICK	NICKEL	SHOVEL	TUNNEL
DARK	GOLD	ORE CAR	SILVER	VEIN
DEEP	HEMATITE	ORES	SMELT	ZINC

```
T T L K C I P M A D K O E M U R P H A
F I S E W R E F I N E T I N E M L I M
A D T E T V I I B S M U I N A T I T U
H A V J R I W O M A X P L A C E R V S
S Q X X A O R E K A C A U D A R K N C
R E P P O C L O Z C N K J S T R I P O
D F P G B T K U U E I M H E H S K E V
W L W E D Q R H L L E P T O H N T N I
H A C M H I N A A T F I O O E I A I T
L R H S T R G P A M R L V E M C O E E
E E E E G C U L A E M E C O G K R V U
N N M E C A S F L N L E L T L E E S Z
N I A Q L X R A L C N O R D E L C P C
U M T Z A A H N R U D I K L D W A I O
T B I I T P H U E D S W N O O K R N A
J W T N S A S S K T A B I G L E R E L
F W E C Y H P S I L V E R D E E P L D
```

243

On the Tailor's Shelves

BROADCLOTH	FLANNEL	ORGANZA
CALICO	FLEECE	OXFORD
CAMBRIC	GABARDINE	PONGEE
CANVAS	GOODS	POPLIN
CHENILLE	INTERLOCK	SATEEN
CHIFFON	JACQUARD	SATIN
CHINTZ	JERSEY	SERGE
CLOTH	KNIT	SUEDE
CORDUROY	LACE	TAFFETA
CREPE	LAWN	TERRY
DENIM	LEATHER	TEXTILE
DIMITY	MATERIAL	TULLE
DUCK	MELTON	VELOUR
FABRIC	MOIRE	VELVET
FELT	NET	WOVEN

```
N I L P O P N E N I D R A B A G R O N
C H I N T Z O L J Y N T E L L U T E C
D E N I M R T Z A O O E E I U M T K I
X Z L T U K L W C R F R C C L C A C R
O J C O I Q E O Q U F R E A Y H F U B
Q C L L E N M V U D I Y E M I E F D A
H E I H E B K E A R H J L B N N E T F
V T C L N A R N R O C M F R T I T E J
J K O A A E T O D C A M S I E L A L Y
E N L L N C E H A T T K E C R L T I V
R Y E A C V D T E D E U R P L E L T E
S T N C Z W A R A R C P G J O C E X L
E I N E P N I S O S M L E H C N F E V
Y M A V F A A R L F Z O O R K E G T E
X I L J L X D G M A X D I T C A V E T
K D F S A T I N R D W O L R H G H C E
N J K S D O O G O O J N O P E D E U S
```

309

Biblical Characters

ABAGTHA	EBER	MALLUCH
ABIJAH	ELIHU	MERES
ADALIA	ELIPHAZ	MICA
ADMATHA	EZRA	MORDECAI
ADNA	HAMAN	REHUM
AKKUB	HARBONA	SALLU
AMOK	HELKAI	SHETHAR
ASAPH	JAIR	TALMAN
BANI	JEMIMAH	UZZI
BIGTHA	JESHUA	VASHTI
BILDAD	JOIADA	ZERAH
BILGAH	JUDAH	ZERESH
BIZTHA	KALLAI	ZETHAR
CARKAS	KEZIAH	ZICHRI
DALPHON	KISH	ZOPHAR

```
J  A  I  R  D  H  A  J  I  B  A  A  M  O  K  Z  A  B  E
E  I  R  E  H  U  M  I  V  S  E  R  E  M  Z  C  R  L  Q
S  G  L  N  A  M  L  A  T  N  A  M  A  H  I  L  I  P  I
H  H  H  W  D  W  N  S  A  K  R  A  C  M  K  P  F  R  G
E  J  C  H  N  J  E  S  H  U  A  A  I  I  H  H  H  V  A
T  U  X  U  A  A  N  O  B  R  A  H  S  A  S  C  A  D  B
H  D  Q  T  L  I  I  A  B  H  T  H  Z  E  I  H  A  U  B
A  A  A  P  A  L  H  M  I  A  K  Q  R  Z  T  I  K  X  V
R  H  B  K  L  T  A  A  A  I  J  E  Y  G  O  K  R  T  A
L  Q  L  I  Z  J  C  M  H  Z  Z  A  A  J  A  A  E  U  H
K  E  H  I  L  E  O  F  T  E  V  B  X  N  H  D  B  H  T
H  A  B  A  D  D  I  F  A  K  A  G  Z  O  A  A  E  I  G
A  F  L  R  M  T  A  U  M  Y  H  E  E  H  R  L  U  L  I
G  Q  O  L  H  I  Z  D  D  U  P  Z  T  P  E  I  L  E  B
L  M  N  S  A  Z  M  T  A  F  A  R  H  L  Z  A  L  J  I
I  L  A  D  I  I  J  E  M  Z  S  A  A  A  I  N  A  B  Q
B  V  R  A  H  P  O  Z  J  T  A  Y  R  D  P  K  S  B  Z
```

Biblical Places

ACCO	GEZER	NEBO
AMMON	GOSHEN	NEGEB
ARAD	HAZEROTH	OBOTH
AROER	HAZOR	PARAN
ASHKELON	HEBRON	PITHOM
BASHAN	HOREB	PUNON
BEERSHEBA	JERICHO	RAAMSES
BIRUTA	JERUSALEM	RAPHIA
BUSIRIS	JOPPA	RIBLAH
CANAAN	KADESH	SHUR
DAMASCUS	MEGIDDO	SIDON
EDOM	MEMPHIS	SINAI
EGYPT	MIDIAN	SUCCOTH
GAZA	MIGDOL	TYRE
GEBAL	MOAB	ZIN

```
P Y E H M O H T I P N C M N A I D I M
Z I N R A A M S E S E O O S I N A I L
B H T O C C U S J N H C D P A R A N H
E S H A C C O P O A S H D N K C O O G
G B U T A U I K P H O S I A V B R T S
E R A C O I R X P S G E G A E E Y H E
N B B O S R H R A A Z D E N B R U G B
V H E J M A E P I B P A M A E R E U O
A N R E E P M Z A B K K R C A B S F F
C R O E R R U A A R L A I S A I H H F
N J O R Z S U N D H D A H L R A T S B
O N E E B E H S O E E K H I Z O I I M
M A O R R E G E A N E O S O B H R O I
M L G D I C H B B L V Z R O P U D D G
A R R R I C C O O A E W Y M T E K A D
T P Y G E S H N M A O M E A K V U W O
R G A Z A X G O V V E M I L G O I K L
```

313

246

Mardi Gras!

BABA
BALLOONS
BAND
CAKE
CARNIVAL
CAROUSE
CHEER
COLORS
COMPETE

CONTEST
COSTUME
CREOLE
CROWDS
CRUSH
DANCE
DRINK
ELABORATE
FANTASY

FAT TUESDAY
FEAST
FLOATS
GALA
GLITTER
HEADDRESS
HOLIDAY
LENT
MASK

MUSIC
NEW ORLEANS
PARADE
PARTY
PLEASURE
PREPARE
PRIZE
REVEL
RIO

ROMP
SEQUIN
SING
STREETS
STROLL
SWEETS
SWIRL
TORCH
WHIRL

```
S N H D E A E K A C A C A R N I V A L
C T I C C R D V R E T T I L G F C C Q
H F A U R G Y S A T N A F Z R O L T C
E E A O Q O C R E O L E R I S I N G O
E B Z T L E T Q S T R E E T S P W B N
R C D I T F S S N A E L R O W E N S T
Q O A A R U S S E R D D A E H A G E E
E M S L N P E D B A L L O O N S E S S
G P W O A C M S R V G S T R O L L U T
R E E M T G E O D L H O L I D A Y O N
E T E P F E D A R A P H F E A S T R B
V E T S R W H I R L Y L M U S I C A A
E B S D J E O C O L O R S R E X Q C N
L Z M W L Q P U E T A R O B A L E R D
N T A O D A B A B B A P L E A S U R E
D T S R X H S U R C G E M U T S O C P
E X K C Y T R A P E D R I N K T N E L
```

The Carney's in Town!

ACROBAT	CARMEL CORN	GAMES	NEON	SHOOT
ACT	CAROUSEL	GATE	PERFORMER	SHOW
AIM	CLOWN	GLARE	PITCH	SKILL
BARKER	CORNDOG	HIT	PONY	SPIN
BEAR	COSTUME	ICE CREAM	POPCORN	TARGET
BOOTH	DUNK TANK	JUGGLER	PRIZE	TENT
BOTTLES	FERRIS	LIGHTS	RIDES	THROW
BUMPER CAR	FLASHY	MIME	SCRIP	TICKET
CANDY	FUN HOUSE	MONKEY	SHILL	TOYS

```
B R E M I M T A B O R C A X H E L S B
W E R E L G G U J Y Y T L K Z L T O U
M K C Z W L B C R E A E B J I H T P Z
C R N V N G H E K T Z G Y K G T H O P
C A O V N I M N B C V R S I L E V N R
S B R I T R O X X A S A L E N Y X Y I
E W P M O M H O I Y D T S Y I D R N Z
D S H F E C A R O U S E L R N N A I E
I E R T T L F T N T C F A E E A E C Z
R E S I O L C K N Q O C O N X C B E F
P G P U A O T O P F R N T W E N T C T
S Y L S O A B O R E N S H O M P O R I
E G H A N H P N P N D H R L U S O E C
M Y A K R C N M Z I O O O C T C H A K
A I M T O E U U N D G W W I S R S M E
G N E R E B G F F E R R I S O I P F T
P Z N L L I H S J D T N E T C P A N Y
```

Tension Mounts at the Indy 500

AROUND	DRIVER	HELMET	ROAR	TIMED
BEHIND	ENGINE	JOCKEY	RUBBER	TIRES
BLOCK	EXHAUST	LAP	SEAT BELT	TRACK
CAR	FIGHT	LEADING	SHOW	TUNED
CHECKERED	FLAG	LINE	SMOKE	TURN
CONTROL	FUEL	OWNER	SPEED	WEAVE
COURSE	GLOVES	PACK	SPIN OUT	WIN
CURVE	GREASE	PASS	STADIUM	WRECK
CUT	GUN	PIT STOP	TEAM	ZOOM

```
I E R F I G H T P A C K O R U T J A K
B G V J Q E L E U F C A R R Q W T B J
M O N A I B T U N E D U A F M O O Z A
E M W I E H W X A B A Y E K C O J V S
D U D N D W R E V I R D T U R N P P N
L E E I E A A D S T A D I U M I F E
I V M K Y R E E O S B L C W R N W S X
N R I R O F E L U R R H U E O S A B T
E U T U G P E A P T E A M U D E U L U
T C N B S F H T B C L C T A R V S O C
E D Q B L X L W K E N E O G W O M C W
M T I E E R E D U H T N N J L O K R
L L P R B E R L A P R I R G T G K N J
E X C T C E Z F L A G X N A I R E U J
H M A K D S E R I T T F W D C N O G T
G E S R U O C P O T S T I P W K E L O
S W S H O W C J W M W P A S S E W I N
```

Go, Team!

BALL	DOWNS	GUARD	PASS	RADIO
BLOCK	END ZONE	HALF	PENALTY	RUN
BLOOD	FIELD	HALFBACK	PILE	SCRIMMAGE
CAPTAIN	FIRST	HIKE	PLAN	SECOND
CATCH	FOUL	HUDDLE	POINTS	SPRINT
CHEERLEADER	FOURTH	INTERCEPT	POSTS	TACKLE
CLEAR	FULLBACK	KICK OFF	PRACTICE	THIRD
COACH	GAIN	LINE	QUARTER	TOUCHDOWN
CRUNCH	GOAL	MASCOT	QUARTERBACK	YARD

```
G A I N K F Z S H P E N A L T Y W F O
K K D Y O M E A T N Q T C D L E I F V
D C P U V C L G D O E K I H D I G Y P
O O L P O F H Z A J C T A R E N B C S
I L D N B P O V C M O S A Q S T H N P
D B D A B N R K F U M U A T F E G I R
A M C L E E C A C F G I N M E R K A I
R K O E J A L H C L O I R R Y C I T N
T O N P B F D D L T O K L C A E G P T
D I L L I O P A D P I E C B S P E A D
L A L R W I B C F U A C R I C T L C L
N U S N L L R O P D H E E O K V K Y A
F T C E E U U O E C T S A E N D C A O
U U X S N R S R L R N C F L A H A R G
J P S C T T U E A W H C A T C H T D G
F A H H S N A U O D R I H T F E J Q B
P H A T I R Q D E Q U A R T E R E U X
```

317

Print Shop at Work

ADS   COLOR   FLIER   MAGENTA   SEPARATIONS
ARTICLE   COLUMN   FOLIO   MAILER   SPREAD
BLACK   COVER   FONT   NEWS   STOCK
BLEED   CYAN   FORMS   NOVEL   TABLOID
BOND   DAILY   IMAGE   PAGE   TEXT
BOOK   DENSITY   INDEX   PRESS   TRIBUNE
BROCHURE   ENVELOPE   INK   PRINT   TYPE
BULLETIN   ESSAY   LOGO   PROCESS   WEEKLY
CARD   FILLER   MAGAZINE   REPORT   YELLOW

```
Y O D E H L S S E C O R P F N E W S F
N H W E N J R S C C O L U M N P J F O
R X F O G V S K E A B R O C H U R E G
E R Y Y L A E D K R R J H L P I N K O
P E X K T L P L A U P D P R I N T P L
O L Y Z O I E R O W E E K L Y R Q I Q
R I C A N O S Y E P E N I Z A G A M C
T A Y T O R B N Y L E Y S M R O F A D
B M A N V D O T E A L Z A T W C B G I
O B N E E F Y L R D O I X S O U U E O
N Q I G L P B T O D U E F V S W L V L
D F H A E L I F K C T I E F L E L K B
T O F M E C L E G U J R N F N E E N A
N L B E L I T R I B U N E D X O T A T
O I D E E B L A C K C O T S E C I U D
F O B R S E P A R A T I O N S X N R Q
Y L I A D W R H S P R E A D L P A R W
```

251

In the Darkroom

AMBER DEVELOP FIXER PLATE SILVER
APERTURE DIM FOCUS PRINT SPEED
BATH DRY GREY RED SUBJECT
BLACK EASEL LENS ROLL TANK
CAMERA ENLARGE LIGHT SAFE LIGHT TIMER
COLOR EXPOSURE METER SENSITIVE TONGS
CONTACT F-STOP NEGATIVE SERIES TRAY
CROP FILM PAPER SHOT TRIPOD
DARKROOM FILTER PHOTOGRAPH SHUTTER WHITE

```
C T C A T N O C U I C O L O R T N V I
E B V Y N Y E R G X M H H F S T O P F
R Y W E N L A R G E I P M V T B E D K
W C A M E R A C L I D A R X H O R E W
Y A R T H G I L W G L R E D G Y E T M
E E V I T A G E N D E G T R I M T I X
A F I X E R Y A E V S O T E L O E H E
H T L E N S E V M K A T U M E O M W V
T T L P A P E R G C E O H I F R F W I
A C R L L L B B U S N H S T A K P N T
B E E Y O Y C R L S E P H F S R L T I
A J T P H R E B M A O R T N A A A A S
T B L K O V Q K I J C P I R S D T N N
O U I P L S P E E D E K X E I H E K E
N S F I R O W W P F I L M E S P O A S
G R S K W Y E R U T R E P A T E O T E
S V K A V Q G F O C U S T N I R P D J
```

319

Working with Wood

BLOCK	CUT	INCISE	SAW	SLOT
CARVE	FASHION	JACKKNIFE	SCULPT	SNIP
CHIP	FIGURINE	KNIFE	SEVER	SPLINTER
CHISEL	FLAKE	LOP	SHAPE	SPLIT
CHOP	FORM	MALLET	SHAVE	STATUE
CHUNK	GASH	NOTCH	SHEAR	TAP
CLEAVE	GOUGE	PARE	SKIVE	TRIM
CROP	GROOVE	PRUNE	SLICE	WHITTLE
CURL	HEW	RASP	SLIVER	WOOD

```
R T I S E P S L C T G W Y S Y Y G Q E
D U H P N P I E B V N E P A H S Y M A
U G T L U A U M V C R P O H C E Q T P
I E C I R T R S A E G F E E W E A G I
H S W T P O A R I B R O A W K R Z R N
T I G D F W V D O O W I U S A A X Y S
T C M E H E E C H U N K O G H P L P M
C N J F N F S P L I N T E R E I U F H
A I Y I I D O W Y B E E S Q E W O Y S
S S L N W H J M D L L L V G M E R N A
L H K K O H I E L K I O P O V H L P G
I A L K S R I A U C S O C S O E K I H
V V V C T K M T E T L C L K S R K H C
E E T A G Z I C T C A O U I C C G C T
R N B J H G O V V L T T H L U U G Q O
R E V A E L C X E U E C S T P O R C N
V E N I R U G I F J L P S A R T W L O
```

Forestry

ASH	CROWN	HAWTHORN	NUT	SEED
BARK	DOGWOOD	HEARTWOOD	OAK	SEEDLING
BOLE	ELM	HEMLOCK	PINE	SPRUCE
BOUGH	FIR	HOLLOW	PITCH	SYCAMORE
BRANCH	FLOWER	KNOT	POLLEN	TREE
BUD	FOREST	LEADER	ROOT	TRUNK
BURL	GIANT	LEAF	ROOTLET	TWIG
CAMBIUM	GROWING	MAPLE	SAP	VEIN
CONE	HAW	NEEDLE	SAPLING	WOODS

```
W E L E A F F T G T O N K X O P J K S
V X O P B R A N C H T P Y L X J I A F
O V E E R T W S N S N E R E U A P J W
N K C O L M E H E W V U L D C L Q O A
E C Z B W E Y E O T B H O T I R L D K
L U N R D B D R O E A O D N O L I D L
L C Q L P V C O C W W S G U O O T R E
O I I G I Z R U T T W P H H B L R E L
P N K N N N R H R F O R E S T E T N O
G J R I E P O A E H G U O B M A W A B
I R A W S R E W O L F E N O C D I K L
A O B O N H I E R O M A C Y S E G N K
N Y E R Z P I T C H M B H A W R P U H
T B H G F I R K M A P L E Q P N A R C
J P W O O D S A M U I B M A C L S T G
Y G P I X P J O N U T A V E I N Y E E
Q E L D E E N R D O G W O O D M P N P
```

Native Peoples of the Americas

ACOMA	HURON	PONCA
ALEUT	INUIT	SAC
APACHE	IROQUOIS	SEMINOLE
ARIKARA	KIOWA	SENECA
AZTEC	LENAPE	SHAWNEE
CALUSA	MAYA	SIOUX
CATAWBA	MIAMI	SITKA
CHINOOK	MODOC	TAOS
CHOCTAW	MOHAWK	TETON
CREE	NAVAJO	TEWA
CROW	ONEIDA	UINTA
DAKOTA	OSAGE	UTE
ERIE	PAIUTE	YAQUI
FOX	PAWNEE	YUMA
HOPI	PIMA	ZUNI

```
A M U Y W Z Z J P D O M O H A W K T M
F R I A P A C H E C A M I P I U T U F
C S J N O E A K A U T E W M L E A L O
A I O R U M E T D A E D A L A P W U X
L Y G A O Z A N D A R I K A R A O I U
U D K C T W A I W V M L Y Q H N I N O
S T A T B Z E J Z A L E U T Z E K T I
A I V A T N G S D J H P G V J L I A S
K U G E O T I A I Z K S A C M O D O C
Y N C U E T K E R I E O W I R H O P I
P I N T K O N O R U H I O A U O Y C Z
C F O A T E L O N I M E S N T T W A T
R N O A V I R O Q U O I S O I C E S E
E O M X A A Y A M B P O N C A H O D W
E Q K Q Q G J H Y A Q U I B U A C H A
J T Z F P T P O S E N E C A H D C D C
T C U J E G A S O P J G P A W N E E X
```

What to Choose for a Stir-Fry

APPLE	CORN	PEANUT
ASPARAGUS	CUCUMBER	PEPPER
BASIL	CUMIN	PINE NUT
BEAN	CURRY	POTATO
BEET	DILL	RAISIN
BROCCOLI	EGGPLANT	RICE
BROTH	FENNEL	SAGE
CABBAGE	GARLIC	SPINACH
CARROT	HERB	SQUASH
CELERY	KALE	THYME
CHARD	MUSHROOM	TOMATO
CHILI	OIL	TURMERIC
CHIVE	OLIVE	TURNIP
CHUTNEY	ONION	YAM
COCONUT	PEA	ZUCCHINI

```
Z H U L I S A B C A R R O T A I H G B
Y Y E L P E P P E R M I Y L V X F C M
N Y R R C E L E R Y N R L B E E T P A
E A A R B H T O R B R R T O W N I T O
Z G E T U N O C O C M U E Y C N N J B
D U G B T C N M H W N C L B R C M E L
E N C P O L I V E A O Q A U M U O L F
L T I C L N O O E R R H T B S U I R F
A E H S H A N P N M L D A H B D C F B
K Y E Y I I N T U R M E R I C A D U Z
K A W K M A N T C Z O O T M S A G E C
O M R I C E R I I I O P O T A T O E F
T U N E N I P Z L M S P I N A C H L I
C U M I N N M M R W C A P P L E E I L
Y L S Q U A S H A S U G A R A P S A I
D W X K Y J W C G T O M A T O D O D H
R H K E V I H C H U T N E Y P E A V C
```

A Canner Exceedingly Canny

CANCAN	CANCHA	CANNA	CANOPIC	CANTON
CANADA	CANDID	CANNED	CANOPUS	CANTOR
CANAILLE	CANDIDE	CANNER	CANT	CANTRIP
CANAL	CANDLE	CANNERY	CANTER	CANTUS
CANARD	CANDOR	CANNON	CANTHUS	CANTY
CANARY	CANDY	CANNOT	CANTICLE	CANVAS
CANASTA	CANE	CANNY	CANTINA	CANVASS
CANCEL	CANINE	CANOE	CANTLE	CANYON
CANCER	CANKER	CANON	CANTO	CANZONET

```
C A N T L E F M P I R T N A C P B C K
A O R A H A Q J R S H P C R J A A S W
N C A H C C S O M N U E U E N C S N N
V A E C A A T U D N Q H L I A A A O C
A N P N L N N R T Q O D T N V C T F A
S T Y A A J T T C N N N A N N N C B N
Z O N C U C O A I A A R A A A A Z P O
N A E D I D N A C C D C C C N C J P E
C W C A W K N B C C L C A N C E L R E
C I H G E J A C O A E E E N C D E S F
A D B R O M C Q A N N R D A A C G U W
N C A N Z O N E T N Y N N Y N R R P A
D U M E N I N A C A D T E A N F Y O D
I R V U R R O D N A C Y C R V N T N A
D C I P O N A C C A N A I L L E A A N
C A N T Y R E T N A C D E N N A C C A
J C A N N O N C A N A S T A M H C T C
```

EAsy Does It

ANNEAL	CONGEAL	GEAR	PEAT	SWEAT
APPEAL	CREAM	GREAT	REAL	TEAR
ARBOREAL	CREATE	HEAL	REAR	THREAT
BEAR	DEAL	HEAR	SEAL	TREAT
BEAT	DEAR	HEAT	SHEAR	VEAL
BLEAT	DEARTH	MEAL	SMEAR	WEAL
BREADTH	DREAM	MEAT	STEAL	WEAR
CHEAT	DREARY	PEAL	STEAM	YEAR
CLEAT	EARTH	PEAR	SWEAR	ZEAL

```
S A T I R O Q A T L V C R E A M K H T
W Q H A M A E T S R L D D W O E G T H
E B E E L J L V R E R D R X T G D R
A H L W A P R C A A Z A C R E R A A E
T R A E H S A H L E F O T U E A Z E A
Y Y H C A U E A A T N T O A A A M R T
R E L R R T M L N G C N T E E T R B A
Z A A E A T S T E H J R A K D M A Y A
L R E A E X K A E L A E R O B R A Z Q
A R P T B L L A D E E M A P P E A L R
E D E E E E T W D L A E T S N H D A E
S R V A H T P T E U N R A E W S E L R
T C M T R Q E A I A V Q T B Q W K A J
P L R E K R A E E E L D E A R T H E T
Q A C K A H R H A P C A C B F I G R E
E O V E I L A L Z M T R C C L E A T M
P X G X Q Z M X M D U C F V P P K E W
```

Acting the Part

ABRUPT
ASTUTE
BASHFUL
BOORISH
BRASSY
BRIGHT
CLEVER
COLD
COY

CRUDE
DEMURE
DISTANT
DULL
EURDITE
FIERY
FLIGHTY
FUSSY
HASTY

HAUGHTY
HIP
HUMBLE
IMPATIENT
LOUD
MODEST
MOODY
NERVOUS
NEUROTIC

OAFISH
OBTUSE
PEEVISH
PROUD
QUICK
QUIET
REFINED
SHREWD
SHY

SLOW
SMART
STRONG
STUPID
TIMID
TOUCHY
WEAK
WISE
WITHDRAWN

```
I B Y O C W T H S P H A S T Y O D R L
N E I T M U O H S L X K R E V E L C O
K E Z A H D Y B G I O T S M A R T H H
C V U D S G E I T I F W L G N O R T S
I M B R I T I N M U R A K T I M I D E
U M L D O S U L I P S B O T S E D O M
Q O L L E T T F A E H S I R O O B
Z O U C S M I A E K E T D W E R H S B
H D F P I N U C N D L R I Q Y N M H Z
E Y H A W W A R L T B V C E E Y S H Q
U H S F B A M O E F M R U R N I Y B P
R Y A I F R C F Z Y U F V Q V T R J R
D S B E V D U L L D H O W E H A L L O
I S H R L H T P E G U C E G S J O R U
T U I Y F T U J T S O P U S T U P I D
E F P I E I Q U I E T A Y O D L G H W
Y K A E W W M Z V K H J I B T S H Y F
```

Working on Stage

ACTOR	ENTRANCE	MODEL	REACT	STAR
AUTHOR	EVENTS	MOVES	REHEARSE	STORY
CAMEO	EXIT	PART	ROLE	STYLE
CAST	FARCE	PIECE	SCENE	SUPPORT
CHARACTER	FEEL	PLAY	SCRIPT	TELL
COMEDY	HERO	PRACTICE	SEGMENT	TIMING
CONVINCE	LEAD	PREMIER	SOUND	TRAGEDY
COSTUME	LINES	PROJECT	SPEECH	TYPE
DRAMA	MAKE-UP	PROP	STAGE	VILLAIN

```
R K G E G E X I T D R A M A Y C L J L
O C Z B V W N I A L L I V Y O E T E E
T E P C P E S E N I L J D S C E C C E
C G U V N O N E C L L E T E E N A K F
A N E S Y E R T G O G U I O C T E S Y
V I K P N R N P S A M P V G N R R U G
W M A E C W O E R E T E Q E I A T P O
Q I M E M H E T C O M S D P V N N P E
O T B C X H A C S S J O I Y N C E O M
J F B H J M E R I B J E D T O E M R A
E S R A E H E R A T S J C E C C G T C
U T L E A D A M O C C E S T L R E L B
M R P U R U G N E L T A V C B A S V N
K A Q O T R S T Y L E E R O R F J Y E
X P L H S O U N D Y H R R P M I B U P
Z E O R W R E I M E R P V F I M P R W
Y R L S T A R P L A Y C A S T B P T R
```

Don't Go In...

AJAR
BARE
BOARDS
CELLAR
CHILL
CLUNK
COLD
CREAK
CREEPY

CURTAIN
DAMP
DIM
DOOR
DRAFT
EERY
FOG
GLIMMER
HALL

HAUNT
HOWL
LOCKED
MANOR
MICE
MOLDY
MOON
NOISE
OOZE

RATTLE
ROOM
SCRITCH
SHADOW
SHATTER
SHRIEK
SLAM
SQUEAK
STAIR

STEP
SWAY
THUMP
TREES
URN
WAIL
WEIRD
WHINE
WINDOW

```
M C F F Y D L B J F R M W A I L D M E
V O W Q Q N M F E Y D L O M L R S U A
E N O O M C I L O L E U F V W I C D S
A C D B N M T A G A R S L A M A R S E
J R A L I T L S T Q A T C H O T I H E
A O H D A C H K G R B G N L M S T R R
R N S R R A O A S L U Z H U U O C I T
X A K E T R F E W H I C E L A N H E D
I M E T Z O Q U A P R M D F L H K K B
J P E E D O R Q Y E M C M R L A T F V
Y R O O R M O S A T E U W E A W H Z R
U B O A R D S K B L W C H I R F O D D
T R N F O G E N L D U H H T N T T H R
M D V N L E O A B X A U I I F D M D I
I L E J E I R U R N L M C N L J O X E
C O W R S M D E K C O L P I E L V W W
E C Y E P Q U H X Y T S T E P B W I U
```

This Old House

BRUSH
BUFF
BURNISH
CABINETS
CARPET
CLEAN
CLOSETS
DRAINS
DRAPES

DRY
DUST
FIX
FUMIGATE
FURBISH
FURNISH
HANG
IMPROVE
LAUNDER

MOP
NAIL
PAINT
PLASTER
POLISH
REDD
REFINISH
REFIT
REPAIR

REPAPER
REPLUMB
REWIRE
RUB
SAND
SCOUR
SCRAPE
SCRUB
SPONGE

STAIN
SWAB
SWEEP
TOUCH UP
VACUUM
VARNISH
WAINSCOT
WASH
WIPE

```
P Q H A N G F U R B I S H W E H M O P
C W Q H R E H T S T A I N W G S T A V
R I G E S Q G S O M T C R N U I O R L
U P D P R I T N I U U E G H F N C E I
O E E O H I N G O N C U P O J R S P A
C U E L S K W R V P I H C R I U N A N
S J P I I C L E A N S F U A A F I P G
D P A S N S O H R V P Y E P V C A E R
R L R H R N B R R E P A I R T R W R E
Y U C Q U I D I B R U S H V F I F B D
Y E S R B A N R E T S A L P I T F M D
E V B E E R S T E N I B A C X F S E B
H O B D U D B R Y R R E P L U M B U R
S R U N D P A I N T Y S W E E P R B D
A P R U N Y W V Y S E P A R D D X U L
W M C A A R S E T A G I M U F Q K F J
H I S L S L C L O S E T S Y Y N C F G
```

Remember Hide n' Seek?

AROUND   CLOSET   DOWNSTAIRS LURK   SHOUT

ATTIC   CONCEAL   FIND   NOOK   SNEAK

BASE   COUNTING   FURTIVE   NOT "IT"   SNICKER

BASEMENT   COVER   GARAGE   PEEK   TABLES

BED   CUPBOARD   GIGGLE   RACE   TAG

BEHIND   DASH   HIDE   RUN   TRUNK

BOOKCASE   DEN   HOME FREE   SCURRY   UNDER

BOX   DISCOVER   INSIDE   SEARCH   UPSTAIRS

CATCH   DOOR   KITCHEN   SEEK   WATCH

```
O L R C B N E D T H G T U O H S H U V
M F H H A I B F U R T I V E M Z N J D
T O L O J T N E Q E D I S N I C D N O
A W U M M O C F H U P C O V E R E C O
S H R G O E I H N I S K I T C H E N R
N P K K A N F D J R N S R I A T S P U
I C E P D R E R I U C D I X E C A R Z
C T L E I R A A E S D U W K W K X O B
K E G E O K T G C E E T P S C U R R Y
E S G K K S N T E O E L N B S K Q A B
R O I C N I C Z I T N W B E O F E H E
H L G W T K N U R T U C A A M A E E D
I C O N O E S A B U O R E T T E R V S
D D U K D N U O R A C N L A C T S D H
E O N P H S A D Y H K D B I L H L A N
C U A K D I S C O V E R M A T T I C B
R T A G E K A E N S B O O K C A S E C
```

A Tea Party for the Little Ones

BEAR	DOLLS	HAT	PRETEND	STIR
CHATTER	DRESS-UP	INVITE	PROPPED	SUGAR
CHINA	DRINK	LACE	SAUCER	TEA SET
CLOWN	DROPPED	LAMB	SEATED	TEAPOT
COOKIE	FINERY	NECKLACE	SERVE	TEDDY
CREAM	FLOWERS	PARTY	SIP	TOYS
CRUMB	FRIENDS	PLAY	SKIRT	TREAT
CUP	GLOVES	POUR	SPILL	VEIL
CUPCAKE	GOSSIP	PRATTLE	SPOON	WATER

```
B D B G O S S I P R E T E N D N A L H
T F E T T C U P F L O W E R S C M G T
C E Y P A A V C L O W N A E O I L A J
O R D R P E I K O O C G A C K O N O E
N E A D E O R X F U U T H R V I I L L
E F K E Y N R T T S E A I E H M T S D
E T G A B B I D A D T T S C A T L E R
G K G C C G P F H T S L Q E A L P K A
D R N O O P S I E Z E U R R O P T N M
F J U L P U U R S V C C P D O R E I S
P R X A O S H C E R A U M R I T T R E
P E I C U S E I U Q L E P K I E S D R
F P V E R E L M Q P K J S V A S A N V
V U A E N R B V Z L C Q N S R P U C E
C T T R C D X G F A E I E C M I C N K
O A I A T X S T F Y N T B M A L E B W
W Q J T O Y S T O P A E T T G L R X H
```

All Around New Mexico

ANCHO	FIERRO	QUESTA
ANGEL	FIRE	RAMAH
ANIMAS	GRADY	RESERVE
AZTEC	JAL	RINCON
CAPITAN	LOVING	SHIPROCK
CAPROCK	MIAMI	SOFIA
CARLSBAD	MIMBRES	SOLANO
CERRO	MONERO	TALPA
CHAMA	MOSES	TAOS
DATIL	OMEGA	TOME
DERRY	ORGAN	TRUJILLO
DULCE	OTIS	TURN
ELIDA	PETACA	VALDEZ
ENCINO	PILAR	VAUGHN
EUNICE	PINON	ZUNI

```
P  A  B  Y  A  P  L  A  T  C  W  V  O  N  A  L  O  S  T
A  N  C  H  O  N  H  P  R  E  M  O  T  A  A  D  W  P  P
P  I  O  S  O  F  I  A  U  O  K  V  M  N  P  E  F  P  E
N  H  M  N  T  R  F  O  S  N  A  A  I  O  K  R  M  O  T
R  F  I  A  A  P  R  E  Q  U  H  M  R  P  C  R  I  P  A
U  P  B  M  I  E  S  U  G  C  A  R  Z  I  O  Y  M  R  C
T  U  A  E  N  M  E  H  T  S  E  D  K  L  R  Q  B  E  A
A  H  N  O  C  S  N  R  T  I  R  U  C  A  P  O  R  S  X
D  T  M  Q  T  A  U  A  F  J  A  L  O  R  A  T  E  E  G
R  O  A  A  B  J  R  N  Z  K  O  C  R  Z  C  I  S  R  R
I  V  H  O  I  N  E  L  A  T  N  E  P  E  E  S  Y  V  A
N  I  W  L  S  O  N  F  S  T  E  I  I  D  O  O  G  E  D
C  F  L  F  R  J  C  I  I  B  I  C  H  L  A  L  N  L  Y
O  O  G  G  M  H  I  N  G  R  A  P  S  A  G  G  I  I  N
N  H  A  E  C  I  N  U  E  X  E  D  A  V  E  G  V  D  Q
K  N  P  Z  Q  A  O  Z  L  I  T  A  D  C  M  B  O  A  U
K  A  J  C  E  R  R  O  A  N  G  E  L  H  O  N  L  U  I
```

In Old Mexico

ACONCHI	IMURIS	PARAISO
ACTOPAN	JANOS	PARRAS
ALAMOS	JAUMAVE	PETO
ALDAMA	JUAREZ	POTOSI
ALTAR	LA CRUZ	QUILA
ARISTA	LA PAZ	RIITO
CAMPECHE	LIMON	ROSITA
CANCUN	LLERA	SINALOA
CARNEROS	LORETO	SONOITA
COSALA	MERIDA	TAJITO
COZUMEL	NAVA	TEAPA
DURANGO	NURI	TULA
EL ARCO	OAXACA	XICHU
HUIXTLA	OCAMPO	XPUJIL
IGUALA	ORTIZ	ZIATIL

```
U A I Q R O S I A R A P T O P M A C O
V T B X O A X A C A C O Z U M E L V H
P S I S O T O P M W Y I A L D A M A A
A I A C T O P A N I G U A L A H Q Q W
R R Y I S S A N Y W N D N U C N A C T
R A R O U O O O I H C N O C A Q J M E
A A N F L R T M B J A U M A V E E L J
S A L A A E E I R A T L A S G R A D C
J L N U G N R L W E I L O Z I R G U O
E I O F T R O K H J A N M D C L H R S
S U R R N A L C U M O E A O A U J A A
I Q T J R C E P O I R E I C I L Z N L
N A I C U P X S T O A M R X A O I G A
U V Z O M A Z A S P U U T P T M A O W
R A F A J M R I A R Z L A I Q O T E P
I N C W F J T E I J A Z I T A J I T O
U H C I X A T S Z C Y R K A R E L L P
```

This Is Indiana

ALBION	DUBLIN	OSWEGO
AMBOY	DUNKIRK	PALESTINE
ANGOLA	ETNA	PEORIA
ARCADIA	GENEVA	PERTH
BENGAL	GILEAD	PERU
BERNE	HAMBURG	PLYMOUTH
BOSTON	IRELAND	ROANOKE
BRAZIL	JASPER	ROME
BREMEN	MANHATTAN	SALEM
CADIZ	METZ	SIBERIA
CANAAN	MILAN	SYRACUSE
CEYLON	MONMOUTH	TROY
CROMWELL	MONROE	VALPARAISO
CUZCO	NORWAY	WARSAW
DOVER	ONTARIO	WATERLOO

```
A V V W A R S A W L S H J Y O B M A E
V M A M O N R O E I L C E Y L O N D N
E E Y L G N I M B B H L I Z A R B C R
N M N Y P R A E E D U N K I R K K N E
E M J I E A R A Y W A T E R L O O E B
G M E L T I R O N E I R W D D N G M O
K V A L A S R A S A E J O R O R P E G
F N I N A T E U I H C V L I U E M R E
D Q R B H S C L Z S E A B B R I A B W
L P O R O A A D A R O L M U L E N G S
A L E U R S T R U P A A L A Y E G I O
G Y P Y T R T T C B H Y N E W W O L N
N M S M E T Z O A A L T A Q W H L E R
E O I R A T N O N N D I R W A M A A O
B U E H T U O M N O M I N E R N O D M
C T X J A S P E R Z I D A C P O T R E
L H Y C C U Z C O R O A N O K E N E C
```

Spaghetti Westerns

BANDIT	DEPUTY	HIGH NOON	RANCHES	STAGE
BANK	DRAW	HITCHING	RED EYE	STAMPEDE
BATTLE	FLOOZY	HORSE	ROBBERS	STORM
BRONCO	FORT	INDIANS	RUSTLERS	SUPPLY
CARDS	GAMBLER	PARDNER	SALOON	TOBACCO
CATTLE	GOLD	PAYROLL	SHERIFF	TOWN
CAVALRY	GUIDE	PISTOL	SHOOT	TRAIN
COACH	GUN SLINGER	POKER	SHOW DOWN	WAGON
COWBOY	HERD	POSSE	SPREAD	WHISKEY

```
G O L D F P A R D N E R T I D N A B K
C J T R L D R E H O O S H O W D O W N
O L O E O G E D D F H I T C H I N G E
W Y W K O B G E M B J I S W R O E B E
B T N O Z A N P S H Y D G U G D V Y T
O U Y P Y T I M U N R R S H I A E W F
Y P S T L T L A Z A A T L U N D K A C
N E R O L L S T C E L I G A E O R R A
O D E B O E N S S E S D D R V E O D T
G B B A R F U S R H Y S N N L A M N T
A O B C Y O G S E E O N O B I P C L L
W C O C A R U T K H O O M P N I N Q E
X N R O P T C S H O C A T I Y S I A F
J O Q Y B O I K L O G N R L S T A G E
I R D A A H I A S P R E A D G O R B Z
F B N C W N S T O R M S D R G L T Z X
M K H U E Y L P P U S H E R I F F P K
```

Sci-Fi Shenanigans

ASTEROID   EMPIRE   MAD DOCTOR   RANSOM   SPACE

BLACKNESS   ESP   MIND READ   RAY   STARS

BLASTER   EVIL   MONSTER   REBELS   SUIT

CAPTAIN   FLY   NOSE CONE   ROBOT   SUN

CHASE   GALAXY   OUTER   ROCKET   SYSTEM

COLD   GENIUS   OXYGEN   SCIENCE   TAKE-OFF

COMET   GRAVITY   PLANET   SHIP   TRADER

CONSOLE   KIDNAP   POD   SKY   VICTIM

DIMENSION   LANDING   RADIATION   SOLAR   WEIGHTLESS

```
R J D E E R T B T U Y N O S E C O N E
E D K V C N E R L E C S R A T S M B L
B Y I Y E N U T A A K R E T S A L B R
E L F M K M E S S D C C S U I T E A R
L S G F E S E I E N E K O W A A D E E
S P R N N M T C S O R N R A I D G T
S A P A I F S I S S P M N E A J I V U
S C Z I L D R I N Y O C I T S R O F O
E E K Y H O N O O D S C I L A S R E C
L T R G F S S A T N R O A Y Y F E S O
T E E A R F C U L C N E G P O G T A N
H N C M N A O O I R O R A A T T S H S
G A O T P S V E M N O D P D L A A C O
I L L Z G I O I K E E B D O F A I L L
E P D U P T R M T A T G O A D L X N E
W M I T C I V E V Y T V P T M C Y Y Q
T X F T C I H N E G Y X O P A N D I K
```

The Gong Show

ABILITY	COSTUME	GONG	PUPPET	TAP DANCE
ACROBAT	CURTAIN	GUITAR	RUNNER-UP	TEAM
ACT	DOG	JOKES	SKIT	TENOR
ANNOUNCE	DUET	LAUGHS	SOFTSHOE	TRUMPET
APPLAUSE	DUMMY	MAGICIAN	SOLO	VIOLIN
ARIA	DUO	NEXT	SONG	WALTZ
BALANCING	ENCORE	OFF-KEY	SOPRANO	WHISTLER
CHILD	ENTERTAIN	PIANO	STAGE	WINNER
COMEDIAN	FOLK SONG	PROGRAM	TALENT	YODELER

```
P I A N O P U R E N N U R V I O L I N
N T G C N I A T R E T N E S J S L W J
N O E I A I R A E D L C H E O T K P N
D I O P E M U T S O C G H P U G R X R
O Y A G P D E I U R U A R I N W G R O
E R E T N U T M A A U A N O L M N E N
Z G E K R I P E L W N M S N A D O N E
T N U L F U C O P O C K D R O E S N T
L O M M T F C N P M L O G U O U T I Y
A G E A O S O V A O U O M H M I N W R
W A N G L A I A F L R R S E K M E C K
R S C I O C V H C P A T T S D T Y O E
A T O C S R D E W T F B O U D I X G W
T A R I E O U K J O T A L E N T A E G
I G E A K B E Q S T A P D A N C E N N
U E K N O A T Y O D E L E R H M V Z R
G G A Z J T R E Y T I L I B A M A E T
```

Mission Improbable

ALARMS	EVIL	JUNGLE	RUSE	STOLEN
ASSASSIN	EXOTIC	LASER	SEARCHLIGHT	SUAVE
BOMB	EXPENSE	MISSION	SECRETS	TEAM
CARS	FLEE	OPERATIONS	SERIES	THIEF
CASINO	FOREIGN	PAPERS	SLY	TIMING
COHORT	GOVERNMENT	PLANS	SMART	TRAINED
COVERT	GUARD	POISED	SPEED	TRICK
DAUGHTER	GUNS	PRISON	SPY	TUXEDO
EMBASSY	HANDSOME	RESCUE	STAR	VAULTS

```
T U X E D O E X O T I C T H I E F X Z
B S M B W V D A U G H T E R Z E S L Y
W K E I B O M B I F P O I S E D W G I
T D U A S S P Y T N E M N R E V O G P
I E C R R S N O I T A R E P O H J N S
M E S A L C I U U N I L A S E R G E S
I P E T C I H O F Z E S U R I I C U C
N S R S D L V L N T E A M T E R A S X
G C O H O R T E I E E L F R E V R S A
T A S S A S S I N G Y C O T E A N O L
E S N E P X E O Y X H F S F C U N J A
S P C H A N D S O M E T C T G I O U R
T A C O V E R T P E M B A S S Y S N M
O P U V X S M A R T F J B A E M I G S
L E K V B R S T L U A V C X L A R L B
E R M T R I C K T R A I N E D K P E A
N S G U A R D S E R I E S P L A N S E
```

The Predators

BADGER
BELUGA
BUZZARD
CAT
CHEETAH
CIVET
CONDOR
CORMORANT
COYOTE

DOLPHIN
EAGLE
ERMINE
FALCON
FISHER
FOX
GENET
GREBE
GRISON

HARRIER
HAWK
HERON
HYENA
JAGUAR
KITE
LEOPARD
LION
LOON

MARTEN
MINK
MONGOOSE
OCELOT
OCTOPUS
ORCA
OSPREY
OTTER
OWL

PELICAN
POLECAT
SHARK
SKUNK
TIGER
VULTURE
WEASEL
WOLF
WOLVERINE

```
L T O L E C O H K V N E T R A M T Z P
S J B H J C M J I O S P R E Y I B H P
U N Y O J C C O R J L W O A G U L E B
P O P D U I Y O N W R L R E M C T A C
O R O R L V G R Y G I D R A P O E L R
T E L A H E R E C O O C T M U M J U O
C H E Z K T I G N O T O H H I G X R D
O J C Z W Q S D E I R E S E Y N A V N
D W A U A I O A E N R M R E E E K J O
Q A T B H P N B D R E E O E K T N J C
Y G C K I T E W N O M T V R I R A A R
V U L T U R E F E O L I O L A R A H A
W N A C I L E P O A O P N R O N R H G
Y G F F O T T E R X S L H E C W T A S
T F L O W G R E B E F E E I M A Z B H
F K N U K S F I S H E R L R N T A O G
L C N N O C L A F H J E L G A E T H A
```

272

And the Prey

ANTELOPE	GROUSE	LORIS	RABBIT	SPARROW
CHICKEN	GULL	MOLE	RAT	SQUID
DEER	HARE	MOUSE	ROBIN	SQUIRREL
DUCK	HEN	OPOSSUM	SALMON	TOWHEE
FINCH	IMPALA	PIGEON	SHEEP	TUNA
FISH	INSECT	PIKA	SHREW	TURKEY
GNU	JERBOA	PLOVER	SLOTH	VIREO
GOAT	KANGAROO	POULTRY	SLUG	VOLE
GRACKLE	LIZARD	QUAIL	SNAKE	ZEBRA

```
B H M G U L S F Q P U D I U Q S M Z D
P X C K P O L Y K Y I R A B B I T U L
K I N A A G L E F E N G G X X J L U L
B P R A L N U E R I J E E H T O L S E
T R A R I R G A S S N D K O N A G N U
A P N B A E H A P U R C S C N Y R V V
O I T E U E V A R A O N H T I N A S M
G K E Z Q D R T Z O A M U V E H Q N C
F A L K D R C I R K O N I H Q U C O N
D R O G O E L J E T A O A M I I G M I
U G P W S P E P O Y P M F R P R L L B
C R E N E R J W R O O S R P A A P A O
K O I E B H H T S L H E O C L N L S R
A U H O S E L S E R L N K E O O Q A G
P S A I E U U L E U Y L L C R W V X U
F E F A O M O W T F E A W P I I F E K
V K M P Z V D T U R K E Y V S Q V T R
```


273

Gee Whiz

BAGGY	EGG	HOGGED	MUGGY	SLUGGED
BEGGAR	FOGGY	HUGGED	NIGGLER	SUGGEST
BIGGER	FROGGED	JOGGLE	PEGGED	TAGGED
BOGGLE	GAGGLE	JUGGLER	PIGGY	TOGGLE
CRAGGY	GIGGLE	KEGGED	PLUGGED	TUGGED
DRAGGED	GOGGLE	LAGGING	RAGGED	TWIGGY
DRAGGLE	GROGGY	LEGGED	RIGGED	WAGGLE
DRUGGED	HAGGARD	LUGGED	RUGGED	WIGGLE
DRUGGET	HAGGLE	MAGGOT	SAGGY	WRIGGLE

```
L T I B J D U L B X P H U G G E D N B
C O W T H R E C H O G G E D K Z C L G
D M W I E A P G R E G Z J H A R P D U
X R H A G G L E G E L G Z R A G G E D
V M A Y F G G A D E L G L G Y K M G M
W D T G O A Y U W E K G G E P A M G U
L E I G G H U R I G Y G O J G R A G
J G X A G L F I I D Z G G I T N A T G
O G G S Y R E G G E A J A H N I G J Y
G U O S O D M G G D L U E R U G G E D
G L G G U E A L L E E G L A D G E D E
L S G H A G G E E G A G G L E A B E G
E E L L U G G E D G U L G I D L A G G
D R E T M E O E M X F E A U W R O G U
B A G G Y L T T S T B R W L R X Q U L
Y E K D E G G E P T R I G G E D W T P
Y G G I P Y G G O R G L O R E G G I B
```

Three Little Letters

BEE	FIE	HUE	NIP	TAR
BOW	FIG	HUM	POI	THY
BUG	FIR	JUG	PUB	TIN
COT	FOR	KIP	QUA	TIP
COY	GOT	KIT	RAG	VIA
CUE	GYP	LIT	RIP	VIZ
DID	HAY	LOG	ROT	WIT
DOE	HIP	LOW	RUE	YOU
FID	HOP	MOP	SOD	ZAP

```
N C Z R V G K T T J M R X M O I C B D
B W A A I F L I G T I P A P M C H W O
H J L M Z U E V P P T W D O S C K B E
E B U K A U U Y H T O D B N R Y E Y U
C A O U O Y R L Y B D I F G L E R I H
K W M Y H D I O B E J Q D U P C N A Z
D H A O U O C G M W P P R J K B U P T
J H Y Q P E V I N U M I B T Z P B E K
B O P Y G N G J B I F C O Q A I U E Z
Z Y Z I R I E M T A T R U Z H H G J T
F C F Q F P U C H L I T A K I T I B M
K I N U R X O T W O B Q I I E L P P T
Z W E A X T V V I A P N E J L D G A R
P K O D N L M N T I P C M M C E I F A
P Y A K J O C F X M G L G H A V O D R
H Q G U J W L C U Y O F A J F R T O G
K M I Z R R A H N M L V E Q W X B K I
```

Is It Bigger Than a Breadbox?

BRITTLE	GREASY	SHARP
BROAD	HAIRY	SHINY
CHECKERED	LANK	SLICK
CLEAR	LARGE	SMALL
CRUSTY	LIGHT	SMOOTH
CRYSTALLINE	LOOSE	SOFT
DARK	LOUD	SOLID
DOTTED	LUMPY	SQUASHY
DULL	NOISY	STONY
FAT	ODD	STRIATE
FEATHERY	OILY	TENDER
FLAT	PAPERY	THIN
FLOPPY	POINTY	VEINED
FUNKY	ROCKY	WISPY
GLASSY	ROUND	WOODY

```
F R E D N E T C Y E A N O I S Y K W P
Y T F O S Y S A E R G L F D E N H O R
N S C R U S T Y E S O O L H A G E Y A
O M X C I B R I T T L E T L T Y R D H
T A H E G L A S S Y F S G H L O I A S
S L L Y Y P M U L H L C Q I I L O D L
T L L P G B C D Y F A R O U O N E M O
T Y U P J Z H U D R T Y Q S A N I N S
W K D O Y P E F A O Y S P K I S Z V L
O C E L Y A C E O U R T Z E S K H F I
O O T F T P K A R N I A V F T D J Y C
D R T N N E E T B D A L F I R C S X K
Y Q O V I R R H R D H L U X I L H F U
P U D W O Y E E M O I I N A A E I A H
K T L G P V D R H G E N K Y T A N T L
H W I S P Y V V H O K E Y Q E R Y I I
Y D U O L B N T W D A R K P C N Z Z E
```

Bicycling from Coast to Coast

BIKE	FOREST	RAIN
BIVOUAC	GEAR	REPAIR
BRIDGE	GOAL	REST
CAMERA	HAZE	ROAD
CAMPING	HIGHWAY	ROUTE
COUNTRY	JOURNEY	SHOULDER
DESERT	MAP	SUNNY
DISTANCE	MILES	TENT
DRINK	MOUNTAINS	TERRAIN
EAST	PANNIER	TIRE
EFFORT	PAUSE	TRIP
FAR	PEDAL	VALLEY
FARM	PONCHO	VIEW
FIELD	PUMP	WEST
FLAT	PUSH	WIND

```
D F Q X E T E R R A I N T R A C A M X
R I Y Q K K N C F R D S V A L L E Y L
M E S N E M I I G P A R O U T E L V V
C I S T M Q E B D E O H I G H W A Y I
H P L T A L R B J H R E T S Y T T R E
S M N E D N R A C E M Y N C R R W E W
U U I F S I C N F T N I A E T E E P A
P P A A D Q O E B N A M P Z N S S A R
J D R G A P N I U T P A G A U E T I A
Y G E E I K V S N I M W F H O D E R E
F T E S Y O T U N T R A I K C T X W G
O R U U U E O G R M R P A N N I E R L
R O I A J M N I J M F C T R D I A F M
E F C P F C P R S H O U L D E R R Z U
S F A L J Y B C U T E N T Z F X N D F
T E A A R E M A C O W M G O A L H W M
H T T E A L A D E P J P B T I R E H A
```

Historical Figures

ADAM
ALEXANDER
ALFRED
AQUINAS
ARTIST
AUTHOR
BARTON
BECKET
BODICAEA

BUDDHA
BYRON
CAESAR
CARVER
CLEOPATRA
COMPOSER
DA VINCI
DALI
EDISON

EVE
EXPLORER
FIRST
FORD
GALILEO
GENERAL
HORACE
HUDSON
INNOVATOR

INVENTOR
JESUS
KING
LEADER
LOUIS XVI
MARCONI
MARY
MINOS
MOHAMMED

MOSES
MOZART
PICASSO
QUEEN
RAMESES
SCIENTIST
SCOTT
STANLEY
TUT

```
S M B L C O M P O S E R N A R F M A H
O Y E B Y R O N I M I U Z D O T T C M
N E C Q Q R E V R A C C E A T U S L O
I D K U H P X D R O F R N M N T R E S
M I E W U S D A L I F V S I E A I O E
Y S T S I T R A K L L E C A V E F P S
G O T U N O T R A B V T I A N A X A D
A N O R E D N A X E L A E K I C D T E
L L C E S R O P E Z Y K N G N I K R M
I M S H A O T I X E R B T E Z D M A M
L Y L U N T R C P C A U I N Z O A W A
E E E D I A A L A M D S E J B U Q H
O L A S U V Z S O E E D T R E Q T U O
F N D O Q O O S R S S H Y A S D H E M
N A E N A N M O E A E A T L U W O E X
A T R F U N R I R R S U C V S P R N K
C S Y W B I E C A R O H I N O C R A M
```

Cities from the Past

ACCO	BUDA	GENOA	PEST	SMYRNA
AGRA	CADIZ	HARBIN	POMPEII	TANGIER
ALEPPO	CAIRO	ISTANBUL	RAVENNA	TARA
ATHENS	CALCUTTA	JAIPUR	RHODES	TASHKENT
BABYLON	CARTHAGE	JERUSALEM	ROME	THEBES
BAGHDAD	CUZCO	LONDON	SALISBURY	TROY
BANGKOK	DELHI	MEMPHIS	SALONIKA	TYRE
BEIJING	DUBROVNIK	NAPLES	SAMARKAND	VENICE
BOMBAY	EPHESUS	PARIS	SIDON	VIENNA

```
U I L M Y O R T S A L O N I K A V D O
N J H U Y H P E Z Z U D C L X R U C R
O G E L B C A L C U T T A S U B C A I
D G O R E N C R L I A T E D R A N L A
I E P K U D A O B D N L S O H R C Y C
S N X O H S N T U I P E V E Y G Z R G
N O D K R D A B S A N N V M P G A U U
T A N G O O P L N I I A S E E N S B N
A N A N R L M O E K Z N S G P I E S O
S B K A H T V E M M V N F A H J B I L
H O R B O A I A H P E K J H E I E L Y
K M A C D N E L L H E A F T S E H A B
E B M S E G N A T E I I C R U B T S A
N A A I S I N A R P P U I A S Z P T B
T Y S R T E A Y U G Z P L C A D I Z H
X W R A H R T R Z C A Y O T A R A M Y
M E M P H I S T O X R A V E N N A T G
```

The Coast of Sunny Italy

ALASSIO CECINA IMPERIA PALMI SIDERNO
ALBENGA CERVIO LIVORNO PAOLA SORRENTO
AMANTEA CETRARO LOANO PIZZO TERMOLI
ANCONA CROTONE LOCRI POLICORO TRANI
ANZIO FANO MASSA RAPALLO TRICASE
BARI FORMIA MONOPOLI RIMINI TRIESTE
BIANCO FREGENE ORTONA ROSARNO TROPEA
CAPRI GENOA OSTIA SAVONA VASTO
CARRARA GRADO OTRANTO SCALEA VIESTE

```
U A L A S S I O T J G Q O R I M I N I
G I O A N O T R O R Y L T O Y L Q I S
E T N M X G A N A V L I N R W Z A R A
N S R F O N A D I A P R L T O I J C V
O O O R I O O E P O A C B O R P F O O
A R V E L L S A L S B I A E P Z E L N
T A I G Q T R I O V A A P R A O O A A
R R L E E D C R S N R M N G R C N B O
I T F N P O I O C I I U N C E A M O A
C E A E R G R O W H D E C C O A R E M
A C N O W R V P U C B E I E S N T A W
S E O H E N Z P A L A N R S R N A H Q
E O T N A R T O A L A P A N A V P D O
C B T F O R M I A O M D R M O D I I T
F O W O K T E R M O L I A I Q P Z O S
T G A K C R O T O N E A J I U N Z C A
O G T R I E S T E S C A L E A D O Z V
```

280

Romantic Yugoslavia

BAR	HVAR	NEUM	PRILEP	SPLIT
BELGRADE	IZOLA	NIKSIC	PRIZREN	STON
BIHAO	JANJA	NIS	PULA	TETOVO
BITOLA	KAMNIK	OHRID	RIJEKA	TITOGRAD
BRCKO	KORCULA	OSIJEK	SABAC	TROGIR
BUDVA	KRANI	PAG	SARAJEVO	ULCINI
CAVTAT	KRK	PEC	SENJ	UMAG
CRES	LASTOVO	PIROT	SIBENIK	ZADAR
DUBROVNIK	MOSTAT	PLOCE	SKOPJE	ZAGREB

```
O H R I D E K I N E B I S K Z U O D K
R D V D K O R C U L A B U G C A B A S
W J U T R O G I R B K Y P S G D E N C
P L L D J Y O F A V D U B A L E J E R
W E C R I P K R A N I Q M R H B P U I
A C I A K A M N I K R U T A T S O M L
L O N D B G D T N K G B K J M T K A L
O L I A J E I U E I E C R E S K S O N
T P L Z R T R J B L K A K V K T O K V
I M D C O J I G G R K S L O O R A V H
B R J G A S P R A E O S I V C F O G C
O E R N O S A R J Z T V O C R B V M A
W A J P I D W I I O W K N A A I O P V
D A E N E Q R B N L J Q L I B H T A T
X C B R C K O T E N E O H J K A E L A
Q U Q P R I Z R E N Z P B J U O T U T
P G P I R O T S Y I Z S P L I T A P P
```

Of a Reddish Hue

ADMIRAL	CARPET	FESCUE	HERRING	NECK
ALERT	CEDAR	FISH	HOT	OCHER
ANT	CENT	FOX	INK	PENCIL
BIRD	CLOVER	GIANT	JASMINE	PEPPER
BLOODED	COAT	GUARD	LETTER	RIBBON
BREAST	CROSS	GUM	LIGHT	SALMON
BRICK	DEER	HANDED	MAPLE	SHIRT
BUD	DOG	HEAD	MITE	SPIDER
CAP	EYE	HEAT	MULBERRY	TAPE

```
K B C T V D J Y R C B G S H I R T Y L
E H A L B A H K E Q N O M L A S C V F
O B P K L B E C D E X R W L L A E E Z
A E J E E G A E I T N O K E R M W Y F
V M R A K U T N P I D A T P J T G L E
H T F X S C C L S M A T E H M N I E T
T R O R C M I S I J E T A B I C L H T
S F T E R H I R E R H N U R N P G N Z
A D B H O M O N B F D D R E A I A E Y
E C L C S C D T E E J E P M L K N I V
R O Y O S G G O D F H P E P P E R R R
B A A L I F L M U L B E R R Y K D E A
E T C A C A N P R I B B O N X M R V D
Q I N E L A R I M D A X X Y U N I O E
G T N D E E R G J D R A U G F G B L C
X T G D R T A P E V J O D T J H V C Q
X D Z J K M K K D E D O O L B H S I F
```

Precede with "Inter"

ACT	ECINE	LEAF	MENT	NUCLEAR
BREED	EST	LINE	MEZZO	PERSONAL
CEDE	FACE	LINK	MINGLE	PHASE
CEPT	FAITH	LOCUTION	MISSION	PLANT
CHANGE	FERE	LOPE	MIT	PLAY
COM	GALACTIC	LUDE	MIX	POLATE
CONNECT	GROWTH	LUNAR	NATIONAL	POSE
CROP	JECT	MARRY	NIST	PRET
DICT	LACE	MEDIATE	NODE	REGNUM

```
G F E M D I C T J E C T O E D Y C T A
I I I T F Z O A Q R L F D E K O D N N
W T V A A X C G A A A E C Q N L M E O
N T E C I L C E N C C A I N A Z E M I
A L N M E H O O E D L X E N N A Z D S
P Y H A A P I P E M F C O I R C Z B S
O U C N L T T L E H T S S O E T O R I
R G G L A P G D N E R T N L I N E E M
C E M N U N I T N E O L U N E S T G L
R D J L I A E I P N A C C O C Y U F U
Y E P M T R C F H E I T L I P O A V D
Y E G E P E O T D T K O E T K L M L E
J R M N Z D W O C N L A U E O R D P
K R R G U O N A I G Y T R C S P A H K
N D U A R M L L E S A H P O O E N I G
W C R G M A D E E R B D X L P O U Y E
N N I H G F E R E R F A I T H Q L J V
```

Young but Daily Growing

BABY	CHILD	FAWN	LARVA	SCION
BAIRN	COLT	FINGERLING	NESTLING	SEED
BRAT	CUB	FOAL	NURSLING	SHOAT
BUD	CYGNET	GOSLING	NYMPH	SPRAT
BUNNY	DUCKLING	GRUB	OWLET	SPROUT
CADET	EAGLET	INFANT	PIGLET	SUCKLING
CALF	EGG	KID	PUPA	TADPOLE
CATERPILLAR	ELVER	KITTEN	PUPPY	TOT
CHICK	EMBRYO	LAMB	SAPLING	WHELP

```
C H Y P P U P K S P R O U T K F A D T
F F G N I L K C U S X T E D A C D G R
U D U B C P D T U L B E C U P G N Y T
X B A P U P Y B A B H H J I N I B D E
D U C K L I N G I I I R G I L G E M L
B M A L H P M Y N L A L L P Q E N E G
Z P F T A R P S D L E T A U S W L G A
H T B I C O L T L T S S L I A O F N E
T O N A R N I B E Q E Z F P L T I A
A T F U I G P O N K P O L D A G K L V
O U C K R R E T I T I L A C Y B Y S R
H W I H E S N R E C Q T E O Z P N O A
S D L T I A L N L H S L T H Y Q N G L
T B A E F C G I R I A R M E W R U Y G
P C K N T Y K R N O N I C V N N B R G
C J I R C Q H I F G W G A B D C U M G
P C Y U V Z B R A T E L V E R B C Q E
```

358

Maybe It Will Just Go Away

AVOID	DODGE	LAG	PLOW	SLOW
BOGGLE	DOODLE	LANGUISH	POKE	SLUG
BRAKE	DRAG	LIMP	QUIBBLE	SNAIL
CRAWL	DROOP	LINGER	RETARD	STAGGER
CREEP	EVADE	LOITER	SAUNTER	STALL
DALLY	FALTER	LUMBER	SHIRK	TARRY
DAWDLE	HESITATE	MALINGER	SKIRT	TRAIL
DELAY	IDLE	NEGLECT	SLACKEN	TRIFLE
DEMURE	INCH	PLOD	SLOTH	TRUDGE

```
U G U L S J B E T A T I S E H K Z Q U
T R A I L A G A C Z J S K I R T U D K
R S T A G G E R F R T B X R E I X E Y
E D R S D G I S U K A L M K B C W M D
B R U L A R E T L A F W O B T C N U R
M O D O W U K A T A G P L V C J L R A
U O G W D P E E R C C E O N E Y A E T
L P E C L B O G G L E K R E L R N Z E
F H L V E I D L E D M Y E Q G R G B R
P T F R L D R A G O A U G N E A U D A
L O I E Y Y L E N O L K N P N T I T C
O L R T L A O V S D I R I R M O S A B
D S T N L L I A N L N I L H V I H T R
C V I U A E T D A E G H Q A W O L P A
L D N A D D E E I C E S N D O D G E K
C K C S J I R P L M R B T N W O V P E
A H H B C H I H J O D S T A L L I W M
```

285

Up in a Balloon

AERIAL	DRIFT	INFLATE
ALTITUDE	DRIVEN	LANDING
ANCHOR	DROP	LIGHTNESS
ASCENT	FAR	QUIET
BAG	FESTIVAL	RIDE
BALLAST	FILL	RISE
BALLOON	FLAME	ROPES
BLUE	FLOAT	SHROUDS
BUOYANT	FUEL	SILK
CLIMB	GONDOLA	SKY
CLOUDS	GUIDE	VIEW
COLD	HANG	WAFT
COLORFUL	HEAT	WEIGHT
DESCEND	HOT AIR	WIDE
DISTANT	HOVER	WIND

```
O  K  G  E  H  O  V  E  R  T  N  A  T  S  I  D  Y  P  Z
E  U  O  J  H  X  A  L  T  I  T  U  D  E  H  R  O  O  Y
D  O  L  L  O  G  T  A  E  H  F  A  W  N  A  R  L  K  W
I  S  Z  A  T  N  P  D  G  Y  P  F  L  F  D  F  T  E  I
R  H  M  I  A  I  P  R  Y  G  I  I  T  V  E  T  W  L  D
I  R  R  R  I  D  D  I  I  L  G  H  T  S  G  N  E  E  E
N  O  C  E  R  N  E  V  L  H  G  A  T  E  U  A  I  U  V
F  U  C  A  G  A  S  E  T  I  O  I  L  S  I  Y  V  F  R
L  D  B  N  Z  L  C  N  E  L  V  T  B  I  D  O  O  B  A
A  S  A  L  C  M  E  W  F  A  F  R  S  R  E  U  Q  T  L
T  H  J  U  M  S  N  Y  L  N  O  T  W  A  N  B  F  A  O
E  Z  Z  F  S  R  D  T  E  H  T  I  F  O  L  I  K  S  D
W  C  U  R  F  O  U  T  C  N  N  T  O  A  R  L  D  D  N
S  L  S  O  L  P  E  N  E  D  B  L  B  D  W  U  A  C  O
K  I  I  L  A  E  A  C  U  I  L  A  Q  T  O  B  O  B  G
Y  M  L  O  I  S  S  U  L  A  U  F  G  L  F  L  A  M  E
Y  B  K  C  C  A  U  N  B  F  G  Q  C  M  D  I  C  Z  W
```

286

Just the Usual

ARID	HO-HUM	SET
AVERAGE	HUMDRUM	STALE
BANAL	INSIPID	STANDARD
BROMIDE	JADED	STOCK
CLICHE	MIDDLE	STUFFY
COMMON	MORES	TAME
CONFORM	NORMAL	TEDIOUS
CUSTOM	ORDINARY	TEPID
DAILY	ORTHODOX	TRADITION
FASHION	PLAIN	TRITE
FIXED	PRACTICE	TYPICAL
FLAT	REGULAR	USUAL
GENERAL	ROOTED	VANILLA
HABIT	ROUTINE	VAPID
HACKNEYED	SAME	WONTED

382

362

```
L R U C Z T O K H N R O I N S I P I D
O D E T O O R M C U O E H S T A L E D
X O M Z W M E I O O M R G A A T V E A
A D R W J H M R T R T D M U B S P C I
L I K T C Q D O H E X S R A L I E I L
A R N I H I G E N E R A L U L A T T Y
N A L I N O M I D D L E O A M E R C E
A C U A A N D V A P I D L T D Y D A G
B L R S H L Z O A T P L R I N E X R A
C Y M O U J P E X O I A M O Y D S P R
J O H O A A N Z L N D O I E S E T T E
A U N D T I L A A I R H N T D T A E V
M E E F T S C V T B S K U E S N N P A
L D M U O I U I I A C F X E E O D I F
H P O A P R O C F A F I H M R W A D L
D R M Y S N M F H Y F Y N A O J R N A
O N T U Z R T E D I O U S T M M D U T
```

The "In-" Crowd

CARNATION	ELEGANT	GOT	LAW	SCRIBE
CENSE	EXACT	GRAIN	LAY	SHORE
CITE	FALLIBLE	GRATE	LET	SIDE
CIVIL	FANCY	GROWN	MATE	SINCERE
CLEMENT	FLIGHT	HABIT	PRINT	STANCE
DIRECT	FLOW	HOUSE	PUT	STATE
DISCREET	FLUENT	HUMAN	QUEST	STEAD
DISPOSE	FLUX	JURY	ROAD	STILL
DUCT	FUSE	LAND	SANITY	TEND

```
T  R  G  L  O  E  E  L  T  I  J  U  R  Y  W  F  Z  A  Z
I  M  Z  A  B  S  F  L  N  I  A  R  G  J  E  F  O  F  X
B  L  S  Y  H  N  S  I  E  N  P  U  T  C  L  A  T  E  Z
A  E  A  U  E  E  H  T  U  X  C  C  N  R  R  L  C  T  D
H  T  N  T  N  C  O  S  L  X  L  A  B  W  Q  L  E  A  A
T  I  I  K  K  M  R  A  F  E  T  E  L  T  T  I  R  R  E
E  C  T  O  L  I  E  E  M  S  T  D  T  N  C  B  I  G  T
N  W  Y  J  H  C  X  E  E  N  C  I  E  W  U  L  D  N  S
D  Y  W  W  D  A  N  L  I  A  R  S  E  O  D  E  A  F  Z
S  T  U  C  C  T  E  R  R  Y  B  D  R  R  X  M  F  H  E
T  U  S  T  I  G  P  N  T  L  D  A  C  G  U  W  Y  O  R
A  E  I  E  A  V  A  P  H  A  I  O  S  H  X  C  W  U  E
T  G  T  N  U  T  I  E  G  N  S  R  I  C  N  U  O  S  C
E  O  T  A  I  Q  S  L  I  D  P  D  D  A  G  B  L  E  N
Y  G  Z  O  M  U  C  W  L  L  O  I  F  Q  T  O  F  F  I
C  B  N  P  F  R  L  A  F  Y  S  C  R  I  B  E  T  W  S
W  D  T  U  N  E  L  L  H  X  E  X  Q  U  Q  H  U  R  D
```

On the Up-and-Up?

AND DOWN	GRADE	MOST	SHOT	SWEEP
BEAT	GROWTH	RAISE	STAGE	SWING
BRAID	HEAVE	RIGHT	STAIRS	TAKE
BRINGING	HILL	RISING	STANDING	TEMPO
COMING	HOLD	RIVER	START	THRUST
COUNTRY	HOLSTER	ROAR	STATE	TIGHT
DATE	KEEP	ROOT	STREAM	TO DATE
DRAFT	LAND	RUSH	STROKE	TOWN
END	LIFT	SET	SURGE	WARD

```
M R T S U R H T R L T D H J E M G E G
R D I A R B W P G E A S T G I L Q C P
E R W G J H E O M W U M A P G R A D E
T N H E H E S P G R S T A I R S F M E
S T E T K T O T G N S C E S I A R C W
L A V A D Z E E R N I M O N S W H G S
O E A D N P K B W O A D W M T H N I G
H B E O E A R O D E K O N S I I O N M
H L H T T I D C R A T E O A S N I T K
M O T T N D H T O D T M D I T W G E C
X Z V G N O S Q N U E E R R S S D E Y
O C I A L L H A R B N T C O A C T E S
U N X D L U L Y F I M T A L U F L T F
G P I I T R A T S D V W R T X H T T C
O P H I X H T W O R G E P Y S P O O M
G N W Z T H G I T R O A R U F O R B M
W A R D F P L I F T M G R T R P Q R N
```

Tri-, Tri- Again

TRIAD	TRICORN	TRIKE	TRIPLE	TRISTE
TRIAL	TRICOT	TRILL	TRIPLET	TRITE
TRIBE	TRICYCLE	TRILLION	TRIPLEX	TRITIUM
TRIBUNE	TRIDENT	TRILOBITE	TRIPLICATE	TRITON
TRIBUTE	TRIED	TRIM	TRIPOD	TRITONE
TRICEPS	TRIFID	TRINE	TRIPOLI	TRIUMPH
TRICKLE	TRIFLE	TRINITY	TRIPTYCH	TRIVET
TRICKY	TRIGGER	TRINKET	TRIREME	TRIVIA
TRICOLOR	TRIGON	TRIO	TRISODIUM	TRIVIUM

```
Y G Y T R I G G E R A T R I V I U M B
K T V G T R I T O N E A T R I F L E T
C R T R I D E N T W T R I F I D F T R
I I E T S I R T R I R E M E D V V I I
R C T N E Q Q E T A C I L P I R T R A
T E R C I T X A T R I N I T Y L G T L
E P I O T R I S O D I U M N O T I R T
L S K C L O T B N N W T R I P T Y C H
C T E T I O W W O W O A E L K C I R T
Y R H R R B C I G L Y T R I C O T Z N
C I T P L I L I I X I Y T R I M R T E
I P E R M L T Y R T E R E N U B I R T
R L I B I U I I T T R L T F E Y P I E
T E O R I P I R U T R I P O D I L A V
C P T Z G R O R T M T T V I J M E D I
T E K N I R T L T N R O C I R T T C R
J F D E I R T R I B U T E F A T Z B T
```

What's the Tally

AMOUNT	FLOCK	LOADS	MORE	SCADS
BARE	GALORE	LOTS	MYRIAD	SCANT
BATCH	GLUT	MANY	NONE	SCORE
CROWD	HERD	MASSES	NUMBER	SLEW
DEAL	HOARD	MEAGER	PALTRY	SOME
DEARTH	HOLLOW	MEASURE	PILE	SUPPLY
EMPTY	HORDE	MINORITY	PLENTY	SWARM
ENOUGH	LACK	MINUS	RAFT	VARIETY
FEW	LESS	MINUTE	RARE	VOLUME

```
R B V E N O U G H T H P N R H O R D E
J M D X R E G A E M K C O L F X J J V
E D R Q O I M R M S O M I N U T E E C
M R A T H R I P C I L D T B A R E L Y
U E O G A A W A N M N H E Z Z D L I L
L H H W M S N S E E D O N A A E O P P
O F S O C T C A H R P G R I R W T R P
V I U O P A S P H O P R R I H T S E U
F N R C D U A O Y L V Y S E T L H B S
T E M S R L L T W A M N E Z N Y D M H
W M L E T L E T G G R A S O M E Z U B
H E C R O I Y Y L O A D S C K H L N A
W E Y W R K T S A M F V A J R Y A L T
V R G A C K N S E I T E M N G O V A C
C O V A Y H E E D N W W E F O L W X H
M M L Y W B L L K U R A R E E N U D W
C H Y N A M P P J S G X Y T P M E T V
```

Tropical Daydreams

BEACH	DIVE	LIE	REST	SURF
BLAZE	DOZE	LIFEGUARD	SANDALS	SWEAT
BOOK	FRUIT	LOUNGE	SANDY	SWIM
BREEZE	GLASSES	OCEAN	SHADE	TAN
CHAISE	HOT	OIL	SHELLS	TOWEL
COMFORT	HOTEL	PALMTREE	SIP	TRUNKS
COOLNESS	JUNGLE	POOL	SLEEP	UMBRELLA
CREME	LANGUID	RECLINE	SUIT	WAITER
DIP	LAZE	RELAX	SUPINE	WATER

```
L M E V I D C H A I S E B Y M I W S W
L F A C O O L N E S S P O O L L R B D
D U D L R E C L I N E Y P E I E R M E
T R U N K S H G C C T E T F T E E O G
L R P F A I T L I E E O E I E P T T N
I E A X K E D Q V L W G A Z I E A S U
O L L V R O C G S E U W E D X V W E O
E G M B E K O O L A Q L E T O H P R L
N N T I L F D B R D I U G N A L Q U E
I U R W A A R D S L H C A E B S M Z Z
P J E E X S Z U W H T U H N E B O S O
U H E D M F I E S R E O F S R D Q W T
S B Z X G E S P O X T L S E O C I E I
S A N D Y H R F O C G A L E Z A L A U
A A V E A Z M C T D L L I S X O M T S
T P G D G O G J O G A N G T I U R F W
K F E L C M A O G S L A D N A S T U J
```

Getting Away from It All

BEAR   DEER   HILL   MOUNTAINS   SHED
BOOTS   FIR   HUNT   OWL   SLOPE
BRUSH   FIREPLACE   JACKET   PINE   SPRING
BUNK   FISHING   KEROSENE   PORCUPINE   SQUIRREL
CANDLE   FLANNEL   KINDLING   RACCOON   STEAK
CANOE   FLAPJACK   LAKE   REMOTE   STOVE
CHOP   FOREST   LOFT   ROAD   TRAIL
COOL   HIGH   LOGS   ROCKS   TROPHY
CREEK   HIKE   MOSQUITO   RURAL   WOODPILE

```
H B E C E C A L P E R I F T F L A K E
I R C I T N U H M D K K L A R U R C V
K U Z P V U B K O K M O S Q U I T O Q
E S T O D C E H U L O K I N D L I N G
S H R R F A A G N I R P S R H F C O L
T Y O C O N R F T A Y U I S L I K W O
O U P U R D Q I A R P F T A Q F G L G
V I H P E L B S I T W E N E K L K H S
E Q Y I S E M H N D A N L T C E O L N
J B M N T N S I S K E I E G A R E L O
U K U E Z P K N X L P R P C J R T I O
Y P K N I B C G E D Z O O O P I O H C
D N E N K O O E O O L A L O A U M J C
U O E P W O R O P O N D S L L Q E R A
U G R Z B T W O F R T A H X F S R E R
Z M C Q R S H T W T E K C A J F R E Y
J Y T J X C K E R O S E N E S H E D V
```

Verbal Filler

ACUSHLA	DRAT	PSHAW
AHA	EGAD	RATS
AHOY	EH, WHAT	SHOOT
ALACKADAY	ERK	SHUCKS
ALAS	GEEZ	SURE
B'GOR	GOLLY	THERE
BEANS	GOSH	TUSH
BLAST	HELLO	UFF DA
BOTHER	HEY	UGH
BOY	HMM	UH-OH
BULL	HMPH	UMPH
CRAP	HOOPLA	WELL
CURSES	MAN	WHOA
DANG	OHO	YEEHAW
DARN	PISH TUSH	YUCK

```
V L U A H J L Q O M O M Y Z D B B U F
E X J P S B T Z N V R O G B Z Y Y M A
N F L I T T H E R E O B W A A E O N H
V W U S A L Q L L U B T D D T Y E H A
Q X R H R Y F H F N A F A S H K O G G
J B C T E Q Y E H C F K A O N O H O L
J C I U D R C O U U C L H R P K M W D
K U C S O R U S H A B U A L R M S A A
B R A H A U H S L A O D A E H N F H G
W S I P G L L A J P Y H X Z A L A S E
Y E U H A L S K C U H S P E Q E M P W
L S M F E K C U Y N R B M Z H E D U
L L P W B T U K Q I Z E E F H E A F X
O I H Z O O D R A T A L E H R L L U P
G I Y O Y E H W H A T U S H T L N G M
M T H B R M G D A N G W H O A O H A A
E S X Z M H S O G C I J R C X W B C M
```

Words of One Syllable

BARB	GROT	POUR
BIND	HANG	PURL
BORN	HART	QUIP
BOTH	HATH	SAIL
BUNG	HONE	SIZE
CART	HOUR	TANK
CRAB	HUNT	THIN
CURD	LANE	VANE
DIRT	LUCK	VINE
DROP	MINT	WAVE
EVEN	MOTH	WEIR
FAME	ODDS	WIDE
FIVE	PART	WIFE
FURL	PATH	WING
GIRT	PLOT	YURT

```
H E E U Q I U D E K U B C V U B J X V
O W V R I E W M W W X Z A E N K H O I
U I R A L R T O H T C P M R W F G U K
R D U G W K N T W R I A M B B U L H M
Z E O I K K I H H U F O O P M R Y K K
F I P R L N M D Q Y T T E C E L M N O
H Z D T R H R M J H H W V U F E I A E
Y D M O O O E E I Y C I E R M L N T Y
Q X B D P Z J N N R Z N N D T T R A C
T V D E R I O X A A D G G R O T W K W
R S A H J M G B P V L N T K E H L T Y
A Q T L R V H L L G U X I D E E T R Z
P A R F I T O Y K B D D U B N V R A A
H U G N A T L S N C T E U O E H I H Q
P W E P R I R X I N U V H F Y A D F B
J Q Q N A Z M L U Z V L I M N N R P P
P A Z S Y O M H A P E W E W G G W K O
```

295

All Wet

BAYOU	CHUTE	FLOOD	RIPPLE	SPRING
BILLOW	COMBER	FLOW	RIVER	STREAM
BOURN	CREEK	GEYSER	RIVULET	SURGE
BRANCH	CRICK	NEAP	RUNLET	TIDE
BROOK	CURRENT	OCEAN	RUNNEL	TORRENT
BURN	DROP	RACE	SEA	TRIBUTARY
CASCADE	EBB	RAIN	SEICHE	UNDERTOW
CATARACT	EDDY	RAPID	SLUICE	WAVE
CHOP	FALL	RILL	SPA	WHIRLPOOL

```
L K A C N O M R I K O O R B L Z T F Z
B E P O E R K W I R E M H X A V M A K
V E S M R D U E O V L C H U T E P L L
D R F B I W C B X L U E C I U L S L L
Y C B E E A H B T R F L B O U R N U I
G M A R R G R I R C R E E N K Y N X R
O A Y C Y A R E R K A R L T I D D J L
C E O N N R N U C L I R J P E A B D Y
E R U C E T A I S V P B A R P V R F E
A T H B R A R T E T C O T T I L T W
N S T H V C P R U A I O O E A O R O X
I L E N N U R G S B W D L L O C L R Q
D M W A V E N C K M I N E D Q L B R C
I T O X Y I A A Y N U R F D I B B E H
P U L F R D Q E K R H N T B R W W N O
A J M P E C K S G E H C I E S O P T P
R W S Z D R L G V X G E Y S E R P W U
```

296

Water at Work

AQUEDUCT	DITCH	GUTTER	POOL	SPOUT
BOAT	DRAIN	HOSE	PUMP	SPRAY
BOTTLE	DRINK	IRRIGATE	SEPTIC	SPRINKLER
BUBBLER	DUCT	JETTY	SEWER	SUMP
CANAL	FAUCET	KENNEL	SHIP	TANK
CHANNEL	FISH LADDER	LOCKS	SINK	TROUGH
CONDUIT	FLUME	MAIN	SIPHON	VALVE
CULVERT	FOUNTAIN	MOAT	SLOUGH	WEIR
DAM	FUNNEL	PIPE	SPIGOT	WELL

```
Y F L U M E S H I P A S L O U G H V O
C R J J E T T Y D R S P U M P I B L Y
M V E R G E L T T O B I O M M D J E I
H D S R U F K N I R D F P O P A R N Y
U K O D T S E W E R A O A H Q E I N G
Y N H I T L L S A U S T R U O W R A L
J A O H E O P I C P Z E E T R N R H E
T T R I R O N E I K D D C E Q D I C N
P C W P U P T G E D U O L K R I G Q N
H U I T S Q O N A C N K S E X N A G U
G D M A D T N L T D N E L K I T T K F
U V A L V E H G U I P B M A Q R E H L
O A B B L S Q I R T B A T V B E X S A
R A Y B I P T P I U I N Q U O V W K N
T O R F I F S C B N U W R C A L E C A
O D L P D I T C H O F Q X R T U I O C
B R E F L L E W F S I N K Z H C R L U
```

297

Ushering in the New Year

AWAKE	DRINKS	HORNS	NEW LEAF	RESOLVE
BEGIN	FAREWELL	HUG	NIGHT	RITE
BETTER	FETE	IMPROVE	NOISE	SING
CHAMPAGNE	FIREWORKS	INSPIRE	OCCASION	SNACKS
CHANGE	FIRST	JANUARY	PARTY	START
CHEER	FRESH	KISS	PAST	TIME
CONFETTI	GIFT	LAST	PREDICT	TOAST
DAWN	GREET	MIDNIGHT	PROMISE	WELCOME
DECEMBER	HAIL	NEW	REFORM	YEAR

```
R  Y  L  H  C  H  A  N  G  E  D  R  I  N  K  S  W  Z  Y
A  W  T  C  B  D  Y  P  R  E  D  I  C  T  C  G  P  I  E
E  U  H  F  L  A  E  Y  H  L  E  I  K  A  D  F  N  A  S
Y  G  G  L  A  U  E  C  F  W  M  J  M  A  A  S  T  C  I
L  B  I  K  S  F  L  R  E  P  E  B  W  E  P  H  S  S  M
L  E  N  T  T  E  E  I  R  M  E  N  L  I  S  T  A  N  O
E  T  H  H  S  S  T  O  A  G  B  W  R  K  J  H  O  A  R
W  T  N  G  H  A  V  I  I  H  E  E  R  E  G  G  T  C  P
E  E  G  U  H  E  P  N  R  N  E  O  R  E  S  I  O  K  A
R  R  T  R  A  T  S  E  N  N  W  S  T  H  W  N  F  S  O
A  Z  B  Q  A  S  S  O  G  E  I  E  Z  E  F  D  R  T  F
F  M  W  W  I  O  I  A  R  N  F  M  L  E  Q  I  P  O  L
X  C  A  K  L  S  P  I  G  O  R  C  T  Q  Z  M  Z  O  H
D  K  H  V  E  M  F  T  X  O  O  T  J  A  N  U  A  R  Y
E  X  E  E  A  N  I  Q  F  M  I  P  A  R  T  Y  V  O  I
E  D  P  H  E  M  U  E  E  L  E  O  C  C  A  S  I  O  N
H  R  C  A  E  R  R  K  K  F  I  R  S  T  G  R  E  E  T
```

A Child's Christmas

ANIMAL	COAL	HAY	PRESENT	SINTER
BEARD	COOKIE	JOLLY	RED	SLEIGH
BEHAVE	DELIVER	KLAUS	REINDEER	SOOTY
BOOTS	DOLL	LIST	ROOF	STOCKINGS
CANDY	ELVES	MAGIC	ROUTE	STONE
CANE	FAT	NICHOLAS	SACK	TOY
CHIMNEY	FILLED	NIGHT	SAINT	TREATS
CHRISTMAS	FLY	NORTH	SANTA	TREE
CLAUS	GIFT	POLE	SHOES	WHITE

```
X H K P T N I A S Q C C O O K I E S E
K P R R M R N I C H O L A S L Y A D U
T E O E N I E S I N T E R L E C E X E
H Y O S A B K E R Y L F B R K R H Y N
G T F E W A S T O C K I N G S T B E A
I O M N L G S E O H S N E X R F F N C
N O W T U O C B G W Y C L O A C I M I
N S L V J U P O J A H E N T O I L I G
L B E T I H W O H R T R E A T S L H A
B A L Y Q R B T I O K E L D N R E C M
T Z M E L C E S A U L V R E F B D A B
C S G I L L T E D T A A T L O C M W J
S G A A N M O O D E U H S I G A U L D
E C U N A A L J P N S E I V E N O T S
V S X S T L T F I G I B L E A D G T Z
L W O T I A B E A R D E Y R D Y D O L
E X T M H G I E L S X W R B G V P Y T
```

377

The Harvest Feast

APPLES	EXTRAVAGANT	HOT	PILES	SAVORY
BAKED	FESTIVE	LARGE	PITCHERS	SPICY
BASKETS	FLAGONS	LAVISH	PLATES	STACKS
BOTTLES	GOLDEN	LOAVES	PLATTERS	STEAMING
BOWLS	GRAPES	MEATS	PLENTY	SUMPTUOUS
BRIGHT	GRAVY	MELTING	PROFUSE	SWEET
BUTTERY	GREEN	MIGHTY	PUDDING	TABLE
CAKES	HAM	MOUNDS	RICHNESS	TURKEY
CANDLES	HEAPS	PIES	ROAST	WEALTH

```
L X H T L A E W C E G R A P E S S R A
N J S T A C K S P X G A J E G P W O G
E Y E O J D G N I T L E M E N Y E H B
E C T Y R O V A S R T S C V I V E B H
R I A H T T O H T A R T Y I D A T A F
G P L R G P L H P V N E E T D R M L R
N S P C I I G P L A S K K S U G A H M
S Y E E A I M L A G S S R E P G E D B
R G S L R K A O T A E A U F O A L S U
E N P B D R E T T N N B T N P A U L T
H I L B G N A S E T H F S S V O N A T
C M E E O B A I R P C Q L I U S E P E
T A N T L T O C S I I Q S T E S D P R
I E T E S F T W W L R H P V T R L L Y
P T Y K U A G L L E H M A A V E O E M
R S S D N U O M E S U O E H V M G S Q
R R D E K A B R K S L M P R O F U S E
```

300

Taking Care of the Aftermath

BRUSH

CARVE

CLEAN

CONTAINER

COOL

CRUMBS

CRUST

CUPBOARDS

DISHES

DIVIDE

DRY

ENDS

FOOD

FORK

GLASSES

GREASE

HELP

JAR

KETTLE

KITCHEN

KNIFE

ORGANIZE

ORTS

PAN

POUR

PUT AWAY

REFRIGERATE

SCOUR

SCRAPE

SCRAPS

SCULLERY

SINK

SKINS

SOAK

SOAP

SPOON

STACK

STOVE

SUDS

SWEEP

TOSS

TOWEL

WASH

WATER

WIPE

```
B W B B B D R Y O J K R O F V B U A I
O M E I Z A F N U R G L A S S E S T H
B B Z Z Z R A J L I T A P L X T S S T
R N V M I F D I S H E S N A P P Q U O
U D R D O N D I V I D E S O A P A R S
S R O Y R C A B L E W O T R K T E C S
H O E U R P A G E P A R C S K S T E P
F K O N I E U R R P A S D I C D N T O
R P S N I I L T V O I N C E A R O A O
U J J I K A S L A E E W E F T A H R N
O E D S N I T N U W D U L I S O S E H
C C S S B K T N I C A O T N V B A G M
S Q L A D M H C O K S Y T K E P W I M
L X F E E U U E H C S K E C A U K R U
U W D O A R S R L E E A K V O C E F C
S T O V E N G Q C P N O L O O C I E D
C U F A X S W E E P M S O W A T E R E
```

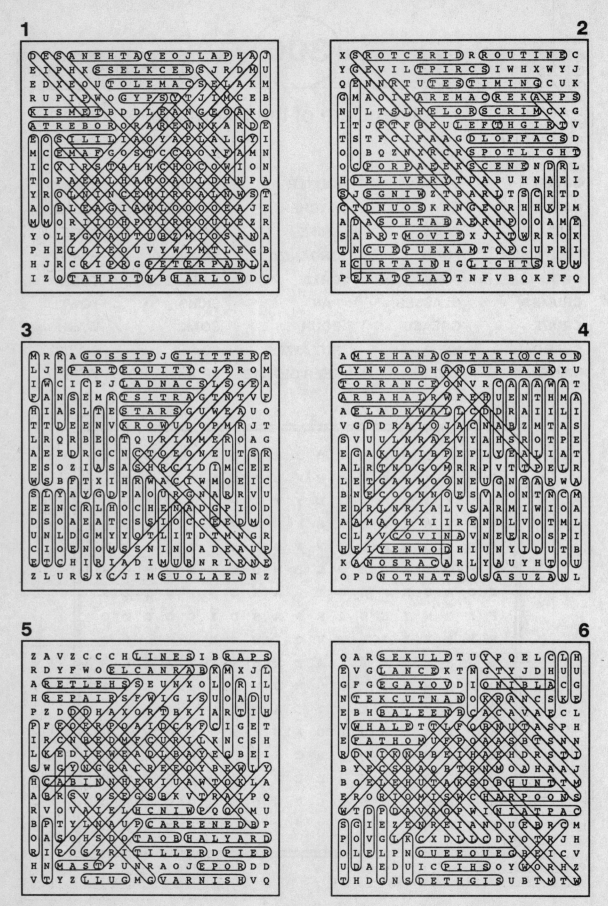

380

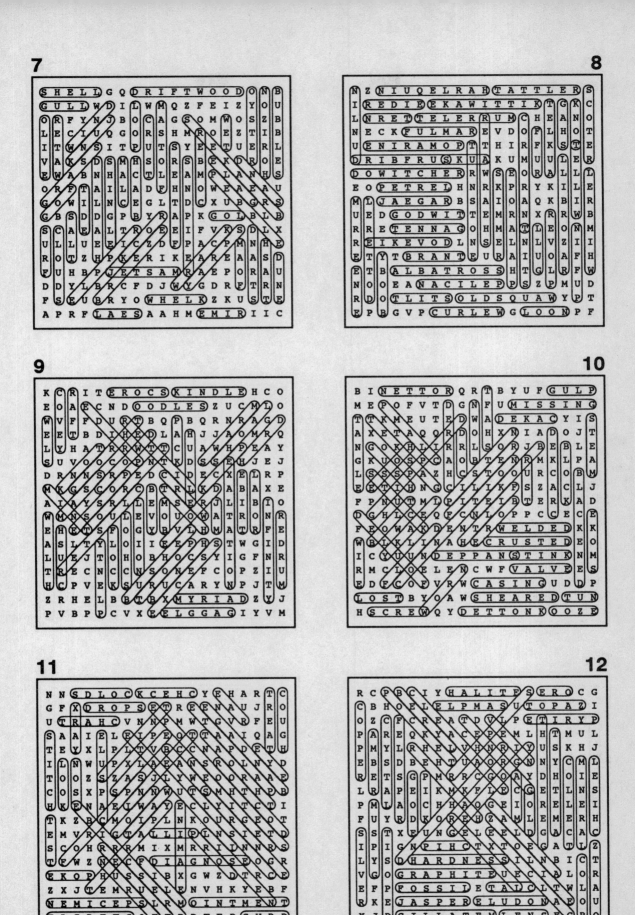

7

```
S H E L L G Q D R I F T W O O D O N B
G U L L W D I L W M Q Z F E I Z Y O U
O R F Y N J B O C A G S O M W O S Z B
L E C I U Q G O R S H M R O E Z T I B
I T A W N S I T P U T S Y E E T U E L
V E A K S S M H S O R R S B E K R O E
A W A B N H A C T L E A M P L A N H U
O R F T A I L A D F H N O W E A F A U
G O W I L N E G L T D C X U B G R S
G B S S D D G P B Y R A P K G O L B L B
S C A A L T R O E E I F V K S D L X
L L U E I C Z D F P A C P M N H E
U O T Z H P K E R I K E A R E A A S D
H B P J E T S A M R A E P O R A U
D Y L R C F D W Y G D R F T
F S E U B R Y O W H E L K Z K U S T C
A P R F L A E S A A H M E M I R I I C
```

8

```
N Z N I U Q E L R A H T A T T L E R S
I L R E D I E E K A W I T T I K T G K C O
N N R E T E L E R R U M C H E A N O T
U N E C K F U L M A R E V D O F L H S T E
D E N I R A M O P T H I R F K S T R
O D R I B F R U S K U A K U M U U L E U
E O D O W I T C H E R R W S E O R A L L I L
M L P E T R E L H N R K P R Y K I L L E
U E D J A E G A R B S A I O A Q K R W B
R R E G O D W I T T E M R N X R O N M
R E T E N N A G O H M A T L E O I H
E I K E V O D L N S E L V Z I F U
T Y T B R A N T E U R A I U G A F W
N B A L B A T R O S S H T G L R F U D
N O E A N A C I L E P S Z P M U D
R D T L I T S O L D S Q U A W Y P T
E P B G V P C U R L E W G L O O N P F
```

9

```
K C R I T E R O C S K I N D L E H C O
E O A E C N D O O D L E S Z U C M L O
W V F F D U R T B Q P B Q R N R A G D
E T B D I H E D L A H J J A O M R Q
L Y H A T R R W T T C U A W H P E A Y
S U V O O C O P N T K D S S E H J E J
D R N N S R P E D C I D E C X E L R P
M K G S C O R C B T R L K D A B A X E
A I A Y S R L L E M S E R J L I B I O
W M N S O U L E V O U O W A T R O N F E
E H E T S F O G Y B V L H M A T R U F E
A S L T Y L O I I E P H S T W G I D R U
L U E J T O H O B H O C S Y I G F N R U
T R E C N C N S O N E F C O P Z I T M
H C P V E K S U R U C A R Y N P J T M
Z R H E L B B T B X M Y R I A D Z Y J
P V B P C V X E L G G A G I Y V M
```

10

```
B I N E T T O R Q R T B Y U F G U L P
M E P O F V T D G N F U M I S S I N G
T K M E U T E D W A D E K A C Y I S
A X E T A Q O R D O H X N I A D O J T E
N G O K H L I R R L S O R J B E B L T A
G K U O S P C A O B T E N R M K L U M
E E T I H N G C I L I K F S Z A C B L J
F P N U T M L P I T E I B T E R K A D E
D G H L C E Q F C N L O P P C E C E E
F E O W A K D E N T R W E L D E D K K
W B L K L I N A H E C R U S T E D E O M
I C Y U U N D E P P A N S T I N K N S
R M C L O E L E N C W F V A L V E E S
E D F C O F V R W C A S I N G U D D P
L O S T B Y O A W S H E A R E D T U N
H S C R E W Q Y D E T T O N K O O Z E
```

11

```
N N S D L O C K C E H C Y E H A R T C
G F X D R O P S E T R E E N A U J R E
U N T R A H C V N N P M W T G V R F E
S A A I E L E I P E O T T A A I Q A G H
T E Y X L P L T V B C C N A P D E T H
I L O N W U P X L A E A N S R O L N Y D
T O O N Z S Z A S J L Y W E O O R A A E
C X O S X P S P N N W U T S M H T H P B
H K E N A E L W A Y E C L Y I T C T I
T K Z B C M O I P L N K O U R G E O T
E M V R I G T A L L I P L N S I E T D
S C O H R R R M I X M R R I N N W R S
T F W Z N E C F D I A G N O S E O G R
E K O P H U S S I B X G W Z D T R C E
Z X J T E M R U E L E N V H K Y E B F
N E M I C E P S L R M O I N T M E N T
E L I R E T S O E T P D T E B G U R D
```

12

```
R C P B C I Y H A L I T E S E R O C G
C B H O E L E L P M A S U T O P A Z I
O Z C F C R E A T D V L P E T I R Y P
P A R Y S Q K Y A C E P E M L H T M U L
P M E R L R H E L V H N R I Y U S K H J
E B T A B E H T U A O A Y D H T L E S
T R A P E I K M K F L E C G D E T I N E
L M L A O C H H A O G E I O R E L H
F U Y R D K O R E H Z A M L E M E R A
I S P Y T X F U N G E L F E L D A T U
L L V D S H I P C H C T X T O E G A T I Z
V G R A P H I T E U E C I A L T R A
F O S S I L E T A L O D L T W L O R
R K E J A S P E R E L U D O N A E U
X J D C I L L A T E M L E N S F C R O
```

13

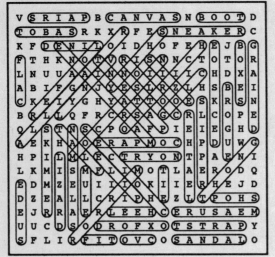

14

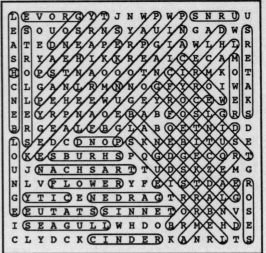

15

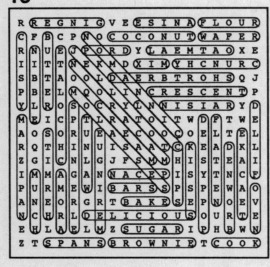

16

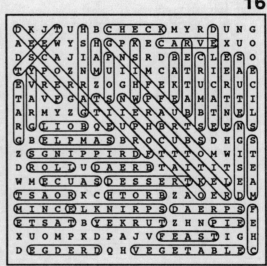

17

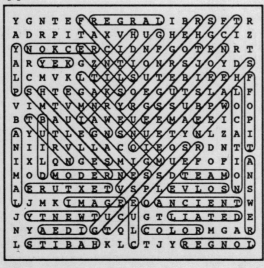

18

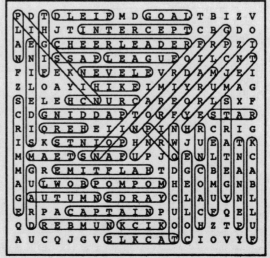

19

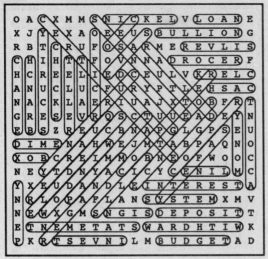

20

21

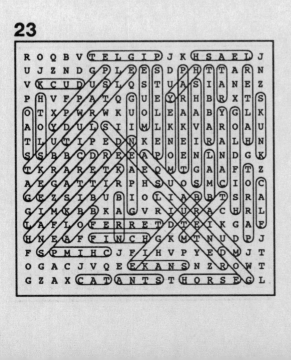

22

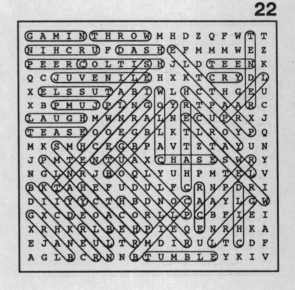

23

24

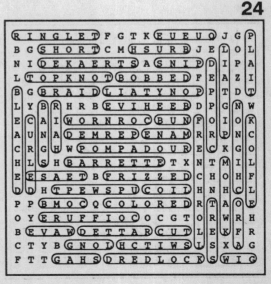

383

25

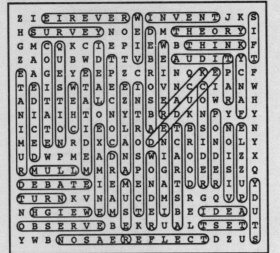

26

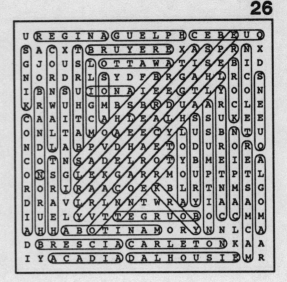

27

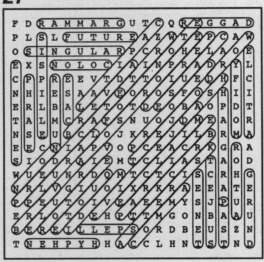

28

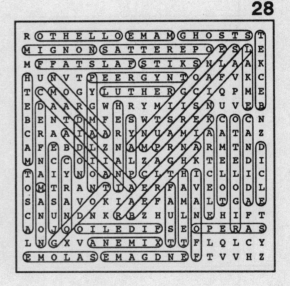

29

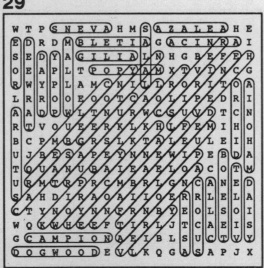

30

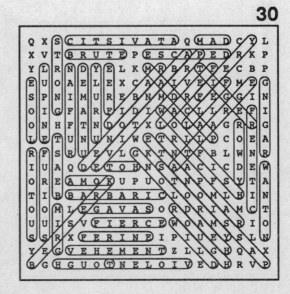

31

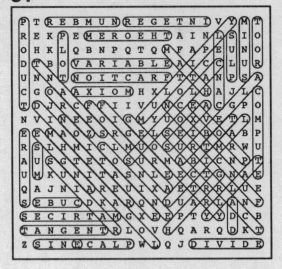

32

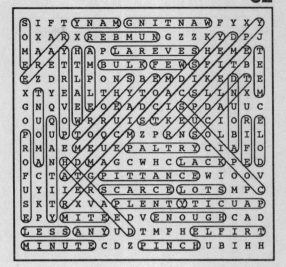

33

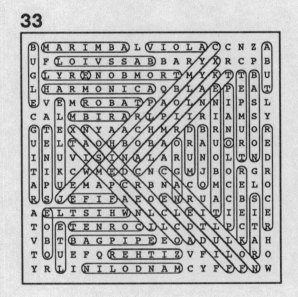

34

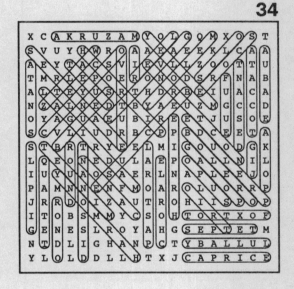

35

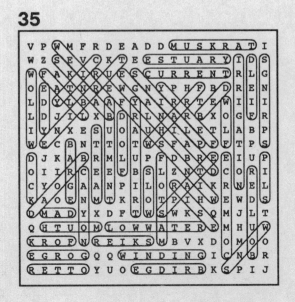

36

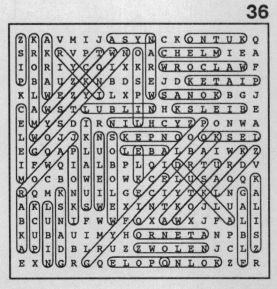

37

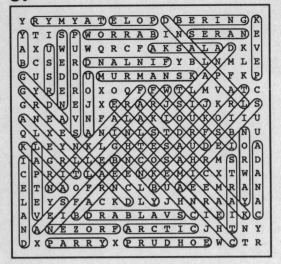

38

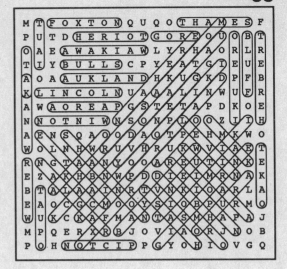

39

40

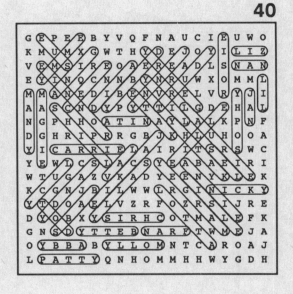

41

42

43

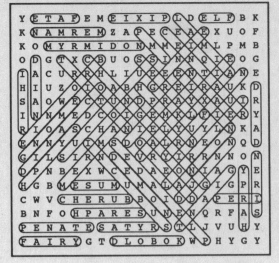

44

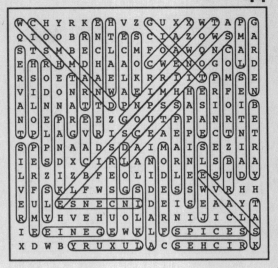

45

46

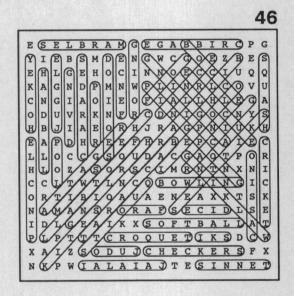

47

48

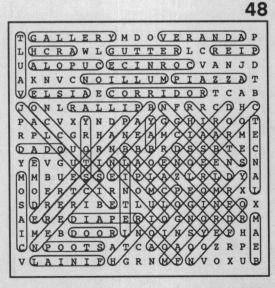

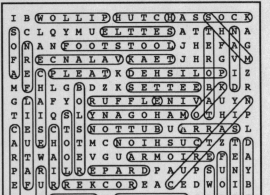

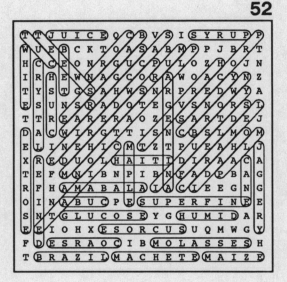

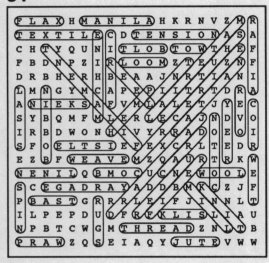

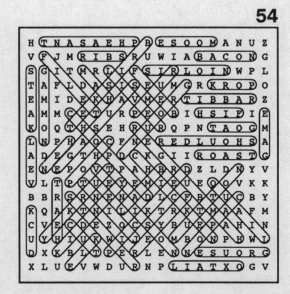

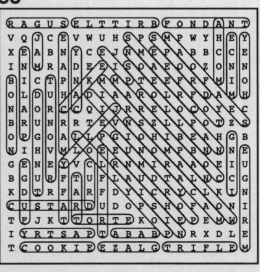

55

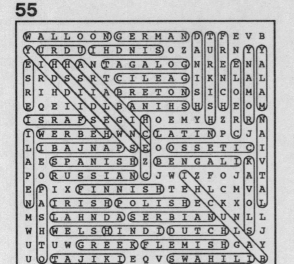

56

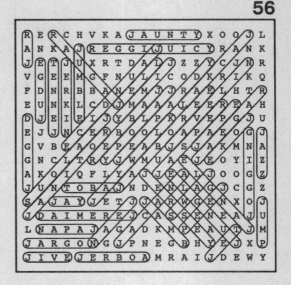

57

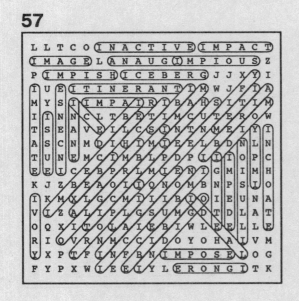

58

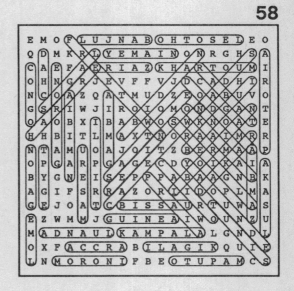

59

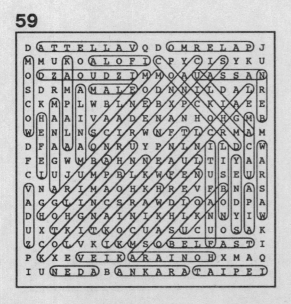

60

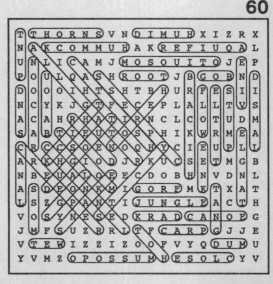

61

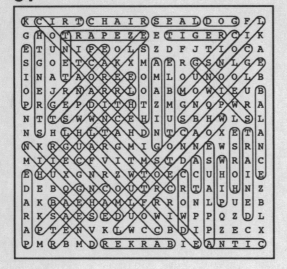

62

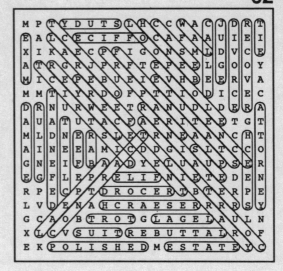

63

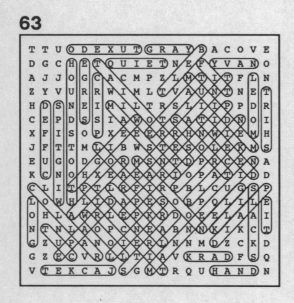

64

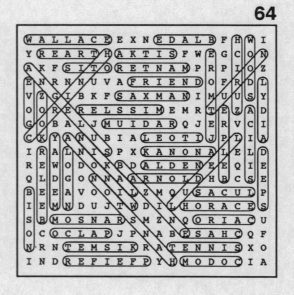

65

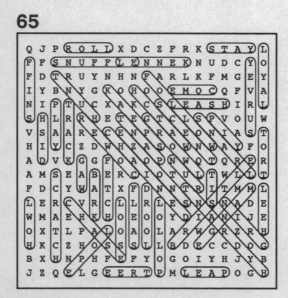

66

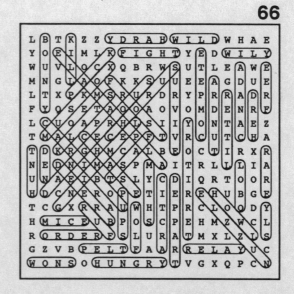

67

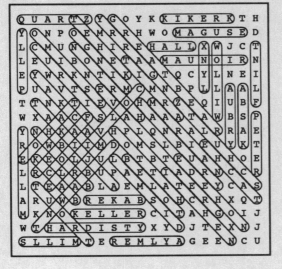

68

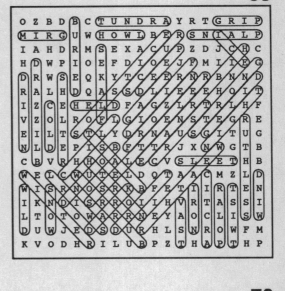

69

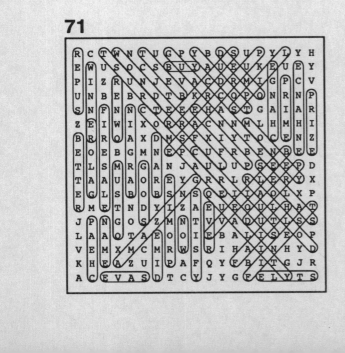

70

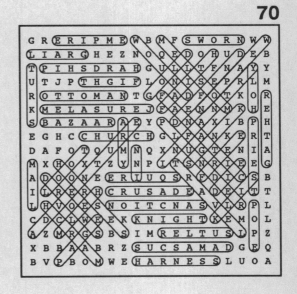

71

72

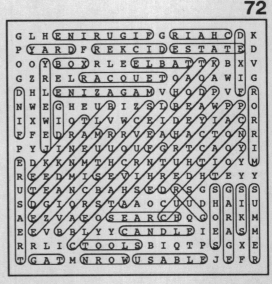

73

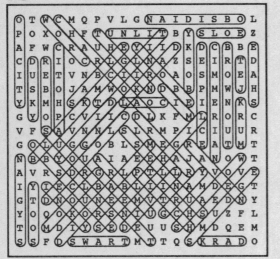

74

75

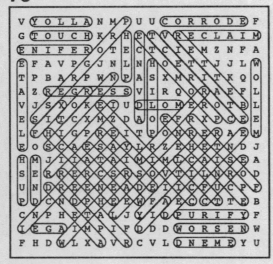

76

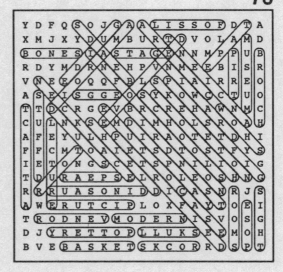

77

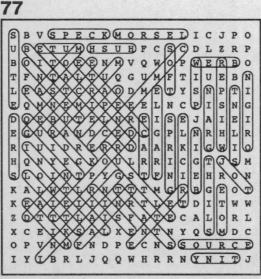

78

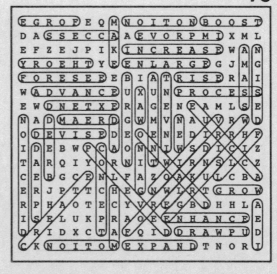

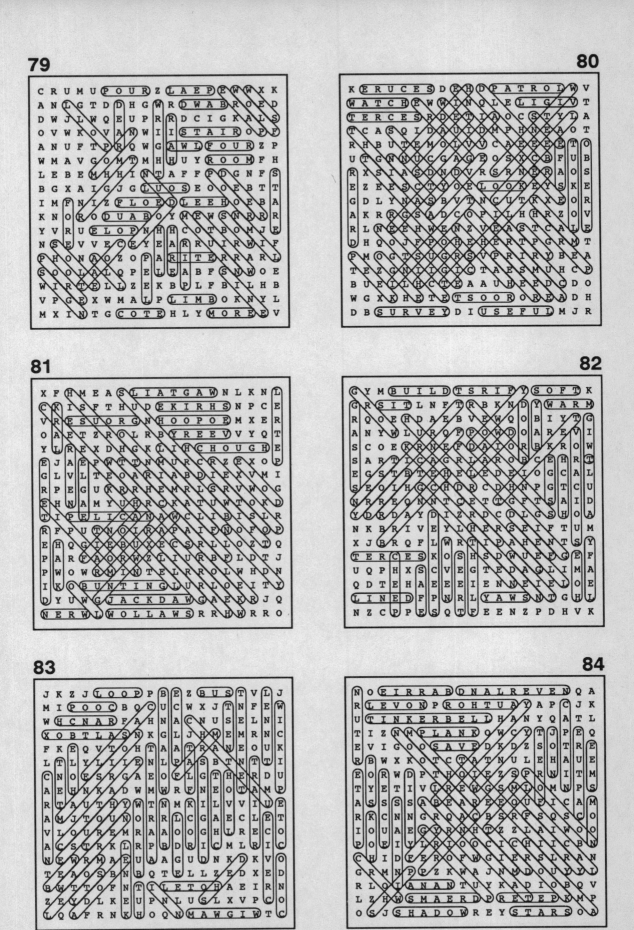

79

80

81

82

83

84

85

86

87

88

89

90

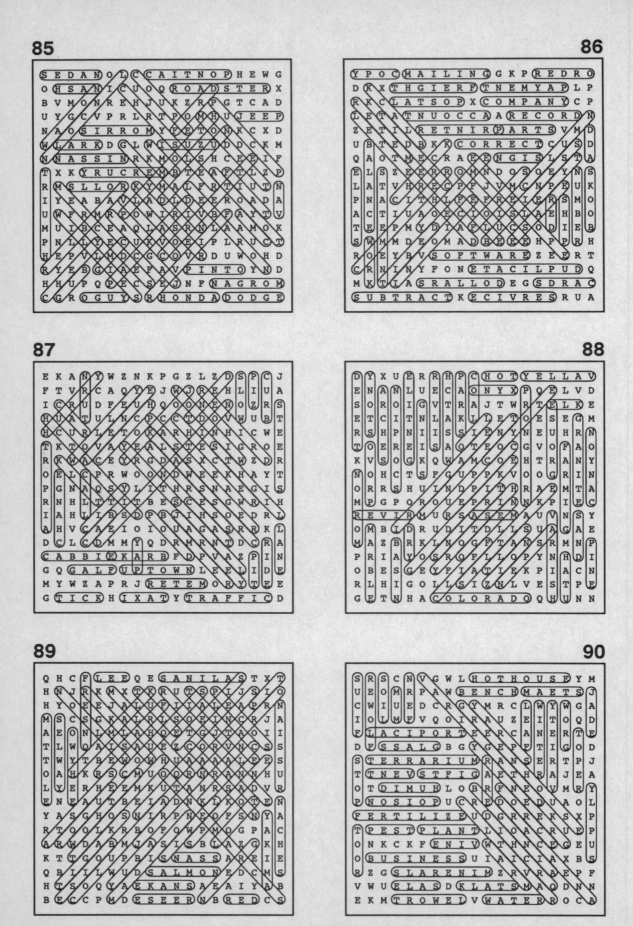

91

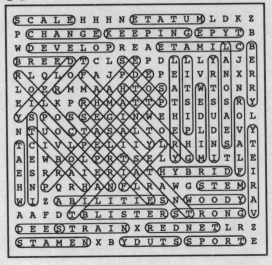

92

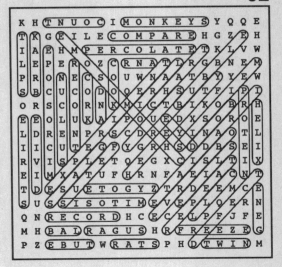

93

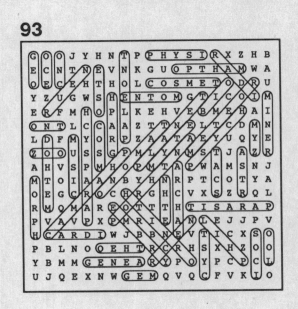

94

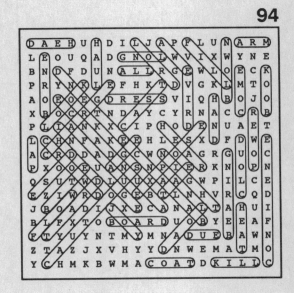

95

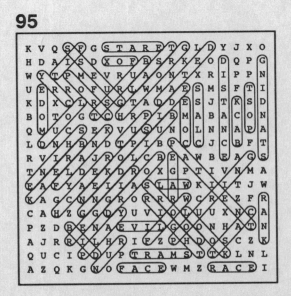

96

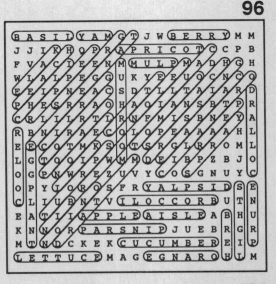

97

98

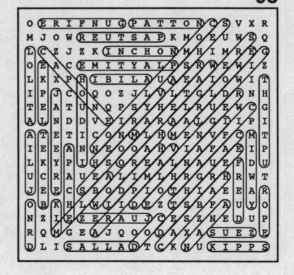

99

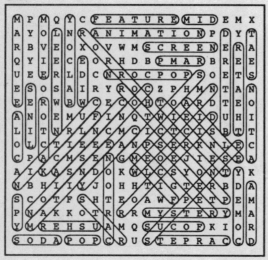

100

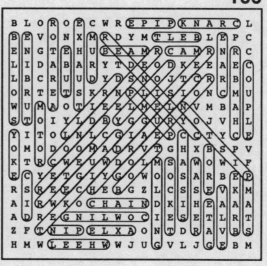

101

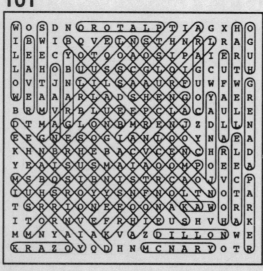

102

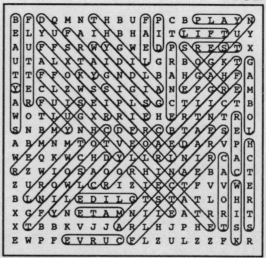

103

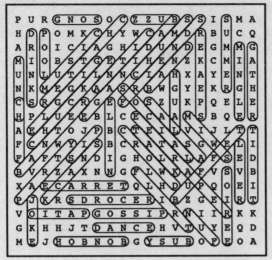

104

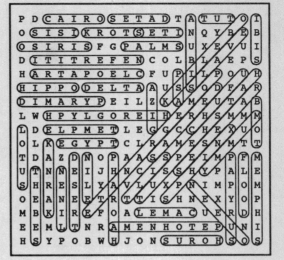

105

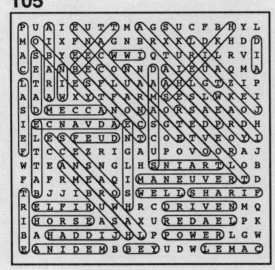

106

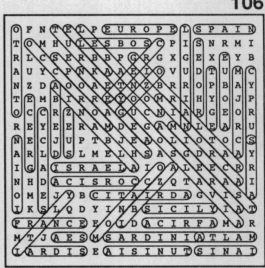

107

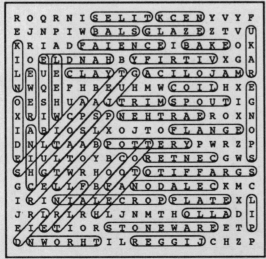

108

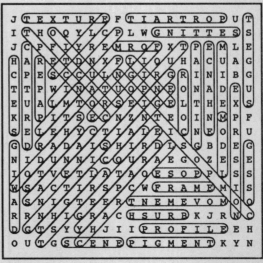

109

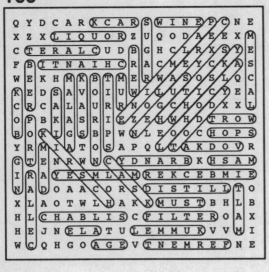

110

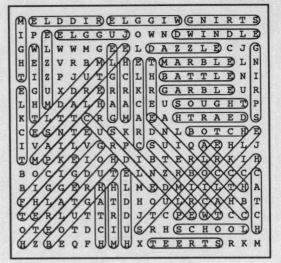

111

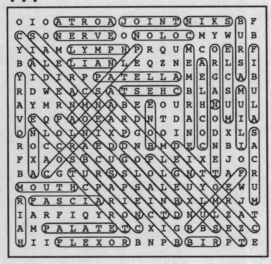

112

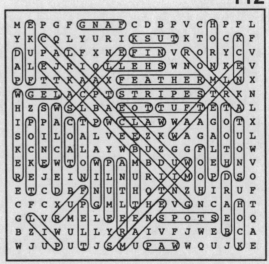

113

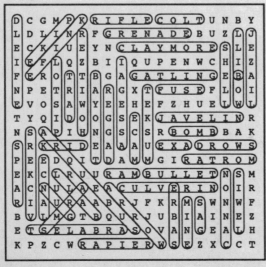

114

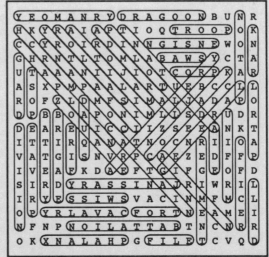

115

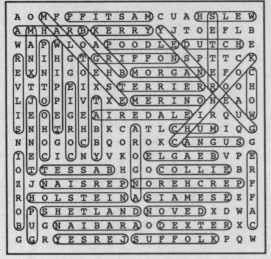

116

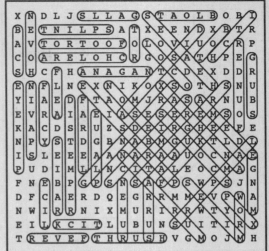

117

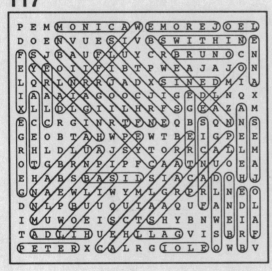

118

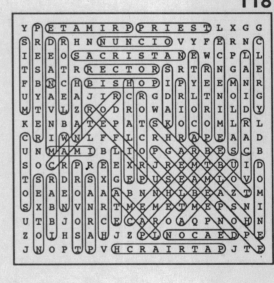

119

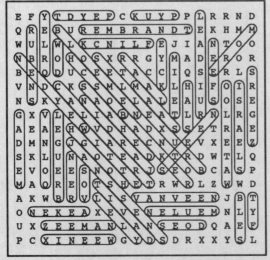

120

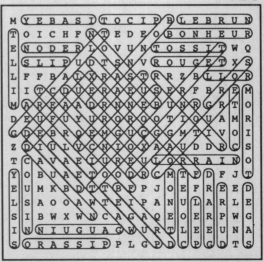

121

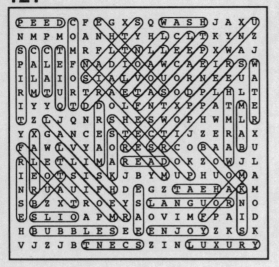

122

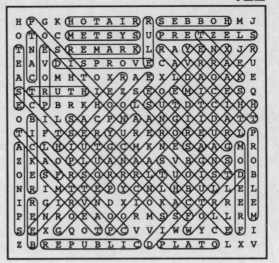

123

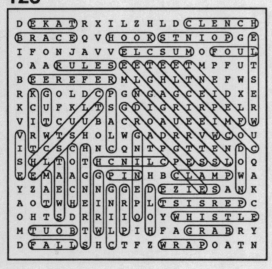

124

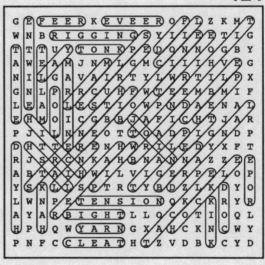

125

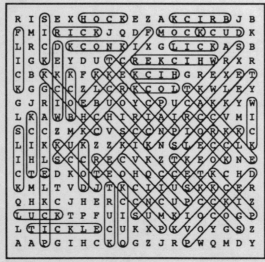

126

127

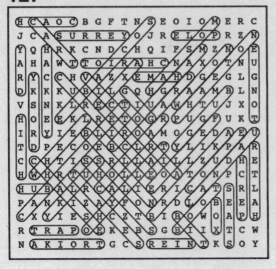

128

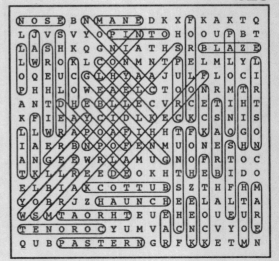

129

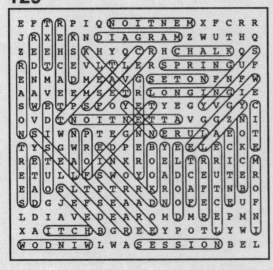

130

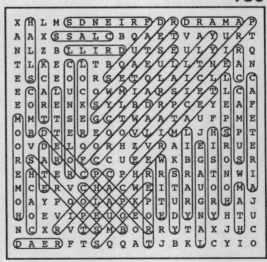

131

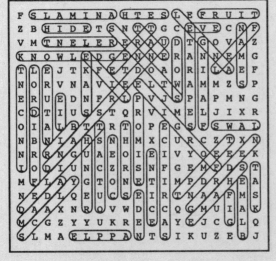

132

133

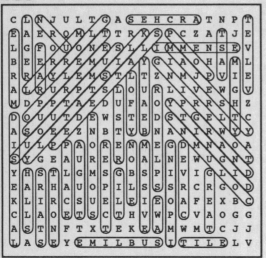

134

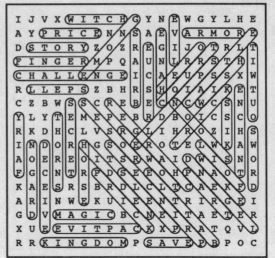

135

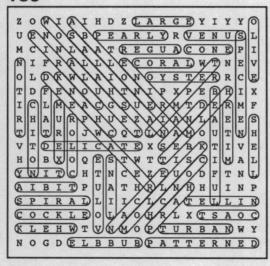

136

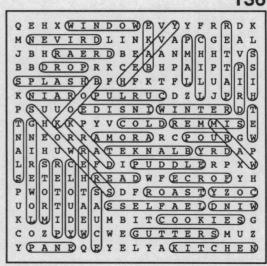

137

138

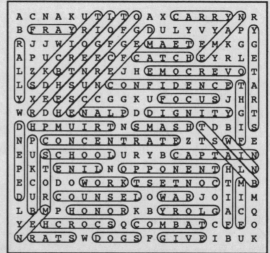

139

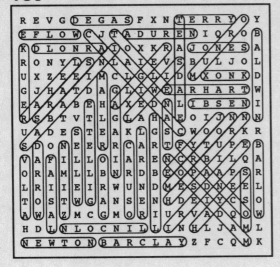

140

141

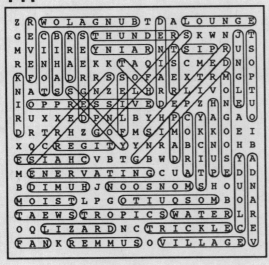

142

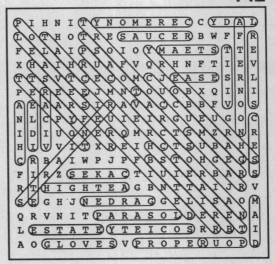

143

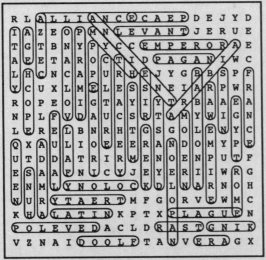

144

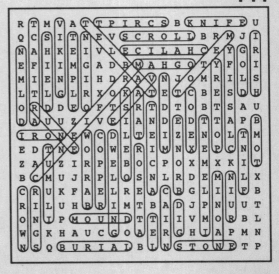

145

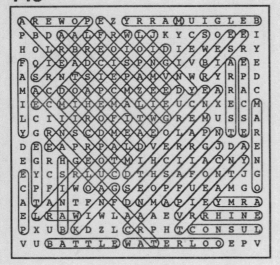

146

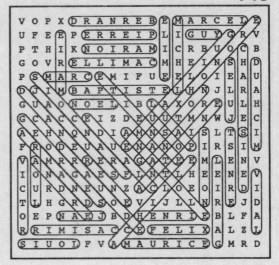

147

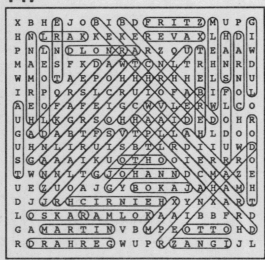

148

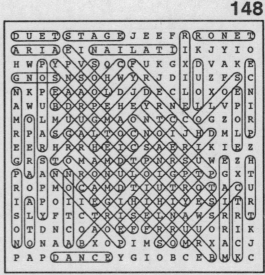

149

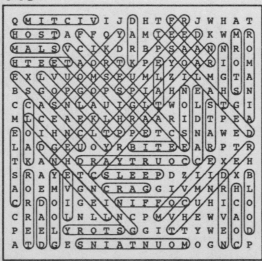

150

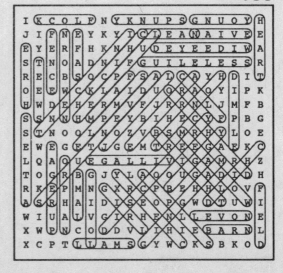

404

151

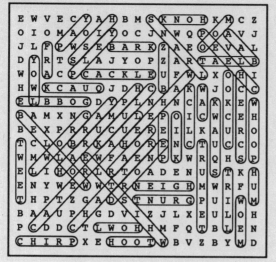

152

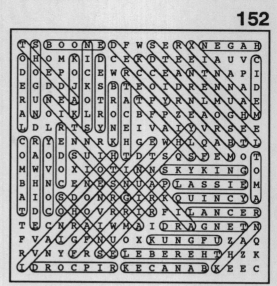

153

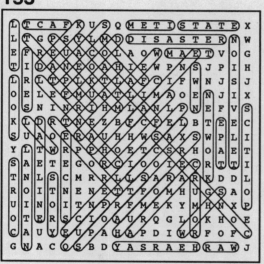

154

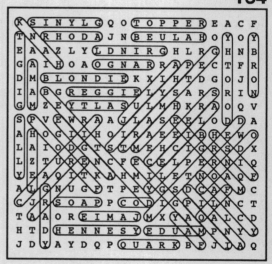

155

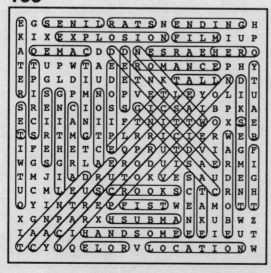

156

157

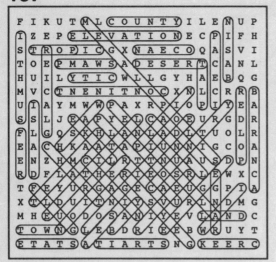

158

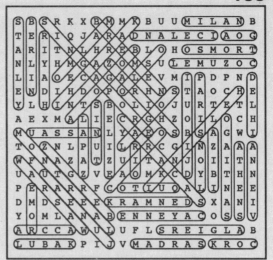

159

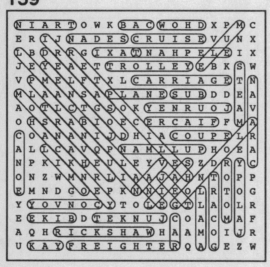

160

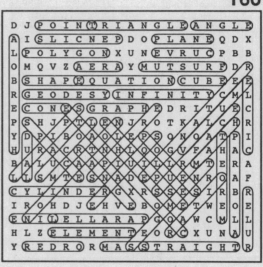

161

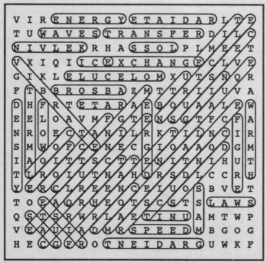

162

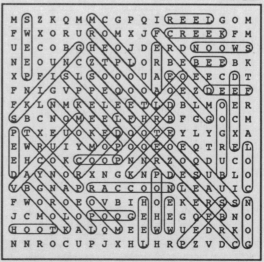

163

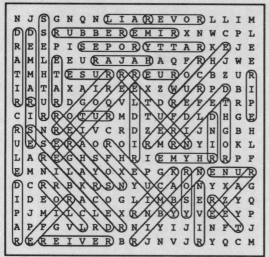

164

165

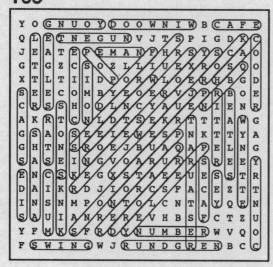

166

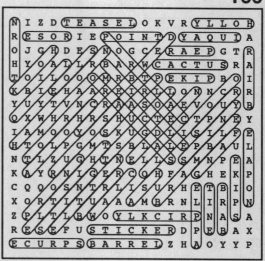

167

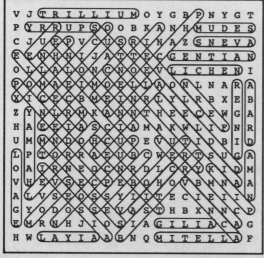

168

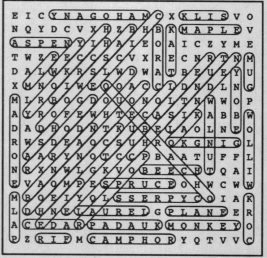

169

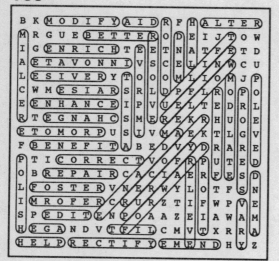

170

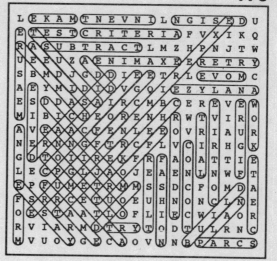

171

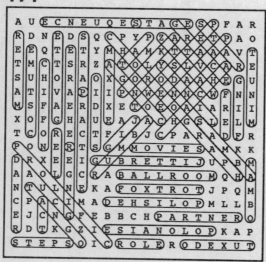

172

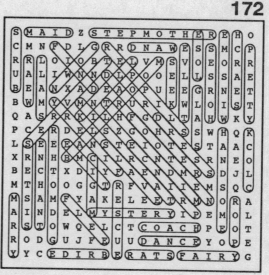

173

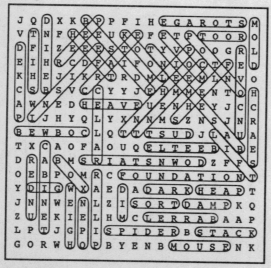

174

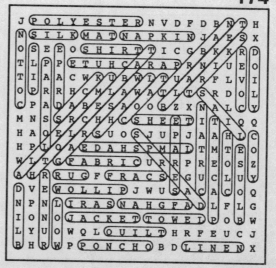

175

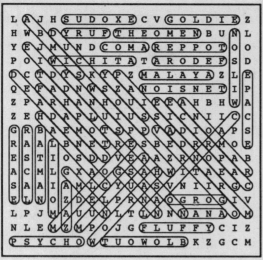

176

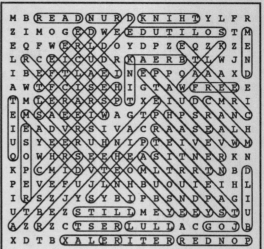

177

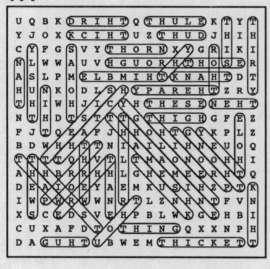

178

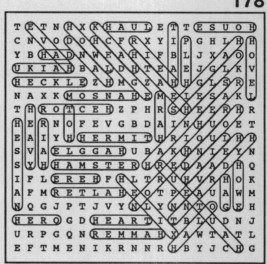

179

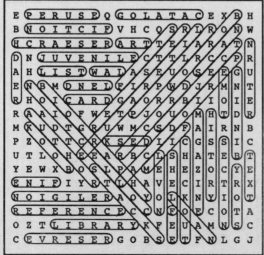

180

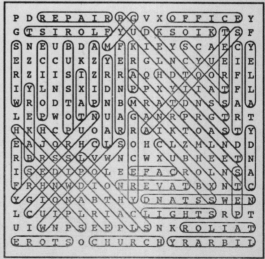

181

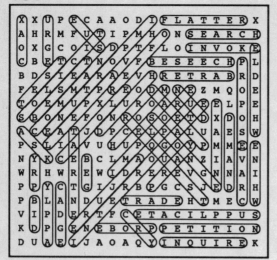

182

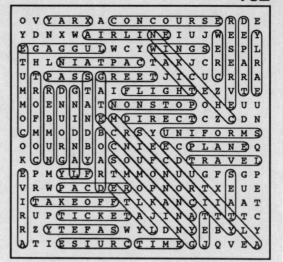

183

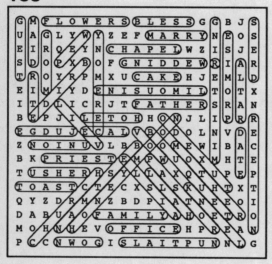

184

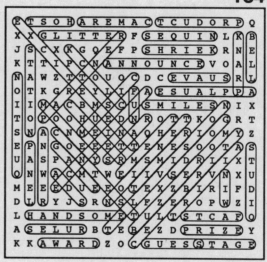

185

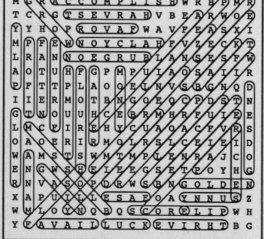

186

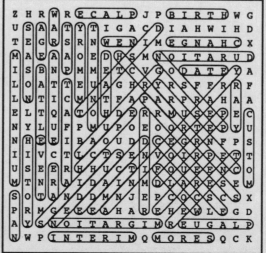

187

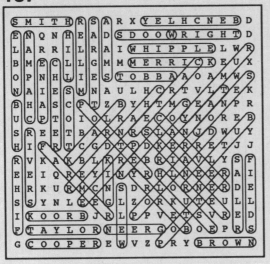

188

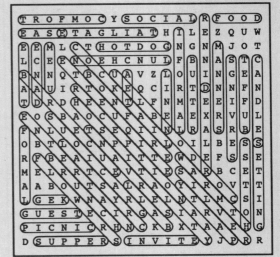

189

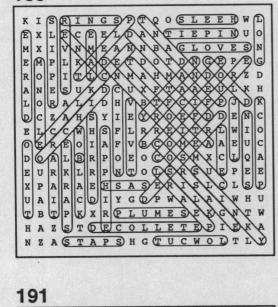

190

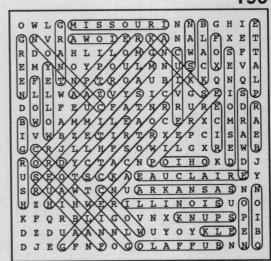

191

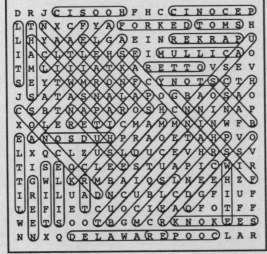

192

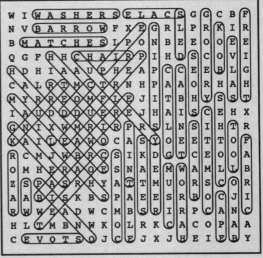

193

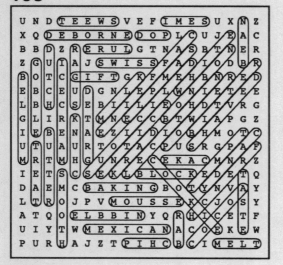

194

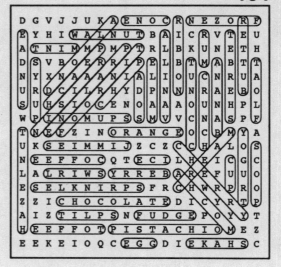

195

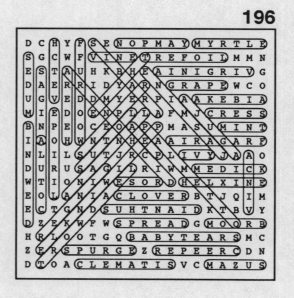

196

197

198

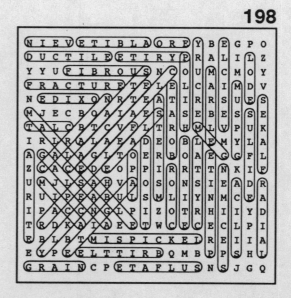

199

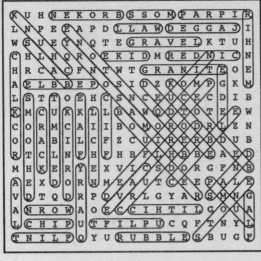

200

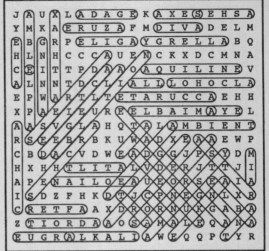

201

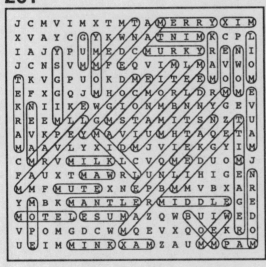

202

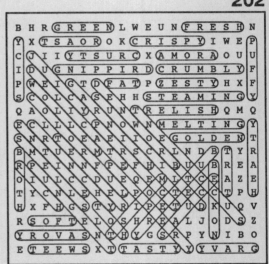

203

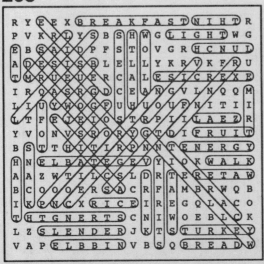

204

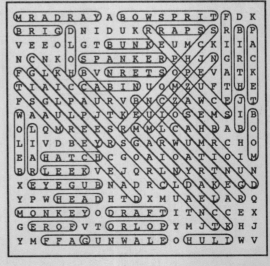

205

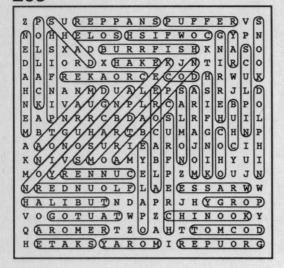

206

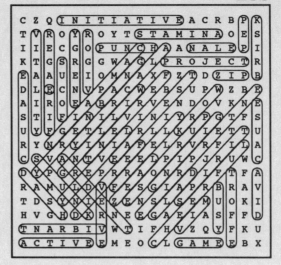

207

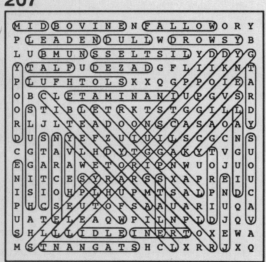

208

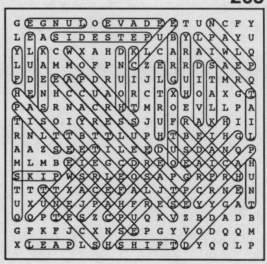

209

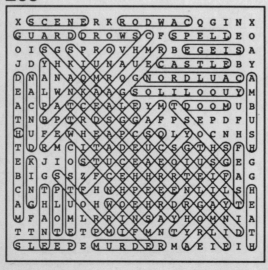

210

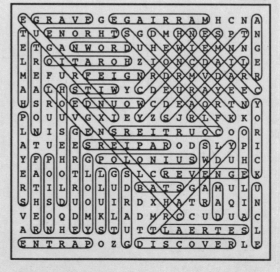

211

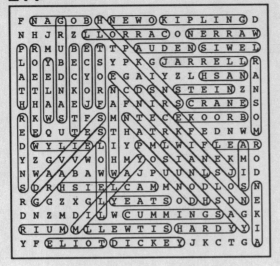

212

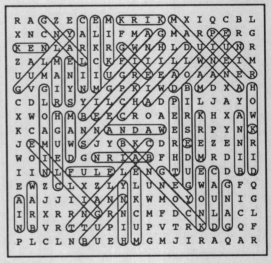

213

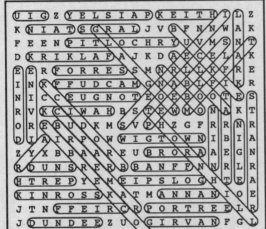

214

215

216

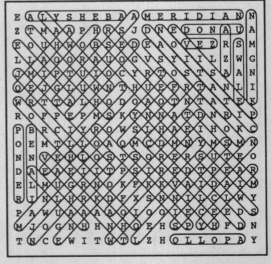

217

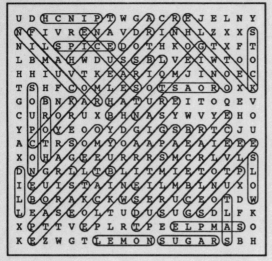

218

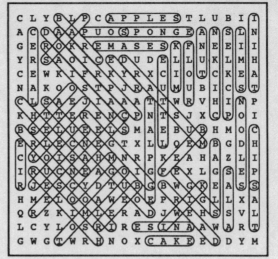

219

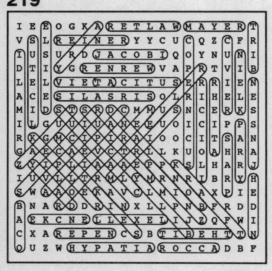

220

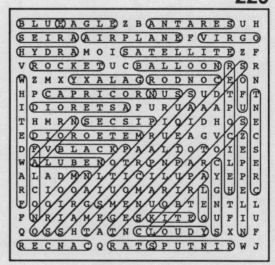

221

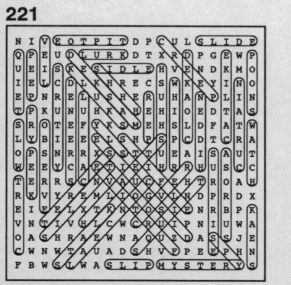

222

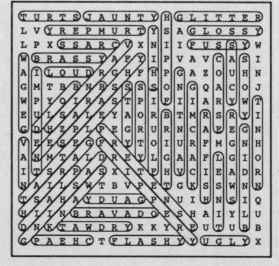

223

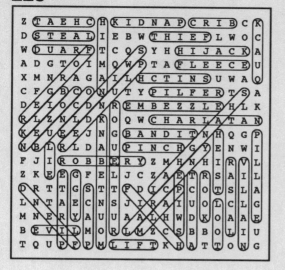

224

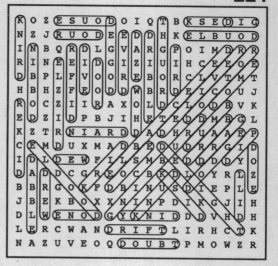

225

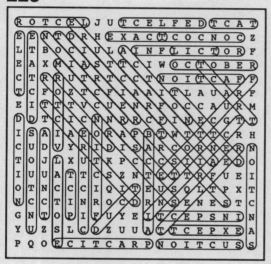

226

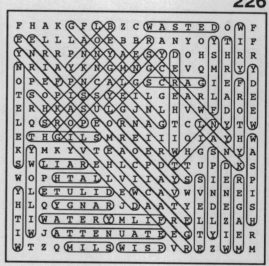

227

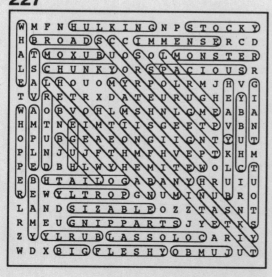

228

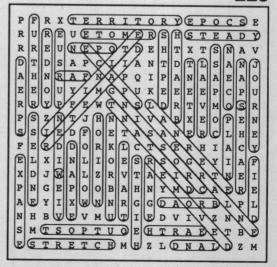

229

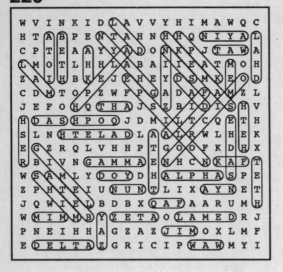

230

231

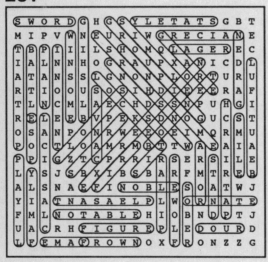

232

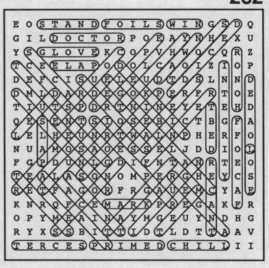

233

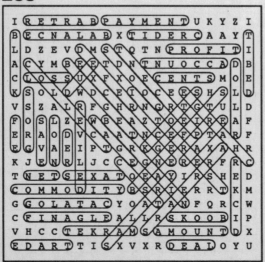

234

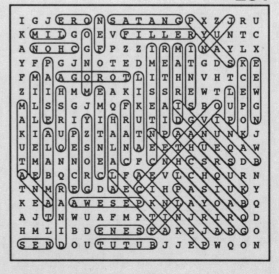

235

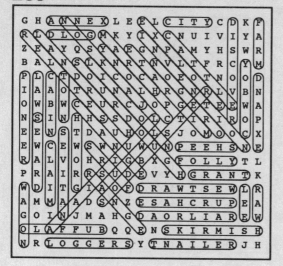

236

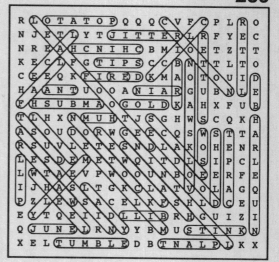

237

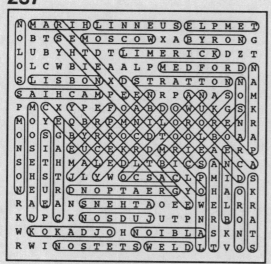

238

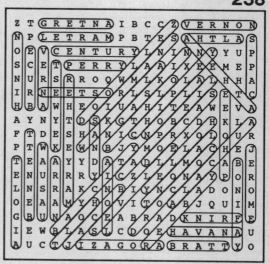

239

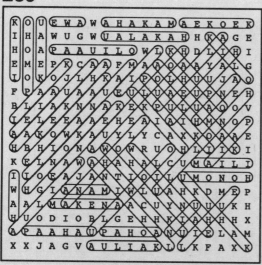

240

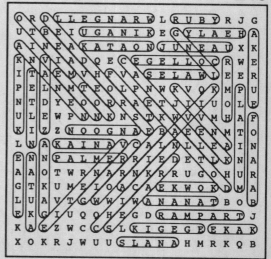

241

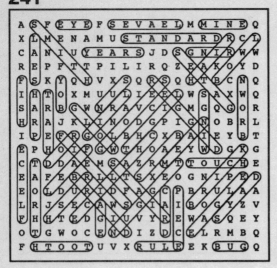

242

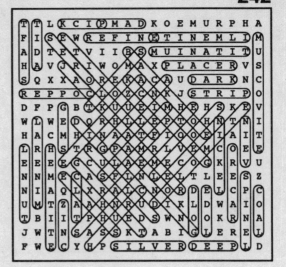

243

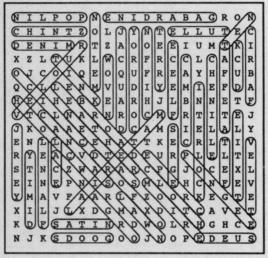

244

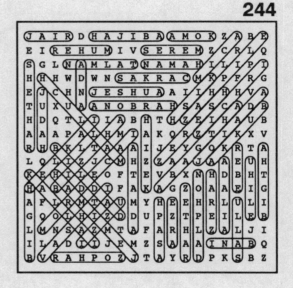

245

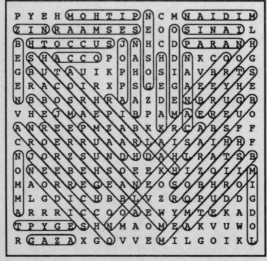

246

247

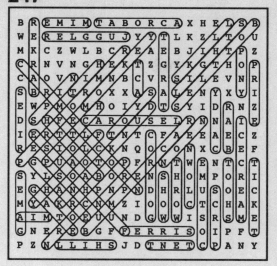

248

249

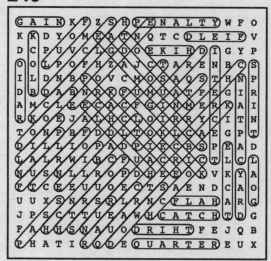

250

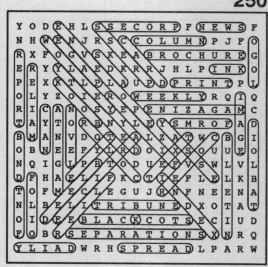

251

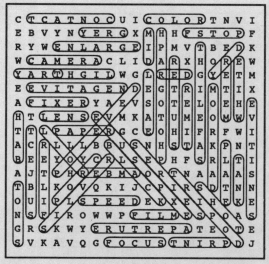

252

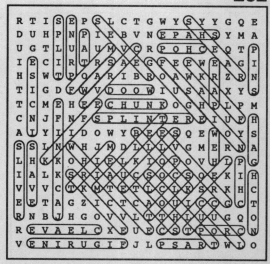

253

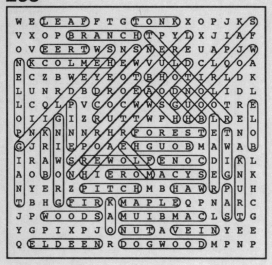

254

255

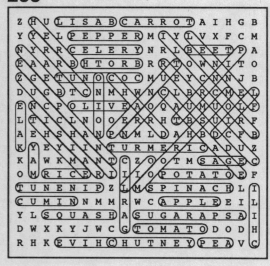

256

257

258

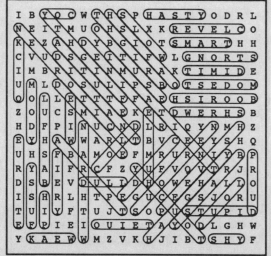

259

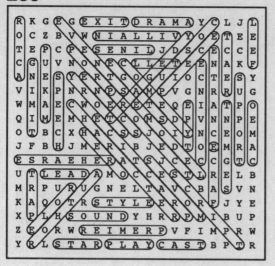

260

261

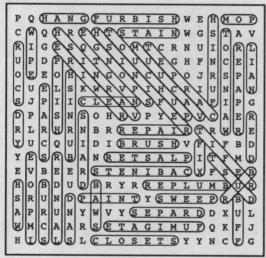

262

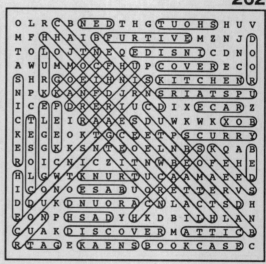

263

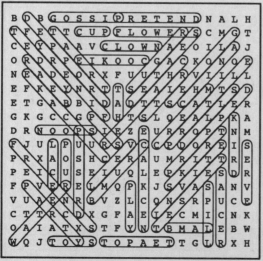

264

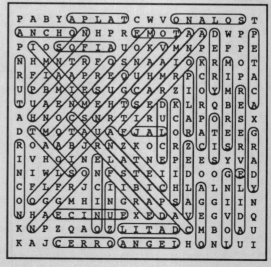

265

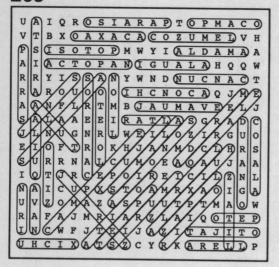

266

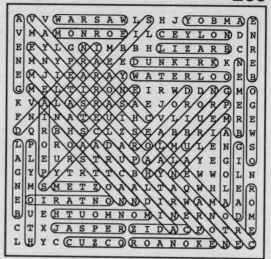

267

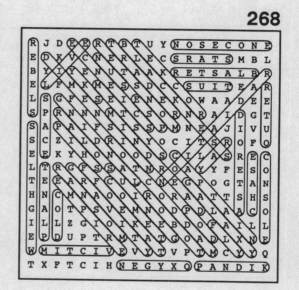

268

269

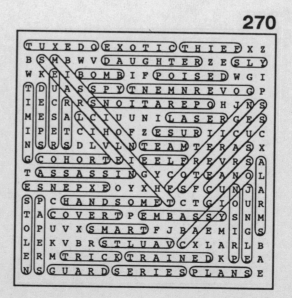

270

271

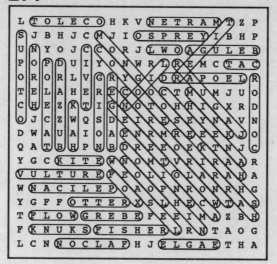

272

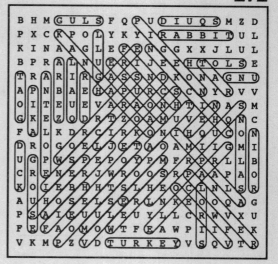

273

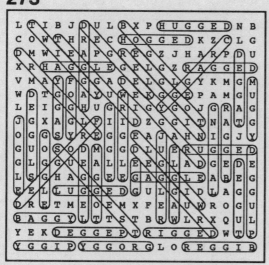

274

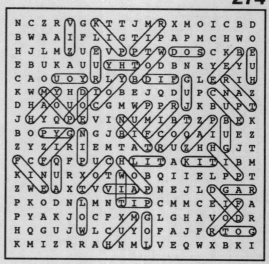

275

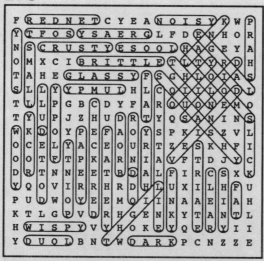

276

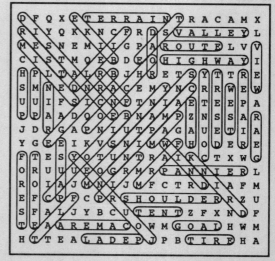

277

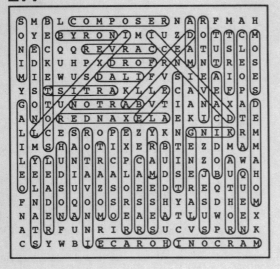

278

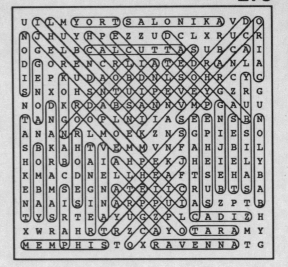

279

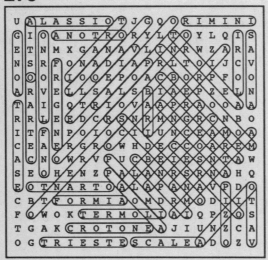

280

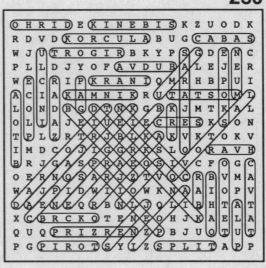

281

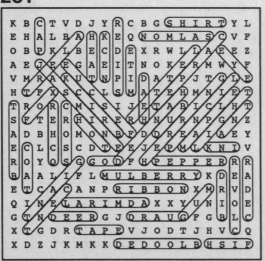

282

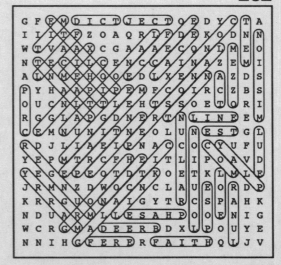

283

284

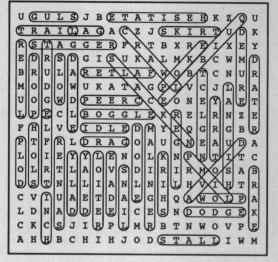

285

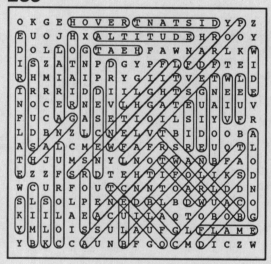

286

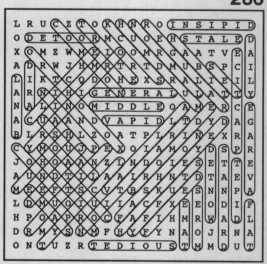

287

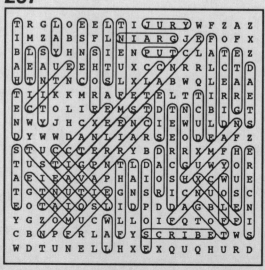

288

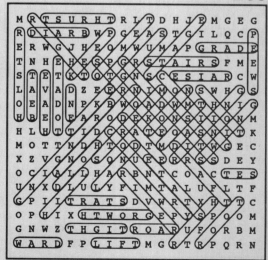

289

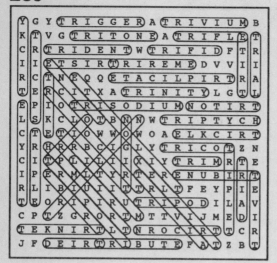

290

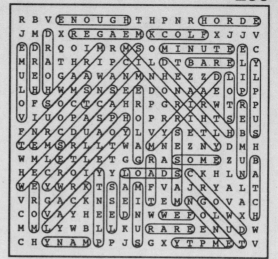

291

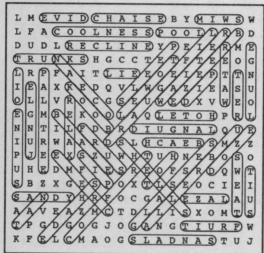

292

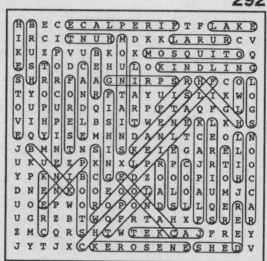

293

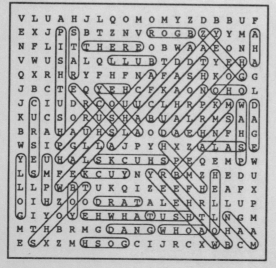

294

295

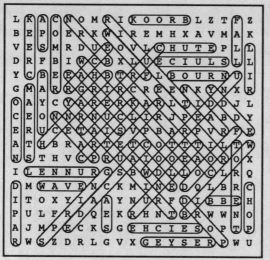

296

297

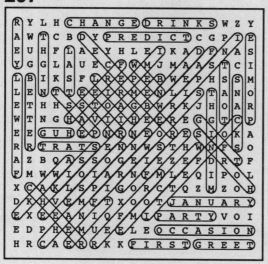

298

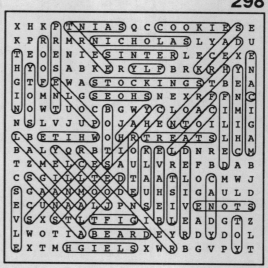

299

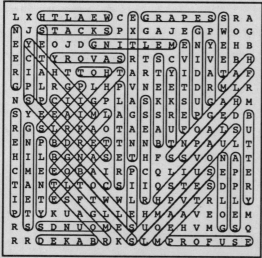

300

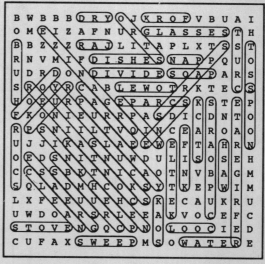

ADD TO YOUR *PUZZLERS* COLLECTION

Once you order one *Puzzlers* book you'll be sure to want one of each! Our brain-baffling PUZZLERS series is a wonderfully habit-forming adventure in pencil-puzzling fun for puzzle enthusiasts of all ages. Each of these digest-size books contains dozens of search-a-word or crossword games to test your skill and challenge your knowledge.

MODERN PUBLISHING
A Division of Unisystems, Inc.
155 East 55th Street, New York, New York 10022

Please send me the following PUZZLERS books:

- ☐ **#79 Search-A-Word**
- ☐ **#80 Search-A-Word**
- ☐ **#81 Search-A-Word**
- ☐ **#82 Search-A-Word**
- ☐ **#83 Crosswords**
- ☐ **#84 Crossword and Search-A-Word**

Each book is *ONLY $1.75,* plus $1.00 for postage and handling for *each book*. (Offer valid for U.S. residents only.)

Name _____

Address _____

City _____ State _____ Zip _____

I enclose $_____ for _____ books which includes all postage and handling costs. (No C.O.D.'s please.)
Residents of New York and Pennsylvania please add the appropriate state and local sales tax.

3/90

Bigger really is better when it comes to Modern Publishing's new puzzle books, each one featuring 84 puzzles in extra-large, easy-to-read type.

Each book only $2.50 plus $1.00 postage/handling for each book (No COD's).